社会・芸術論集 I

ウィリアム・モリス

川端康雄 編訳

小さな芸術

William Morris

The Lesser Arts and Other Lectures

月曜社

目次

凡例

一、モリスによる原注は原書の書式（脚注）を踏襲して脇注とした。その原注のなかで訳注で補足すべき点は〔　〕をもって示した。

一、訳注は、人名や事項などの簡単な説明の場合は、本文中に文字のポイントを下げて、一行か二行で〔　〕をもって示した。さらに込み入った訳注については巻末にまとめた。

一、原文中の引用符“ ”は「　」で示した。

一、原文中の（ ）は（　）で示した。

一、原文で強調のためにイタリック体を用いている語句は、原則として訳文では傍点をふった。

一、原文で、通常小文字で記す普通名詞の語頭を大文字で強調している場合は、原則として〈　〉で示した。（例）〈芸術〉、〈自然〉、〈建築〉。さらに単語全部を大文字にしてある場合は〈　〉を太字にして示した。（例）〈**友愛**〉、〈**平等**〉

一、原文で英語以外の書名などが記されている場合はその表記を本文中に示した。

一、読みやすさを考え、原文にはない小見出しを適宜加えた。

一、本巻に収録した八つの講演の発表日時、主催者、会場、文献初出などについては巻末の解題にまとめて記述した。

ウィリアム・モリス　小さな芸術　社会・芸術論集Ⅰ

小さな芸術（レッサー・アーツ）

これから先、もうひとつの講演では、より小さな芸術（レッサー・アーツ）、いわゆる〈装飾芸術〉の歴史的概観をみなさんにお示ししたい。本音を言えば、この重要な人間の活動（インダストリー）の歴史の主題についての話にただちに入ることができれば、いっそう楽しかったでしょう。しかし現在におけるわれわれの〈装飾〉の実践にかかわる多様な問題については三つ目の講演でふれるので、この芸術の本質と目的、現状と将来の見通しについての私見を述べておかないと、誤解を受けたり混乱を招いたり、あるいは余計な説明をしたりすることになりかねません。[1] この講演では、みなさんとはおそらくかなり意見が相違することを述べます。したがって、これまでの歴史を考察する際、わたしがなにを咎め、なにを称賛するにしても、過去を嘆き現在を軽蔑し未来に絶望しているわけではないことをまずご了解いただきたい。また、われわれの周囲で起こるあらゆる変化と混乱は、世界が生きている証（あか）しであり、どのような道筋を辿るのかはじつは予測がつかないのですが、人類全体の向上につながるものである、そうわたしは確信しています。

さて、こうした〈芸術〉の目的と本質について述べるにあたり、その主題の細部に立ち入るとき、

〈建築〉という大芸術にはあまりふれません。まして〈彫刻〉とか〈絵画〉と言われる大芸術にもほとんどふれませんが、私見ではそうした芸術をこれから述べる〈小さな芸術（レッサー・アーツ）〉、いわゆる〈装飾芸術〉から完全に切り離すことはできません。この両者が分離したのは近代にいたってから、生活の条件が複雑極まるようになってからのことにすぎません。思うに両者が切り離されてしまうのは〈芸術〉全般にとって由々しき事態です。より小さな芸術（レッサー・アーツ）は流行や虚偽が強いる変化に抵抗できず、些末で、機械的で、知性を欠くものとなります。その一方で、より大きな芸術（グレイター・アーツ）は、偉大な精神と見事な手腕の持ち主たちによってしばらくのあいだは実践されるかもしれませんが、小さな芸術（レッサー・アーツ）の援助もなく、相互協力もないので、必然的に民衆芸術としての尊厳を失い、ごく少数の怠惰な金持ち連中のための、生気のない無意味な虚飾の添え物か、巧妙な玩具にすぎなくなります。

しかし狭い意味での〈建築〉、〈彫刻〉、そして〈絵画〉についてここで語るつもりはありません。はなはだ遺憾なことに、現在こうした主要な芸術、とくに知的な芸術は狭い意味での装飾から切り離されているからです。本日の主題は芸術の偉大な母体〔装飾芸術〕についてです。人はそれを用いて日常生活で身近な事物を美しくしようと多少なりとも不断の努力をおこなってきました。それはひとつの大きな主題であり、ひとつの重要な人間活動（インダストリー）であって、世界史の主要部分であるとともに、世界史を研究するためのもっとも有用な道具でもあるのです。

じっさいそれは住宅建築、彩色、建具職と大工職、鍛冶職、製陶、ガラス器製造、そして織物、そのほか数多くの技芸（アート）からなる非常に偉大な人間活動です。また一般の人びとにとってたいへん大事だが、われわれ手職人（ハンディクラフツマン）にはさらに大切な芸術の母体です。人びとが使用し、われわれ手職人が作るもののなかで、なんらかの装飾の手が入っていなければ、その品物は未完成であるとみなされるのが常だったからです。多くの場合、あるいはたいてい、わたしたちはそうした装飾に慣れ親しんできたものだから、自然に生じたものであるかのように見えて、焚き付け用の乾いた木っ端に付着した苔ほどにも目をくれなかったことも事実です。それだけにいっそうひどいことになりました。なぜなら、そもそも装飾、あるいは装飾らしきものがあるところには、なんらかの用途と意味がある。というか、あるべきだからです。これはその問題全体の根本に存するのですが、人の手によって作られたものにはかならずなんらかのかたちがあります。そのかたちは美しいか醜いか、二つに一つです。それが〈自然〉と調和していて〈自然〉を助けるものであれば美しく、〈自然〉と調和せずに〈自然〉を妨げるものであれば醜くなります。どっちつかずはありえない。われわれはといえば、忙しくしているか無為でいるか、なにかに熱中しているか落ち込んでいるかであり、いつも見ている事物のかたちがこのように出来事に満ちているということに鈍感になりがちです。さて、装飾の主要な用途のひとつ、装飾が自然と連携することの主要な役割とは、この点で装飾がわれわれの鈍磨した感覚を研ぎ澄ませるということです。この目的のために、さまざまなすばらしく精妙な模様が織りなされ、さまざまな不思議なかたちが考案されるのであり、そうした装飾作品を人はかくも長きにわたって享受してきたのです。それらのかたちや複雑な模様はかならずしも自然を模倣するものではないにせよ、それを描くときには職人の手が自然の導くままに働き、やがて織物や杯（さかずき）やナイフが緑の野や川岸や、山にある燧石（すいせき）とおなじくらい自然に、いやおなじくらい美しく見えてきます。
人がどうしても使わなければならないもので人びとに喜びを与えること、それが装飾のひとつの大きな役割です。人がどうしても作らなければならないもので人びとに喜びを与えること、それが装飾のもうひとつの用途です。

　ここまで来れば、本日の主題がたいへんに重要だということがおわかりいただけると思います。こうした芸術なくしては、休息はただ虚しくつまらぬものであり、労働はただ耐え忍ぶだけのもの、心身を疲弊させるだけのものとなり果てます。

　装飾芸術の後者の役割、すなわち労働において人に喜びを与えることは、いくら強調してもし足りない。とはいえ、真理はいくら繰り返しても価値を減じることはない。それを知らなければ屋上屋を架すことでお詫びをせねばならなかったでしょう。なにしろ現在も活躍中の偉大な人物がこの問題について語っているのを想起するからです。すなわちわが友人のジョン・ラスキン教授のことです。その『ヴェネツィアの石』第二巻の「ゴシックの本質とそこでの職人の役割[2]」と題する章を読まれるなら、おそらくこの問題について語りうるなかでも、真実でありかつじつに雄弁な言葉をただちに読みとられるでしょう。この問題についてわたしが言うべきことは、彼の言葉の繰り返しにすぎませんが、真理が忘却されないよう、反復することには多少の効用があるので繰り返します。そういう次第で、さらにこれを推し進めて話をしてみます。人びとが労働の呪いというものについてどういうことを言ってきたか、またそうした言葉のほとんどが、いかに重苦しく嘆かわしい戯言（たわごと）であるかは、みな知っているところですが、じつは職人たちが本当に呪ってきたのは愚かさという呪いであり、内外からの不正という呪いでした。いや、自分の手でなにもせずにのらくらしていることを——愚か者が言うような、紳士(ジェントルマン)[3]のようにくらすということを——よいくらしだとか、楽しいくらしだと思うような人がここにおられるなどとは考えられません。

それでも、なさねばならない退屈な仕事もたしかにあるし、そんな仕事を人にさせて、その様子を見守っているのも退屈な仕事です。わたしならただの見張り役をするくらいなら自分の手を使ってその仕事を二度繰り返したい。だがそれよりもいま話題にしている芸術でわれわれの労働を美しいものにし、それを広範に普及させ、作り手と使い手双方からよく理解されるようにしむけようではありませんか。要するに芸術を民衆的なものにしようではありませんか。そうすれば退屈な仕事や、うんざりする苦役が相当に減ることでしょう。呪われた労働について語る口実も、祝福された労働を忌避する口実も、もはやだれにもてなくなるでしょう。世界の進歩を助長するにはこれをなしとげるしかないと思います。断じて言いますが、この世にこれほどわたしが望んでいることはほかにありません。わたしたちみながなんらかのかたちで望んでいる政治と社会の変化がそこには深くかかわっている、そうわたしは確信しているからです。

装飾芸術に織り込まれた歴史

装飾芸術は贅沢と暴政と迷信の侍女ではなかったのかと反論されれば、ある意味ではそうだと言わざるをえません。他の多くのすぐれたものと同様に芸術もそのように用いられてきました。しかしさまざまな民族において、そのもっとも活気にみちた自由な時代が芸術の最盛期でもあったことは事実です。同時に、こうした装飾芸術が自由の希望すらもてぬように見えた、抑圧された民衆のあいだに花開いたことも認めなければなりません。とはいえ、そのような時代に、そうした抑圧された民のなかにあっても、少なくとも芸術は自由であったと考えてまちがいないでしょう。その自由を失ったとき、本当に迷信や贅沢にとりつかれたときに、芸術はただちにその束縛のもとで病みはじめたのです。また、教皇や王や皇帝がこれこれの建物を建てたのだと人が口にするのは、たんなる言葉の綾だということも忘れてはなりません。ウェストミンスター寺院を建てたのはだれか。コンスタンティノープルの聖ソフィア大聖堂を建てたのはだれか。[4] 歴史の本を見るとヘンリー三世であり、皇帝ユスティニアヌスだと記されている。本当にそうでしょうか。建てたのは、みなさんやわたしのような人びと、仕事を残しただけで、ほかにはなにも残さなかった名もなき職人たちではなかったか。

さて、装飾芸術は現在の日常生活の問題への人びとの注意と関心を呼び覚ますのですが、それと同様に、装飾芸術が前述のような肝要な部分をなしている歴史について、あらゆる段階でわれわれの注意を喚起します。これも小さな問題ではないでしょう。いかなる民族も、どんな社会状態であれ、どんなに粗野であっても、芸術が皆無であったことなどなかったのですから。われわれがほとんどなにも知らない過去の民族であっても、彼らがどのようなかたちを美しいと考えていたかだけはわかっている、そんな民族が少なからずいます。歴史と装飾の結びつきはじつに強力なものなので、われわれが装飾を手がけるときには、いましていることから過去の影響を完全にふりはらおうとしても、それはどだい無理なのです。思うにいかに独創的な人物であっても、今日腰をすえて織物の図柄だとか、日用の容器や家具のかたちを描くときには、何百年も前に使われていたかたちから発展したもの、あるいは堕落したもの以外は描けないと言っても過言ではありません。さらにそうしたかたちというものは、いまはたんなる手の習慣でしかなくなっているとはいえ、かつては厳粛な意味をもっていることが多かった。かつては崇拝や信仰の神秘的な象徴であったものが、いまではほとんど記憶されていないか、すっかり忘れ去られてしまったのではないか。こうした芸術についての楽しい研究に精を出してきた人びとは、過去のくらしを窓越しに眺めるかのように垣間見ることができます。名も知れぬ諸民族がいだいていた思惟のそもそもの発端を見ることができるのです。たとえば、古代東洋の恐るべき帝国。ギリシアの自由な活力と栄光。ローマの重圧と強固な支配。忘れることも意識せずにいることもけっしてできない、あらゆる善と悪を世界に広げたローマというつかのまの〈帝国〉の没落。その豊穣な娘たるビザンティウムをめぐる東西あるいは南北の衝突。イスラムの興隆と紛争と衰退。スカンディナヴィアの放浪。十字軍。近代ヨーロッパの諸〈国家〉の建設。古い死滅しつつある制度と自由思想の闘争——こうしたあらゆる歴史的事件とその意味が民衆芸術の歴史に織り込まれています。歴史的な人間活動（インダストリー）として装飾を入念に研究する者は、こうしたことすべてに精通していなければなりません。わたしがこの問題と、この問題にかかわるあらゆる知識の効用を考えるとき——歴史が熱心に研究され、いわばわれわれに新しい感覚を与えるほどにまでにいたったとき——これまで起きたすべての出来事の真相を知りたいと切望し、王や悪党どもの争いや陰謀についての退屈な記録でごまかされることなどもはやできなくなっているとき——こうしたことを思い合わせると、〈装飾芸術〉に過去の歴史がこうして織り込まれていることが、〈装飾芸術〉と現在のくらしとのかかわりに比べて大事でないなどとはとうてい言えません。このような記憶もまたわれわれの日常生活の一部であると思えるからです。

大いなる体系のなかの装飾芸術

さて、今日における装飾芸術の条件についての検討に進む前に、ここまでの話をかいつまんでまとめておきましょう。すでに述べたように、装飾芸術は美における人間の喜びを表現するために創造された大いなる体系(グレイト・システム)の一部です。あらゆる民族と時代が装飾芸術を用いてきた。それは自由な民族の喜びであり、また抑圧された民族の慰めでもありました。宗教はそれを用いて高め、また悪用して堕落もさせた。装飾芸術は歴史のすべてとつながっている、歴史の明晰な教師なのです。なによりもこの芸術は、一生涯その仕事に携わる職人にも、また日々の仕事のあらゆる折にそれを見て影響を受ける一般の民衆にも、人の労働をやわらげるものとなり、われわれの労苦を幸福なものに、休息を実り豊かなものにするものなのです。

さて、これまで述べたことが、装飾芸術に対する手放しの称賛にすぎないと思われるなら、こうしたかたちで述べたのにはそれなりの理由があると言わねばなりません。

それはここでみなさんにこう質問せざるを得ないからです。これらすべての良きもの——それをみなさんはもちたいと思われるか、それとも投げ捨ててしまいたいと思われるのか、と。

みなさんはこの問いに驚かれるでしょうか——ここにご来席のほとんどは、わたし自身と同様に、民衆の芸術、あるいは民衆のものであるべき芸術の実践に現に携わっていらっしゃる方々ですが。

これを説明するには、すでに述べたことを多少繰り返さねばなりません。手仕事の神秘と驚異が世間によく認められ、想像と空想が人間によって作られたあらゆるものと混在していた時代があります。その時代には、すべての職人は、われわれがいま言うところの芸術家でした。しかし、人間の思想はさらに複雑に、これを表現することはさらにいっそう困難になりました。芸術は扱うにはますます困難になり、その仕事は偉大な人間、それよりは劣る人物、そして平凡な人間のなかでいっそう分かたれるようになったのです。かつては手が織機の杼(ひ)を送ったり金槌をふるったりしたように、心身の休息にすぎなかった芸術が、やがて、特定の人びとにはたいへん重要な仕事となり、そうした人びとの働くくらしは希望と不安、喜びと苦悩の長きにわたる悲劇となりました。これが芸術の発展であり、あらゆる発展と同様、しばらくの間は幸福で実りも豊かでありました。しかし、すべての実りある発展と同様に、それは衰退にむかいました。かつて実り豊かであったものが衰退する場合の例にもれず、それはなにか新しいものへと変化するのでしょう。

衰退にむかって、というのも、芸術がより大きなもの（グレイター）と、より小さなもの（レッサー）に分裂すると、一方では軽蔑の念が生じ、他方では大切にされないという事態が生じたからです。いずれも〈装飾芸術〉の哲学――これをいままさにわたしはみなさんに提示しようとしているわけですが――についての無知に起因します。芸術家は手職人から生まれたのに、職人を向上の希望がもてぬ状態にし、芸術家自身もまた知的で勤勉な人びとからの共感を得られずに孤立しました。芸術家も職人も、いずれも同程度に損失をこうむったのです。芸術の運命はさながら砦を前にした一団の兵士のようなものです。隊長は希望と勢いにあふれて突撃し、部下がつづいてくれるかどうか振り返りもせず、部下はなぜ率いられて死なねばならないか理解できないままでいる。かくして隊長は犬死にし、部下は〈不幸〉と〈蛮行〉の砦の物憂い虜（とりこ）となるのです。

〈装飾芸術〉について、あらゆる芸術について率直にこう述べなければなりません――芸術に関してわれわれが先人すべてに劣っているわけではなく、むしろ芸術が無秩序で混乱した状態にあるからこそ、抜本的な変化が必要であり、不可避なのであると。

それで、ふたたび問いたいのです。みなさんは芸術が生みだすあらゆる実り豊かな果実を得たいと思われるか、あるいは投げ捨ててもよいと思われるか。必然的に到来するあの抜本的な変化は無駄な変化であるのか、あるいは有益な変化であるのか。

世界のくらしがずっとつづくことを信じるわれわれは、その変化が無駄ではなく、有益なものであることを願い、利益をもたらすように努力すべきです。

とはいえ、この質問に世界がどう答えるかは、だれにもわからないのではないでしょうか。人間はその短い生涯において一寸先のことしか見通せないのであり、わたしの生涯においてさえ予期せぬ驚くべきさまざまなことがらが実現してきました。したがって、われわれの周囲で進行しているあらゆることよりも、むしろこの点にわたしの希望があると言わねばならないのです。想像力ゆたかな芸術が消滅しても、いまは想像がつかない新しいものがもちだされて、それが人間生活の損失を埋め合わせるかもしれぬということは否定しませんが、そんな見込みに幸福を感じることはわたしにはできないし、また人類がそのような損失に永久に耐えられるはずがありません。ところが、芸術の現状と、芸術と現在の生活や進歩との関係を見るにつけ、少なくとも外見上はこれが近い将来の状態を示しているようなのです。すなわち、世界はすでに長期にわたり芸術よりも他の諸問題に追われ、軽率にも芸術をますます貶めてきたので、かならずしも無教養とは言えない多くの人びとが芸術のかつての姿も知らず、またどうあるべきかの希望もなく、とうとう芸術を軽蔑の念でしか見なくなりました。したがって、このようにあくせく忙しさに追われる世界は、いつか混乱や紛糾をともなうことがらすべてに我慢できず、きれいさっぱり過去を拭い去ってしまうにちがいありません。

では、それから——それからどうなるのでしょうか。

いまでもロンドンの汚濁のなかにあっては、この先がどうなるのかは想像しがたいことです。〈建築〉、〈彫刻〉、〈絵画〉は、それに付随する一群の小さな芸術（レッサー・アーツ）とともに、〈音楽〉や〈詩〉をも巻き添えにし、死滅し忘却され、もはや人びとの気持ちをかきたてたり楽しませたりすることはまったくなくなるでしょう。繰り返しになりますが、われわれは自己欺瞞におちいってはなりません。ひとつの芸術の死はすべての芸術の死を意味します。それぞれの運命の相違といえば、もっとも幸運な芸術がただ最後に食われるということだけです——もっとも幸運なのか、あるいはそれはもっとも不幸なのかもしれませんが。美に関するあらゆることがらにおいて、人間の創意工夫の才は袋小路におちいるでしょう。そのあいだ〈自然〉はずっとその美しい変化を永遠に繰り返すでしょう——四季の移ろい。陽光と雨雪、嵐と好天。夜が明け、真昼になり、日が暮れる。日夜の推移——自然は人間にむけて不断につぎのように証言しつづけるでしょう。すなわち、人間は美の代わりに醜を選んだのであり、また人間は最強の存在であるにもかかわらず、わざわざ好きこのんで薄汚い、あるいはひたすら虚ろな環境のなかで生きることを選んだのであると。

　みなさん、われわれはそんな未来をまったく想像できません。とはいえ、古（いにしえ）のロンドンの父祖たちも同様にいまのありさまを想像できなかったのではないでしょうか。美しく丹念に塗られた白い家に住み、名高い教会の大きな尖塔が頭上にそびえるなかでくらしていた父祖たち、広い〔テムズ〕川にむかって広がる美しい庭をそぞろ歩きしていた父祖たちは、いつの日かひとつの州の全体、あるいはそれ以上が、大中小の恐ろしく醜いあばら屋に覆われてしまい、それがロンドンと呼ばれるようになるなど、夢にも思わなかったでしょう。

　みなさん、わたしがなによりも恐れる芸術のこの死滅は、たしかにいまでも想像しがたいのですが、そのような事態を免れるのは、現在では予見できない事情の変化によるしかないのではないか。しかし、たとえそうなったとしても、長つづきしないでしょう。それは刈り取った雑草を焼くだけのことで、畑はさらに肥沃になるでしょう。人間はやがてまた目を覚まし、周囲を見わたして退屈に耐えられず、以前と同様に、ふたたび創造し、模倣し、想像し始めるでしょう。その確信がわたしを慰めるのであり、空白の期間はかならず生じるけれども、その暗黒のさなかにも新しい種子が芽生えるにちがいないと、わたしは冷静に述べることができます。昔も同様であり、まず誕生、そして希望がほとんど無意識のうちにやって来ます。それからありあまるほどふくらんだ希望とともに、円熟して花と果実がもたらされますが、尊大さへと移り、熟れた実は朽ちる。そしてそれから――ふたたび新しい誕生がもたらされるのです。

さて、諸芸術について真摯に考える者すべてがはたすべき明白な義務は、無知と無分別の帰結としての、よくても損失にしかならないような事態から世界を救うために全力をつくすことです。あらゆる変化のなかでももっとも意気阻喪させるのは、消滅した残虐を新たな残虐に代えてしまうことであって、それはなんとしても防ぐべきです。いや、心底芸術を大事に思う人びとがたとえ非力で少数のため、ほかになにもできなくとも、ある種の伝統や過去の記憶を生かしつづけることが彼らの務めなのではないでしょうか。そうしてこそ新しい生命が訪れたとき、それを浪費することなく、新しい精神のためにまったく新しい形式を創造できるのです。

芸術の再生にむけて

では、芸術が世界に大きな益をもたらしているということ、また芸術がなければ平和とよきくらしが失われてしまうということを真に理解する人びとは、どのような局面から救済の道を始めるべきなのでしょうか。まずつぎのことを認めることだと思います。すなわち、古（いにしえ）の芸術、無意識の知的芸術とでも言うべきものは、年代のわからぬ大昔に始まったもの――少なくとももつい先日堆積物から発見されたマンモスの骨などに描かれた不思議でみごとな掻き痕と同程度に古い昔に始まったもの――なのですが、この無意識の知的芸術はほとんど死に絶えたということ。わずかに残されているのは文明化の半ばにある民族のあいだに細々と生き長らえ、年を追うごとに粗野で、弱々しくなり、知的なものではなくなったこと。それどころかこの芸術はヨーロッパの染料の少量の船荷の到着とか、ヨーロッパの商人からのわずかな注文などの、ほとんど商業上の偶然によって翻弄されているということ。こうしたことを認識しなければなりません。そしていつの日か意識的で知的な新しい芸術によってその間隙が埋められるのを目にする希望をもたねばなりません。それは世間のいまのくらし、これまでのくらしよりも賢明かつ素朴で自由なくらし方が生まれ出るのを目にする希望なのです。

いつの日かこれを目にすると言いましたが、われわれ自身の目が見るという意味ではありません。じっさい、一部の人びとにはそれはあまりにも遠い先のことなので、多くの者が考えるような価値はないと思われます。たしかに壁に立ち向かえず、われわれの希望が漠然としているからと、ただ座視するだけの人もなかにはいます。じっさい、古い芸術の最後の衰退の兆しは、それにともなうあらゆる弊害とともに、一目瞭然であり、他方で、前述したように芸術が今後迎えそうな暗夜の彼方に新しい夜明けの兆候がないわけではないのです。とりわけつぎのような兆しがあります。すなわち、現状に心底不満を覚え、その改善、あるいは少なくとも改善の見込みだけでもと望む人びとが少数でも存在すること――さまざまな兆しのなかでもこれが最上のものです。たとえ一握りの人びとであれ、自然と不調和ではないなんらかの事態が到来することに心魂を傾ける人がいれば、いつかはそれが実現するからです。少数の人びとの頭のなかであっても、ある考えが浮かぶのは偶然ではありません。むしろ放置されれば表現されずに終わるものが世界の中心で胎動するのであり、それによってそうした少数者が衝き動かされ、やむにやまれずに発言し行動するようになるのです。

それでは、芸術における改革を望む者はどのようなかたちで仕事をしたらよいか。そして彼らはどのような人びとにむけて、美を手中にしたいという熱望、もっと言えば、美を創造する力を伸ばしたいという熱望の火をかきたてるのがよいのでしょうか。

わたしはしばしばこう言われます。君の芸術を成功させ繁盛させたいのであれば、それを流行に仕立てるべきだ、と。はっきり言って、そんな言い方は不愉快です。なにしろ彼らが言わんとしているのは、わたしが一日仕事をしたら、社会的影響力があるとされる金持ち連中を説き伏せて、本来なんの興味もないのに〔その一日仕事に〕強い興味をもつようにしむけるのに二日間を費やさねばならないのですから。そうすれば〔群れの先頭の〕鈴付き羊がまず跳ぶと、あとのみんなも跳び越えた、ということわざのようになるというわけです。そんな忠告をする手合いは、つかの間しかもたない品物で満足するなら正しい。まあ小金を貯めることができれば——要するにドアがぱっと閉まって手を挟まれなければそれで結構なのでしょう。だがそうでないのならまちがっている。流行を云々する者が念頭に置いている連中は弓に用いる弦をたくさんもっているわけであり、し損じたものは簡単に見捨てることができるのです。だから連中の気まぐれを信じて無難な仕事をするわけにはいきません。それはべつだん本人のせいではなく、そうせざるをえないのです。こうした連中は芸術の実際面を知るに足るほど芸術に時間を費やす機会がないものだから、自分自身の利益になるように流行をあちらこちらへと押し出すために時間を費やす手合いの言いなりにどうしてもなってしまうのです。

よろしいでしょうか、そうした手合いからは、あるいはそうした手合いに導かれてしまう連中からはなんの助けも得られません。装飾芸術への唯一の真の助けは装飾芸術の仕事に携わっている人たちからもたらされるはずです。そしてそういう人びとは指図を受けるのではなく、みずから率先してやらねばならないのです。

芸術作品であるべきものをみずからの手で作るみなさんは、世間の人びとがそうしたものに本当に関心をもてるようになる前に、全員が芸術家、それも良い芸術家とならなければなりません。請け合いますが、そうなればみなさんが流行を先導することになるでしょう。流行のほうがみなさんの手にごく従順にしたがってくるでしょう。

それが知的な民衆芸術を得るための唯一の方法です。現在芸術家と呼ばれている少数の人たちを困難に陥れているのはいわゆる〈商業（コマース）〉ですが、これはむしろ金銭欲と呼ぶべきものです。その困難に抗いつつ働いて、彼らはなにができるのでしょうか。奇妙にも製造業者（マニュファクチュラー）と称する連中がいて、その本来の意味は手職人（ハンディクラフツマン）であるにもかかわらず、その大半が生涯に一度も手仕事をしたこともなく、たんなる資本家で販売員（セールスマン）にすぎません。[5] そんな連中が大勢いるなかにたちまじり、無力のまま仕事をする者たちになにができるでしょうか。装飾芸術と称するものが毎年大量に生産されてはいますが、その装飾を気にかけるのはそれを扱う販売員、美しいものではなく、新奇なものを求める大衆の願望を熱心に満たそうとして四苦八苦している販売員ぐらいのもので、それ以外はだれも見向きもしない、そんな状態でこうした砂粒にも等しい者たちになにができるでしょうか。

　繰り返しますが、治療をほどこせるのであれば、方法は単純です。諸芸術のあいだで分断が生じ、手職人は芸術家に置き去りにされてしまったのですが、その手職人が芸術家と対等の位置に立ち、芸術家と肩を並べて働かねばなりません。名人の親方と弟子というちがいはあるし、人の精神の生来の適性のちがいによって、かたや模倣をするだけの芸術家、かたや建築的すなわち装飾的な芸術家が生まれるのですが、そうした相違を別にすれば、厳密な意味で装飾的な仕事に従事する人びとのあいだにいかなる差があってもならないのです。この仕事に携わる芸術家の集団は自分たちの芸術によって、作られる品物の必要や用途に応じて、すべてその作り手がまた芸術家となるように働きかけていくべきなのです。

　これを阻む途轍もない困難が社会と経済の両面にあることは承知していますが、見かけほど大きな困難ではないでしょう。それが不可能なら真正の生きた装飾芸術などありえないと確信しています。

それは不可能ではありません。それどころか、みなさんが心から芸術を生きたものにしたいと願うならば、かならず可能になります。もし世界が美と品位あるくらしのために、いまあくせくしているさまざまなことがらを犠牲にする気があれば（それらの多くはわざわざ労をとる価値はないのですが）、芸術はふたたび成長しはじめるでしょう。さきに述べたさまざまな困難については、そのいくつかは人間関係の諸条件が着実に変化していけばいずれ消滅します。休息、理性、また芸術の法則でもある自然の法則に注意を払おうとする強い思いが少しずつその困難を除去するでしょう。繰り返しますが、意志さえあれば求める道はさほど遠くはありません。

しかし意志がありすでに道はあるとしても、この旅が最初は荒涼たる土地に踏みこむものであり、それどころか、しばらくはさらにひどくなるように見えても失望してはなりません。改革を開始させるにいたった弊害がいっそう醜く見えるのは当然なのですから。一方では生と知恵が新しきものの建設途上にあり、他方では愚かさと無感覚が旧弊なるものにいまだへばりついているのです。

ほかのあらゆる問題とおなじく、ここでも事態の解決には時の経過が必要でしょう。さらに手近のなすべき些事を軽視しない勇気と忍耐も要ります。また細心の注意をもって、基礎固めをろくにしていないうちに壁を築いたりしないようにするべきです。また、つねに万事にわたって、失敗してすぐ落胆したりせず、教えを乞い学ぼうとする謙虚さも大いに求められます。

〈自然〉と〈歴史〉から学ぶ

みなさんの教師は〈自然〉と〈歴史〉でなければなりません。前者の〈自然〉については、それから学ばねばならぬことは明々白々なので、ここで長々と話す必要はないでしょう。このあと細かなことがらについてさらに説明せねばならぬときに、〈自然〉から学ぶ方法について述べます。後者の〈歴史〉については、比類のない天才をのぞけば、古（いにしえ）の芸術から多くを学ばないかぎり現代においてはなにもできず、天才であってもそれを学んでいなければ大きな障害になります。こんなことを言うと、わたしがそうした古の芸術が死滅したと言ったこと、また現代の特徴を備えた芸術が必要ではないかと主張したことと矛盾すると思われるかもしれませんが、それに対してはただこう言えるだけです。すなわち、知識はたっぷりあるものの、つくりだしたものはお粗末である現在にあって、古の作品を直接研究し、それを理解することを学ばなければ、周囲の貧弱な作品に影響を受けてしまう。そして模倣者をとおして出来のよい作品を模倣し、それを理解することなく模倣してしまうことになりますが、それはけっして知的な芸術をもたらしません。したがって古の芸術をよく研究し、それに教えられ、それから情熱の火をもらおうではありませんか。そうしながら模倣したり反復したりしないことです。芸術をまったく放棄してしまうか、自分自身がものにした芸術をもつのか、二つに一つなのです。

しかしながら、自然と芸術の歴史を研究するようにと勧めるにあたり、ここがロンドンであり、どういう状態にあるかを思うと、わたしはほとんど立往生せざるをえません。この地のおぞましい街路を毎日往き来する労働者に美に関心をもつようになどと、どうして言えるでしょうか。政治であれば、われわれは関心をもつにちがいないし、あるいは、科学であれば周囲で進んでいることをたいして気にしないで、きっと事実の研究に専念できる。しかし美についてはそうはいきません。長期にわたって芸術を軽視してきたことによって——またこの問題では理性を軽視してきたことによって——芸術がいかなる窮状におちいってしまったか、おわかりでしょうか。いかなる労苦、いかなる必死の努力によってみなさんがこの難題を克服できるかというのはきわめて重い問いなので、さしあたりこの問題を棚上げし、少なくとも歴史とその遺物の研究がこの点で多少役に立つと希望せざるをえません。偉大な芸術作品や、偉大な芸術の時代の記憶で本当に心を満たすことができれば、先に述べた醜悪な環境をある程度は見抜くことができます。また現在の無思慮で野卑なありさまに不満をいだくようにかきたてられるでしょう。そして願わくは、悪しき状況への不満が高まって、ついにはこの入り組んだ文明をひどく汚している近視眼的で向こう見ずで悪辣な蛮行にはもはや我慢ができないと、意を決することになるのではないでしょうか。

さて、なんにせよロンドンは研究には恰好の場所であり、博物館に恵まれています。その開館日は週六日ではなく週七日にしてもらいたいと切に願います。あるいはせめて一日ぐらいは、仕事で忙しいふつうの人が静かに見られるというのを決まりにしてもらいたい。彼らも納税者で博物館を支えているのですから。そうすれば芸術に対する生来の素質がある者みながきっと頻繁に訪れ、よりいっそう益することになるはずです。しかしながら、人びとがこうしたかたちで国が所有する芸術の莫大な財宝から得られる、あらゆる利益を得るのに先立ち、若干の予備的教育が必要であることも事実です。それに博物館では展示品を断片的にしか見られません。また一抹の憂愁が博物館に漂っていることも否定できません。なにしろそこに大事にしまわれた断片はわれわれに暴力と破壊と無思慮を物語っているのですから。

英国の伝統芸術

しかしさらに、みなさんには範囲はもっと狭いが馴染みのある自然なかたちで、場合によってはこの国の遺物に古の芸術を研究する機会があるでしょう。場合によってと言うのは、われわれがこのレンガとモルタルの世界の只中でくらしているために、ウェストミンスターの大伽藍の幽霊のほかにはここには残されたものはほとんどないからです。そのウェストミンスター寺院の外部は修復建築家の愚行によって破壊され、荘厳な室内は尊大な葬儀屋たちの嘘によって、ここ二世紀半にわたる虚飾と無知によって辱めを受けてきました。その寺院と、また隣接する比類のない〈ホール〉[6]のほかにはほとんどなにもない。だがこの煙にくすんだ世界の彼方の田舎へ行けば、われわれの父祖の手になる作品がいまだ自然のただなかに生きて、それらが自然と融合し、完全に自然と一体になっているのが見られるのです。じっさい、英国の田舎のどこでも、民衆がこうしたものを大事に思っていた時代には、人間が作った作品と、それが作られた土地とのあいだに十分な共感があったからです。小さな国土であり、狭い海〔英仏海峡とアイルランド海〕に閉じ込められていて、大山脈が隆起する余地はなさそうです。荒涼として圧倒されそうな不毛の大地もなく、人里離れた大森林もなく、人跡未踏の恐るべき山壁もない。すべてが控えめで、混ざりあい、変化に富み、ある風景から別の風景へとつぎつぎと目に映るのです。小川、小さな平原、丘、起伏に富んだ山々、これらすべてが美しく整った樹木で囲まれている。牧羊地の壁が網目状に走る小さな丘、小さな山、あらゆるものがこじんまりしているが、愚かでも空虚でもなく、むしろ心がこもっており、そこに意義を求める人間にはありあまるほどの意味を有している。それは牢獄でも宮殿でもなく、慎み深い家なのです。

わたしは以上のすべてを褒めもせず、非難もせず、ただありのままを述べただけです。この土地がまるで世界の車軸でもあるかのように、この飾らなさをやたらと褒めちぎる向きもありますが、わたしはそれはしません。自己や自分たちに属するものすべてに自惚れてまわりが見えなくなってしまわなければ、だれでもそうです。さらに、この土地とその単調さを軽蔑する人もいますが、わたしはそちらに与(くみ)することもしません。じっさい、この世界にほかになにもなかったとしたら、驚異も、恐怖も、言語に絶する美もなかったとしたら、軽蔑せずにいるのはむずかしかったかもしれません。しかしわれわれがくらすこの土地が過去、現在、未来にわたって世界の歴史のいかに小さな部分であり、芸術の歴史においてはさらにいかに些少な部分であるか、それにもかかわらず父祖たちがどんなにこの土地に愛着を感じ、どんなに努力と苦労を重ねて、このロマンスに欠け、波乱にも富まない英国の地に美観を添えたのかを考えるとき、われわれの心はいたく感動するし、われわれの希望は燃えあがるのです。

人びとがそうしたことがらについて力を尽くしていたあいだは、芸術のありようも土地の場合とおなじでした。芸術は虚飾や巧妙な趣向で民衆を感服させるようなことはめったにしませんでした。陳腐に堕すことも威厳を誇ることもめったになかった。抑圧に加担することなどなかった。奴隷の悪夢となったことも、傲慢に自惚れることもなかったのです。そしてその最上級の産物に備わっていた創意と個性は、壮麗な様式がけっして凌駕できないほどのものでした。まさに核心部分となるその最上の性質は、王侯の宮殿や大聖堂と同様に、自作農（ヨーマン）の住居やつつましい村の教会にも惜しげなく与えられたのです。それはしばしばかなり荒削りではありましたが、けっして粗悪ではなく、美しく、自然で、飾らず、豪商や宮廷人の芸術というよりも農民（ペザント）の芸術でした。そのなかで生まれたわれわれのような者であれ、あるいは豪邸に見慣れた人が海外からやってきてそうした素朴な家にふれて驚嘆する場合であれ、それを愛さないのは無情な人間にちがいないと思います。そう、それは農民の芸術でした。それは人びとのくらしにしっかりと根づき、地方の大邸宅が「フランス風に豪勢に」建てられていたあいだも、わが国の多くの土地で、小作農（コテッジャー）と自作農（ヨーマン）のなかにそれは依然として生きていたのです。海の向こうの愚かな虚飾が自然と自由をすべて消し去ってしまい、とくにフランスにおいて、うまく立ちまわる得意顔のあの悪党ども（連中はその後まもなく、みずから地獄の底に永遠に落ちていったのですが）の所業の表現に芸術がなりはててしまっていたときにも、織機や版木や刺繍針がつくり出す多くの古風な模様のなかに、それは依然として生きていたのです。

これが英国の芸術であり、その歴史を刻むものがある意味ではみなさんの身辺にもありますが、非常にわずかになり、それも年を追うごとに減少しています。その一因は貪欲な破壊ですが、これはたしかに昔に比べれば少なくはなりました。しかしそれだけではなく、近頃「修復」[7]と称されているもうひとつの敵の攻撃によって減少させられています。

この問題を長々と語ることはできませんが、こうした古の遺物（モニュメント）の研究をみなさんに勧めているのだから、まったく見すごすこともできません。問題はつまり、こういうことです。こうした古い建築物は世紀を重ねて、ときには美しくつねに歴史のひとこまとして変更を加えられてきました。古い建築物の価値、その大半の価値はこの点にあります。それはまたほとんどつねに放置されることで損なわれてきたのであり、しばしば乱暴な扱いによって害されてきました（後者の点はしばしば興味深い歴史の一片です）。だがごく当たり前の修繕をおこなうことによって、たいていそうした建物は自然と歴史のさまざまな断片としてつねに保たれてきたのです。

「修復」という名の古建築物破壊

しかしながら、近年、中世建築についての研究の大きな進展、その結果としての知識の増大と軌を一にして、キリスト教会熱が高まり、こうした建築物に金を費やすように人びとをかりたてました。それがただ建物を修繕したり、安全にしたり、清潔にしたり、防風や防水を目的にするだけではなく、ある理想的な完全な状態に「修復」することにもかりたてたのです。この「修復」とは、少なくとも宗教改革以来、しばしばもっと古い時代から、その建物に起きたすべての痕跡を極力拭い去ることでした。ときには芸術をまるで無視してひたすら教会熱にかられておこなったのですが、芸術に関してよかれと思ってする場合も多くありました。しかし、この修復の試みは不可能であると同時に、建築物には破壊的なものです――わたしのこの見方をみなさんが理解されないなら、今夜わたしが述べたことを聴かれたことにはなりません。こうした建築物のどれほど多くの部分が芸術と歴史を研究する者にとってほとんど役立たずにされたかは考えたくもありません。みなさんが建築について多くのことを知らなければ、この問題において、あの危険きわまる「半可通」によっていかに恐るべき損害が生じたかはおわかりにならないのかもしれません。しかし、少なくとも容易に理解できることは、いったん失われればいかなる壮麗な現代芸術によっても取り返しのきかない価値ある（そして国民的な）記念碑を無謀に扱うことは、〈国家〉に対してもきわめて残念な行為に加担するということです。

古の芸術の研究についてこれまでわたしが述べた一切から、ここでの教育の意味は、デザイン学校における限定された芸術分野の授業より、もっと広い教育であること、大なり小なりわれわれがみずからなさねばならないことと理解されるでしょう。つまりそれは、この問題についてのわれわれの思想を体系的に集積し、あらゆる方法でそれを研究し、骨身を惜しまず慎重にそれを実践することであり、職人の技術とデザインに有益であると認められることに専念すると決意することです。

素描の意義

しかし、もちろん、われわれが語り合ってきたこの研究の手段として、また同様に芸術の実践の手段としても、職人はすべて注意深く素描を教えられるべきです。じっさい、身体的に無理な人でなければ、すべての人が素描を教えられるべきなのです。だがこうして教えられる素描の技術はデザインの技術ではなく、ただこの目的、すなわち諸芸術を扱う総合的能力を得るための手段にほかなりません。

なぜならみなさんにとりわけ力説したいことはこういうことだからです——デザインすることは学校では学ぶことはできないこと。生来のデザイナーである人間を助けるのは、たゆまぬ実践、自然と芸術にたゆまず注意を払うこと、これです。デザインの能力をある程度備えた者はいまだに大勢いるだろうし、道具を求めるのとまさにおなじように、学校からある種の技術指導を求めるでしょう。また最良の学校、みなさんの周囲でみごとな実践をおこなっている学校がかくも低調である近年では、彼らはきっと芸術史の教育を求めるのでしょう。デザイン学校はこの両者を与えることができます。しかし、デザインの似非（えせ）科学によって導き出される一連の規則からなる近道は、それじたい学問ではなく、また別の一連の規則なのであって、それを学んでもどこにも行き着きません——というか、こう言ってよければ、またふりだしにもどってしまうのです。

装飾の仕事に携わる人間にはどのような素描を教えるべきかについては、素描を教える最良の方法はただひとつ、それは学生に人体を描くことを教えることです。その理由は、人体の線はほかのなによりも微妙だから、そして誤っていればすぐ気づいて訂正できるからです。このような教え方が芸術に関心のあるすべての人びとに与えられるならば、芸術の復興に大いに役立つでしょう。すなわち、正しいものと誤ったものを識別する習慣、美しい線を描く快い感覚は、芸術を創造する才能の芽のある人間すべてに対する、言葉の真の意味での教育となると思います。とはいえ、すでに述べたように、現代の世界において過去の芸術に目を閉ざすふりをすることはただの気どりです。そういったこともわれわれは学ばなければなりません。社会問題や経済問題といった他の事情が道をふさがなければ、すなわち世界が忙しすぎてわれわれが〈装飾芸術〉をもつことが許されない、というのでないのなら、知的能力の全面的な開発と、目と手の能力の全面的な育成との、このふたつが〈装飾芸術〉を獲得する直接の手段なのです。

あるいはこれはみなさんに対しては当たり前すぎる忠告であり、まさに迂回路のように思われるかもしれません。しかるに、今夜の主題である新しい芸術へと、なんらかの道筋をへて到達することを望まれるのであれば、これが確実な道です。もしもそれを望まれず、いま述べたように、いまだ人びとのあいだにふつうに存在するこうした創造力の萌芽がないがしろにされ、育成されぬままに放置されるなら、〈自然〉の法則は他の問題におけるのと同様にここでも貫徹され、デザインの能力そのものがやがては人類から消え失せてしまうでしょう。みなさん、知性こそがわれわれを人間たらしめているわけですが、その知性のかくも重要な部分を投げ捨てて、はたして人は完成へと近づけるのでしょうか。

「礼節が人を作る」

ここで話を終える前に注意をうながしたい点があります。それは他のことがらのために芸術をないがしろにしてきたことで、われわれが正道を歩むことを妨げ、障害になっている問題です。そのために、それが処理されるまでは、われわれの試みは着手することさえもむずかしいのです。わたしの話が本日の主題からしてあまりにも堅苦しく思われるなら、まあそんなはずはないと思うのですが、さまざまな芸術がたがいに補完しあうことについて、先に述べたことを思い出していただきたい。ちなみにエドワード三世時代の古い建築家――すなわちオクスフォードのニュー・コレッジを創建した建築家〔ウィカムのウィリアム〕――が、「礼節が人を作る」[8]をその座右の銘に採用したとき、考えていたひとつの芸術（アート）があります。この建築家は「礼節」によって道徳の芸術（アート）、人間にふさわしい生き方をする芸術（アート）を意味させたのです。この芸術（アート）もまたわたしの主題と関連すると言わねばなりません。

世の中には数多の擬（まが）い物がある。それらは買い手に有害で、売り手にはいっそう有害で、さらに作り手にとっては――彼にその自覚がありさえしたら――もっとも有害なものです。もしもわれわれ職人が万事においてすぐれた出来栄えのものしか作らないと決心するならば、良質の〈装飾芸術〉、すなわち装飾の技量をみがくことにむけて、それはなんというよき基礎となることでしょうか。ところが現状では、非常に低い水準で仕事をすることがあまりにも多く、しかもその低い水準にも達しないという場合もよくあるのです。

わたしはこの問題ではあれこれの階級ではなく、あらゆる階級を非難します。われわれ自身の階級、手職人についてはみなさんもわたしも欠点がよくわかっているので、これ以上語る必要はありません。世間の人びとは無知のため安物の購入を勧誘され、ひどい物を買ってもわからない。またなにも知らないために人に相応の代価を支払っているのかもわからないし、それを気にもしません。（いわゆる）製造業者（マニュファクチャラー）は競争を、それも品質ではなく価格の競争を最大限迫られるので、たまたま特売品業者に会おうものなら、求められるままの安値で劣悪な品物を喜んでくれてやるのです。そのやり口といったら詐欺という以上にぴったりの名前はありえません。英国ではつい最近まで金儲けのための会計事務所だけが繁盛し、物作りの工房はなおざりにされてきました。その結果、いまや会計事務所も閑散としているのです。

すべての階級が非難されるべきだと言いましたが、手職人には救いがあるとも言えます。すなわち、手職人は世間の人びとのように無知ではなく、製造業者や仲買業者のように貪欲で孤立する理由もない。彼らには人びとを教育する義務と名誉があり、その義務を遂行しやすくする秩序と組織の種子があるのです。

手職人がこの点に気づき、このもっとも重要な礼節を強調することによって、われわれすべての人間性の回復に資するようになるのはいつのことでしょうか。そうなれば、われわれは適正な価格で品物を買う喜び、そして公正な価格と丁寧な仕事のゆえに誇りに思える品物を売る喜び、さらには、あくせくせずにしっかりと働き、誇りに思える品を作る喜びでもって、くらしに彩りを添えることができるのです。この三つのうち最大の喜びは最後の点であり、この世にこれ以上の喜びはほかにないとわたしは思います。

この礼節の問題は本題から離れていると言うべきではありません。本質的にこれは主題の一部をなすものであり、もっとも大切なものです。わたしたちのあいだで芸術が終わってしまわないのであれば、芸術家になるように学びなさいとみなさんに申し上げているからです。そして芸術家とは、ほかになにが起きようとも、自分の仕事をすぐれたものにしようという覚悟をもった職人にほかなりません。換言すれば、すぐれた装飾とは成果を生みだす労働における人間の喜びの表現そのものではないでしょうか。だが悪い仕事、成果を生まない労働にいかなる喜びがあるというのか。どうしてそんな代物に装飾をほどこさなければならないのか。労働が成果を生まない状態にどうして耐えられるでしょうか。

有用でないものは芸術作品ではない

不当な利得を貪り、自分で働いたのでもないものに実入りを望んだりすると、劣悪な仕事、擬い物の仕事に道をふさがれて先に進めなくなってしまいます。同様に、この貪欲がもたらす山と積まれた金銭（なにしろ貪欲はほかの強烈な情熱と同様に勝手放題なので）、この金銭は大小の山に積まれて、あらゆる偽りの栄誉をともない、不幸にもわれわれのあいだでいまだに権勢を誇っていて、それが贅沢と虚勢という障壁を立ち上げて芸術を妨げています。これははっきりと見てとれるあらゆる障壁のなかでも乗り越えるには最悪のものです。上流のもっとも教養ある階級もその俗悪さからは逃れられず、下層階級もそうした虚飾を免れていないからです。これに対する治療法、およびわたしの真意の正確な説明として、みなさんに肝に銘じてもらいたいのは、有用でないものは芸術作品ではありえないということです。すなわち、精神の良好な状態のもとにある身体に奉仕しないもの、あるいは健康な状態にある精神を楽しませず、慰めず、あるいは高揚させないものはけっして芸術作品ではありえません。この格言が理解され実行されるなら、ロンドンの住宅からなにかしら芸術作品であると装っている大量の話にならないがらくたの山が一掃されるにちがいありません。私見では、裕福な家には、少しでもなにかの役に立つものは（台所を除けば）ほとんどありません。概して、そこにある装飾（と呼ばれる代物）は、ことごとく見せびらかしのためにほどこされているのであって、それを好む者がいるからではありません。繰り返しますが、こうした愚行は社会の全階級に行き渡っています。主人の客間の絹のカーテンは、その従僕が頭につけている髪粉と同様に、彼にとって芸術の問題ではありません。田舎の農家の住宅の台所は、たいてい気持ちがよくて親しみのもてる場所ではありますが、居間（パーラー）はわびしくて使い物になりません。

質素なくらし

質素なくらしを送ること、素朴な趣味を得ること、すなわち、美しく高尚な事物を愛すること――これは、われわれが望んでやまない、新しくよりよい芸術の誕生のために、なによりも必要なものです。田舎家（コテッジ）はもとより宮殿においても、あらゆるところでこの素朴さが必要なのです。

さらに、田舎家(コテッジ)でも宮殿でも、どこにおいても清潔さと品位が不可欠です。その欠如はわれわれが正さねばならない大切な礼節の一部です。その欠如と生活におけるあらゆる不平等、その原因である何世紀にもわたって積み重ねられた無思慮と無秩序を正さねばなりません。広範囲にわたるその問題の治療法を考慮しはじめた人はまだほんのわずかです。限られた範囲で見ても、商業がもたらすものすべてによって、わが国の大都市が醜悪なものに変えられてしまっているいま、それに注意を払う者がいるでしょうか。その汚さと忌まわしさを抑制しようとする者がいるでしょうか。この問題においては、無思慮と無謀なふるまいがあるばかりです。人びとは自分自身でやるには寿命が足らず、仕事を始めて後につづく世代にその仕事を託すだけの勇気と先見の明を持ち合わせてもおらず、なすすべがありません。

なにがなんでも金を貯めなければならないのでしょうか。ロンドンの数平方ヤードの土地が生む金のために家々のあいだの心和ます木々を切り倒し、由緒ある古建築物を取り壊す。河川をどす黒くし、陽をさえぎり、煙やさらにひどい有毒物で空気を汚す。そんなことがなされながら、みなわれ関せずで、それを防ごうとか直そうとかいうこともまったくしないでいる、現代の商業（作業場(ワークショップ)を忘れた金儲けのための会計事務所）がここでわれわれにしてくれるのは、せいぜいそんなところなのです。

科学の役割

そして科学は――われわれは科学をよく愛し、まめに従ってきましたが、科学はなにをするでしょうか。わたしが案ずるに、科学は金儲けのための会計事務所——会計事務所とその教練教官——に雇われっぱなしになり、あまりに多忙のため、当面はなにもできないかもしれません。だが、科学にはもっとたやすい仕事があると思うのです。たとえばマンチェスターに煤煙を除去する方法を教えたり、［おなじく工業都市の］リーズに余分な黒色染料を川に流さずに始末する方法を教えたりすることです。それは超厚手の黒い絹とか、役立たずの巨砲の生産に劣らず科学が注意を払うに値するものでありましょう。とにかく、いかにそれがおこなわれようとも、人びとが自分の仕事を進める際に、世界を醜悪にしないように気をつけようと心がけないならば、どうして〈芸術〉のことを考えることができるでしょうか。こうした問題を多少でも改善するには多くの時間と金が必要であることは承知しています。しかし自他ともに人生を楽しく尊厳に満ちたものにするために時間と金を費やすほど好ましいことはありません。大都市の品位の改善に真剣に取り組むようになれば、たとえ結果的には芸術に特別によい影響を与えなくとも、国全体としての生活向上の利益には計り知れないものがあります。そうなるかどうかわたしにはわかりません。しかし人びとがこの問題に注意をむけたとすれば、希望があると考え始めるべきです。繰り返しますが、人びとが注意をむけないかぎりは、芸術を改善する努力を始めてもなんの希望もないのです。

万人のための芸術

自分や隣人の住宅の外観が見る人すべての目に喜びを、心に安らぎを与え、獣（けもの）が住む平原と人間がくらす街路を比較して街路がさほど恥ずかしくなくなるような、なんらかの手立てが講じられなければ、芸術の実践はもっぱら少数の教養ある人びとの手に握られたままでいるにちがいありません。そうした連中は足しげく美しい場所に行くことができ、彼らが受けている教育のおかげで、世界の過去の栄光に思いを馳せながら、大部分の人びとが右往左往している日常の汚濁に目を閉ざすことができるわけです。みなさん、わたしの信じるところでは、芸術は、おおらかな自由と闊達さと現実に対する共感にあふれているので、利己主義と贅沢のもとではひどく病んでしまい、このように孤立した排他的な世界では生き延びるのは無理でしょう。さらに言ってしまうならば、このような状況では、わたしは芸術に生きつづけてもらいたいとは思いません。一人の正直な芸術家にとっては、このような芸術を身辺に集めて楽しむことなどは恥辱であると抗議したい。それはさながら、敵に包囲された要塞で、まわりに飢え死にしそうな兵士たちがいるのにただ一人座してご馳走を食っている金持ちのようなものです。

わたしは少数者のための芸術を欲しません——少数者のための教育、少数者のための自由を欲しないのと同様に。

そう、これら一握りの特権的な連中は、みずからの責任があるのにもかかわらず、自分より下層の人びとを無知だと言って軽蔑し、自分自身は戦おうせずに、野蛮だといって彼らを軽蔑していますが、そんな連中のところで芸術が細々と余命を保つくらいなら、むしろしばらくのあいだ芸術が世界からきれいさっぱり一掃されるほうがましだとさえ思います。前述のように、そうなる可能性はあると考えています。小麦は守銭奴の穀倉で腐るより、大地に撒き散らしたほうがましです。そうすれば、暗闇のなかでそれが芽を出す機会もあるというものです。

とはいえ、芸術すべてが一掃されるという事態は起こらず、人びとがさらに学び、さらに賢くなるという一種の信念がわたしにはあります。ひとつには新しいから、ひとつには利益をもたらしたからという理由で、現在われわれが必要以上に誇っている生活上の多数の込み入ったことがらが、その役割を終え、もはや役に立たないものとして放棄されると確信します。われわれが戦争から、弾丸と銃剣の戦争からも商業の戦争からも、解放されることを願うのです。また、ものごとをかえって混乱させる知識から免れること、とりわけ金銭欲と現在金銭がもたらしている圧倒的な名声への渇望から解放されることも願います。われわれがいまある程度〈**自由**（リバティ）〉を獲得したように、いつの日か〈**平等**（イクォリティ）〉を達成することでしょう。それこそが、そしてそれのみが〈**友愛**（フラタニティ）〉を意味するのであり、かくして貧困と、それに起因するつらくさもしい心痛から解放されることになるでしょう。

くらしがふたたび簡素に新しくなり、こうしたあらゆる問題から解放されるなら、日々の忠実な伴侶である、われわれの仕事について考える余暇が生まれます。それをあえて〈呪われた〉労働と呼ぶ人はいなくなるでしょう。そうなればきっとわれわれはそのなかで幸福を感じ、各人は各人の場にあり、他人を羨むこともなくなります。だれもだれかの召使になれとは命令されず、だれかの主人であることをみなが軽蔑することになる。そうして人びとは仕事においても確実に幸せになり、その幸福がかならずや装飾の芸術、高貴な芸術、民衆の芸術をもたらすでしょう。

そんな芸術はわれわれの街路を森のように美しく、山のように気高いものにします。広々とした田舎から町へ出てくることは、喜びとなり、安らぎとなり、もはや心の重荷ではなくなります。どの住宅も美しく品位のあるものとなり、人の心にはやさしく、その仕事を助けるものとなります。われわれのくらしのなかに置かれ、手にふれることになる、人の手になるすべての作品は、自然と調和し、理に適い、美しいものとなるのです。さらにすべてが素朴で人を元気づけるものとなり、子どもじみたり気分を萎えさせたりするものではなくなるでしょう。なぜなら、公共建築物のなかで人の心と手によってなしうる美と輝きが欠けているような建物は皆無となるし、同様に、個人の住まいでも、浪費や虚飾、あるいは尊大さといったものは微塵も見られなくなり、だれもが最善のものを分かちあうことになるでしょうから。

そんなものは、過去にもなく、未来にもありえない夢にすぎない、と言われるかもしれません。たしかに、従来は存在しなかったのであっても、世界はたえず生きて動いているので、いつかはそうなるのではないかと、わたしの希望はますますふくらみます。たしかに、それは夢ではありますが、これまでだって現実となった夢もいろいろありました。昔の人には手に入らないもので、それを望むことさえできずにくらしていたのが、いまでは有益で不可欠のものとなっているため、当たり前すぎて日光のことをめったに考えないのと同様にあまり考えたりしない――そうしたものについてかつて夢想されたことがあったのです。

ともかく、これは夢ではありますが、みなさんに披瀝することをお許し願いたい。なぜなら、その夢は〈装飾芸術〉におけるわたしのすべての仕事の根底にあり、わたしの念頭から消えることはないからです。そして今夜ここでこの夢を、この希望を実現するために、みなさんに助力を希(こいねが)う次第です。

（一八七七年）

（1）　ここでモリスは「もうひとつの講演」、「三つ目の講演」と、トレイズ・ギルド・オヴ・ラーニング（TGL）で比較的短い期間に三回にわたる連続講演をおこなうかのような口調で、じっさいにそのような約束がなされていたのかもしれないが、一八七七年十二月四日にこの「小さな芸術」の講演をおこなったあと、この年も翌年も同組織主催での講演はおそらくしておらず、つぎにおこなうのは二年後の一八七九年四月八日で、演題は「パターン・デザインの歴史」であった。TGLでの第三の講演は「室内装飾についての若干のヒント」で一八八〇年十一月十三日になされた。これらの講演がここでモリスが予告している講演を指すのかどうかは明確でない。ちなみに、この講演は単行本『芸術への希望と不安』収録前に単独のパンフレットとして『装飾芸術――その現代生活および進歩との関係』と題して刊行されているが（巻末の「編者解題」を参照）、この冒頭のくだりに異同はない。

（2）　ジョン・ラスキン（John Ruskin, 1819–1900）はイギリスの美術評論家、社会思想家。その著作『建築の七灯』（*Seven Lamps of Architecture*, 1849）、『ヴェネツィアの石』（*The Stones of Venice*, 3 vols., 1851–53）の第二巻第六章「ゴシックの本質」（The Nature of Gothic）はモリスの芸術観に大きな影響を与えた。また、トマス・カーライル（Thomas Carlyle, 1795–1881）の影響を受けて社会問題にも関心を深め、『この最後の者にも』（*Unto This Last*, 1862）などで産業社会のもたらす弊害に対し社会改革の必要を説き、これもまたモリスに多大な影響を与えた。モリスは一八九二年に「ゴシックの本質」の章をケルムスコット・プレスで刊行した際、これを「この著者によって書かれた最も重要な著作のひとつであり、将来、今世紀の数少ない必要不可欠の言説のひとつとみなされるであろう」と述べている（ジョン・ラスキン『ゴシックの本質』川端康雄訳、みすず書房、二〇一一年）。

（3）　ここでの「紳士」（gentleman）は階級概念で「上流階級の人間」とほぼ同義。歴史的には「ジェントルマン」は中世末期以降のイギリスで一定の政治的・経済的役割をはたした社会層で、主に地代収入により特有の生活様式と教養を維持した有閑層（貴族およびジェントリーをふくむ上流階級）を意味する。モリスが『ジョン・ボールの夢』で引用している農民叛乱の標語「アダムが耕し、イヴが紡いでいたときに／紳士(ジェントルマン)などいただろうか」での「紳士」も同義である。

（4） 聖ソフィア大聖堂（ハギア・ソフィアあるいはアヤ・ソフィア）はコンスタンティノープル、すなわち現在のトルコの主都イスタンブールに残るビザンティン建築。三六〇年にキリスト教寺院として建立。火災で焼失ののち六世紀前半（ユスティニアヌス帝の治世下）に再建。一四五三年にコンスタンティノープルが陥落して以後はイスラム教の寺院（モスク）として使われた。現在は宗教施設としては用いられず、ビザンティン様式の貴重な歴史的建造物としてユネスコの世界遺産となっている。

（5） manufacturer はラテン語に由来する英語で、manus は「手」、factum は「作られたもの」なので、本来なら handicraftsman と同様に「手を用いて作る人」つまり「手職人」を意味するはずだが、近代以降は manufacturer は労働者を雇用する（自分では手を使わない）「製造業者」「製造会社」を意味するようになった。この講演のあとのほうでも言及されるが、モリスはこれを撞着語としてたびたび批判している。

（6） この〈ホール〉とはウェストミンスター・ホール、すなわちウェストミンスター宮殿（Palace of Westminster）の大広間のこと。宮殿はロンドンの中心部、ウェストミンスター区のテムズ河畔にある。現在はイギリスの国会議事堂として使用されている。宮殿の建立は十一世紀に遡ると言われるが、その後増改築を重ねている。一八三四年十月の火災により、宮殿の大半は焼失した。モリスがここでふれているウェストミンスター・ホールのほか、ジュエル・タワー、地下礼拝堂、聖スティーヴン礼拝堂の回廊と参事会会議場のみが焼失を免れた。新しい建物の主要部分は一八六〇年に完成した。

（7） 一八七七年、モリスは「修復」という名の古建築物破壊を防止するための団体「古建築物保護協会」（the Society for the Protection of Ancient Buildings; 略称ＳＰＡＢ）を設立して、その事務局長に就任した。

（8） ウィカムのウィリアム（William of Wickham, 1367–1404）はウィンチェスター大聖堂の司教、建築家。"Manners maketh［make］man" というモットーは彼が創設したウィンチェスター校（英国最古のパブリック・スクール）およびオクスフォード大学ニュー・コレッジのモットーにも採用されている。

民衆の芸術

「そして労働者は労働に欠かせぬ体力を維持するためにパンを求めて日々苦闘し、そのためにその体力を消耗していた。つまり悲しみのくらしを日々繰り返し、ただ働くためにだけ生き、ただ生きるためだけに働くのだ。まるで日々のパンが物憂い生活の唯一の目的であり、物憂い生活が日々のパンを得る唯一の根拠であるかのようである。」

――ダニエル・デフォー(1)

ここにご来席の方々の大半はすでに〈美術(ファイン・アーツ)〉を実践されているか、その目的で専門の教育を受けていらっしゃるかのどちらかであり、わたしはとくにそうした方々に話すよう期待されているものと思います。しかしわれわれはみな芸術にかかわることに関心があるから参集したに違いないので、むしろみなさんを一般の人びとの代表と見立ててお話ししたい。じっさい、〈芸術〉を専門とされるみなさんのためだけに役立つようなことをお教えするのはわたしにはまず無理でしょう。すでに有能な先生――喜ばしいことにたいへん有能な先生がた――のもとで学ばれているので。しかも指導法は系統だっていて、必要な一切を教えてもらえる。ただしそれは〈芸術〉に専念する第一歩を正しく踏み出しているかぎりはです。つまりまず正しい目標をもち、〈芸術〉の意義をなんらかの方法で理解すること——それは言葉で表現できなくてもよくわかるはずのものです。そして生得の知識が指し示した進路を強固な意志で追求すること、そのかぎりにおいてであります。さもなければ、どんなに系統だった指導法であろうが、どんなにすぐれた教師であろうが、なんらかの本物の芸術を——どんなに慎ましやかな芸術であろうとも——創造するのになんの役にも立ちません。真の芸術家であるみなさんは、わたしがお出しできる特別な助言は先刻ご承知のはずです。簡潔に言えばこうです——自然に従え。古きものに学べ。自己の芸術を作れ。他人から盗むなかれ。ひとたび決めた困難な目標を達成すべく、労苦、忍耐、勇気を惜しむな——こうしたことはおそらくもう何度もお聞き及びでしょう。ご自分にも何度も言い聞かせてこられたはずです。そしていまそれをわたしが再度申し上げたわけですが、これを繰り返したところで、みなさんにもわたしにも、損にも得にもならない。それほどの自明の理であり、よく知られたことである。ところがこれを守るのはかなりたいへんなのです。

〈芸術〉という重大問題

しかしわたしには、みなさんにもそうだと思いますが、〈芸術〉はきわめて重要な問題であり、人の頭を占める重い問いからけっして切り離せません。その実践にはすべての真摯な人間がおそらくみずから考える——いや、考えねばならない——基本原則がある。その二、三についてお話ししますが、芸術に意識的に関心をもつ人びとだけにではなく、文明の進歩が未来の世代にどのような期待と脅威をもたらすかをよく考えたことのある人すべてに話しかけることをお許しいただきたい。文明の誕生とともに生まれ、文明の死によってのみ死滅する芸術の未来にはどのような希望と不安があるのか——闘争と疑惑と変革の現代が、やがてその変革が完了し、闘争が静まり、疑惑が解消する、さらによき時代にむけて、この〔芸術の〕方面でいかなる準備がなされつつあるのか。これはたしかに重い問いであり、心あるすべての人が関心をもって当然でありましょう。

むしろ、これは普遍的に万人にかかわる重要な問題ですから、こんな大きな話題についてわたしが話すには荷が重すぎるとお考えかもしれません。それでもあえてお話しすることにしたのは、今宵のわたしは、希望と不安をおなじくする、わたしよりも優秀な人間のただの代弁者であると感じているからです。そういう次第で、この問題にかんするわたしの考えすべてを思い切って述べましょう。なぜなら、今回お邪魔したこの都市〔バーミンガム〕は、市民が自分たち自身や現在のためだけにくらすことに満足せず、新しく生じるどんな事態にも絶えず注目する義務を喜んで認め、そこに存在する真実によって相互に援助し合っている都市にほかならないからです。また、忘れてならないことは、光栄にもわたしはこの一年間みなさんの芸術協会の会長に選ばれ、今宵の講演を求められたのですから、多少でも有益と思われることはどんなことでも率直に持論を述べなければ、義務をはたしたことにはならない。じっさい、腹蔵なく話すことは許されても、偽りの発言はけっして許されない、そんな友人たちとともにいるものと考えています。

みなさんの芸術協会と学校[2]の目的は、教育の普及によって諸芸術を促進することであると理解しています。これは非常に大きな目的であり、この大都市の名声にふさわしいものです。だが喜ばしいことにバーミンガムは、中味がないのに生きているふりをするのは許さないことでも大評判なのでありますから、このような機関で何を促進しようとしているのか、そして本当にみなさんがそれを気にかけているのか、それとも不承不承従っているだけなのかをはっきり見きわめる必要があります。要するに心底から理解して、進んでその一員となっているのか、それとも意に反してなのか。あるいはだれかが努力すればよいということを聞いただけなのか、ということです。

　この問いをお考えくださいと言って驚かれるのなら、その理由を述べましょう。〈芸術〉をこのうえなく愛し、こう言ってよければ、このうえなく誠実に愛していながら、このような愛は今日では稀だと確信している人がわれわれのなかにいます。こう考えざるをえないのですが、精神習慣が卑俗で荒んでいて、芸術に接する機会も余地もない人たち（まことに悲惨な人びと！）が大勢いるのに加えて、高潔で分別があり教養もあるのに、内心では芸術など文明に付随する愚かしい代物にすぎないと思っている人――いや、あるいはもっとひどいことには、人間の進歩にとっての邪魔物、病気のようなもの、それを阻害するものだと思っている人――が多くいます。そうした人びとのなかにはほかの方面のことを考えるので手一杯だという人もおそらくいるでしょう。この人たちは言ってみれば芸術的なまでに科学研究や政治などに没頭しているので、その立派な骨折り仕事のためにやむなく了見が狭くなってしまったのです。だがそんな人間はごくわずかですから、これは〈芸術〉をせいぜい手遊びとしか見ない、いま広まっている思考習慣の説明にはなりません。

それでは、芸術がかつてはたいそうすばらしいものと考えられていたのに、いまではくだらないものとみなされてしまっているというのは、いったいわれわれや芸術のどこがいけないのでしょうか。

これは小さな問題ではありません。この問題を明るい光に照らすなら、現代思想の指導者の大半は、わたしに言わせれば心底から芸術を憎悪し蔑視しているからです。おわかりのように、指導者がそんなありさまだから、市井(しせい)の人びとも推して知るべしです。それが意味することはこうです——すなわち、教育の普及によって〈芸術〉を促進するべくここに参集したわれわれは、そうしたお偉方といずれ同意見になってしまうので、自己欺瞞におちいって時間を浪費してしまうのか、さもなければ正しい少数者を代表することになるか、そのどちらかです。少数者のほうが正しい場合もあります。それに対して前述のご立派な人間や文明人の大多数は不運な境遇によって目をくらまされてきたのです。

われわれはこの考えに立つ者たち——つまり正しい少数者——であると願いたい。われわれは芸術の促進のためにここに集っているわけですが、文明の進歩がただむなしく回転する風車のように無意味なものにならないようにするには、芸術が人間のくらしに必要だということを確信してもらいたいと願います。

それでは、われわれの立場、われわれ少数者に課された多数者になるための努力という義務をどのように実行すればよいのでしょうか。

思慮のある人びとと、そうした人びとを鑑（かがみ）とする幾百万の民衆に、われわれが愛する芸術がどのようなものであるか——それはわれわれが食べるパン、呼吸する空気と同様なものであるのに、あなた方はなんとなく反射的に毛嫌いするだけで、芸術についてなにも知らないしなにも感じていないのですよ——これを説明できさえすれば、勝利の種は播かれるのかもしれません。これはまことに実行困難なことです。しかし古代史や中世史の一章に思いをめぐらせば、その実行の可能性が多少はあると思われます。たとえば、ビザンティン帝国のある世紀を取りあげ、似非（えせ）学者、暴君、徴税人の名前をうんざりするほど読んでご覧になるがいい。とっくに滅んでいたローマ帝国がかつて鍛造した恐るべき鎖によって、彼らに民衆を欺く力がいまだに与えられており、彼らこそなくてはならない世界の主であると民衆は思い込まされていたのです。それから彼らが支配した土地に目を転じ、北方諸国やサラセンの海賊や略奪者のいわれのない殺戮の一連の長期にわたる歴史を走り読みしてご覧になるがいい。当時の物語について、いわゆる歴史がわれわれに残したものといえば、せいぜいそんなところです——王侯や悪党たちの愚かな倦怠や悪行ばかりなのです。では、われわれは顔をそむけて、なにもかも悪ばかりだったと言わねばならないのでしょうか。ならば人びとは日々のくらしをどう立てていたのか。ヨーロッパはなぜ知性と自由へと成長してきたのか。（いわゆる）歴史がわれわれにその名と事績を残した人間とは別の人びとがいたと思われるのです。こうした人びとは国庫と奴隷市場の原料であり、われわれはそれをいま「民衆」と呼び、この人たちがずっと働いてきたことを知っています。さて、彼らの仕事は、前に飼葉桶、後ろに鞭という、たんなる奴隷の仕事ではありませんでした。歴史（と称されるもの）は彼らを忘れてしまったのですが、彼らの仕事は忘れられることなく、もうひとつの歴史——すなわち、〈芸術〉の歴史——をかたちづくっています。彼らの悲しみ、喜び、そして希望の痕跡をとどめていない古い都市は東洋にも西洋にもひとつもありません。エスファハーンからノーサンバーランド[3]まで、七世紀から十七世紀にかけて建てられた建物のなかで、抑圧され軽視されていた民の労働の影響を示さないものなどひとつもありません。たしかに群を抜いてすぐれた者は一人もいませんでした。彼らのなかにはプラトンもシェイクスピアもミケランジェロもいなかったのです。しかし多数の人間のなかに分散して存在していたにもかかわらず、いかに彼らの思想は強く、いかに長く残り、いかに遠くまで広がったことか。

〈芸術〉に活気があり進歩的だったすべての時代はつねにそうでした。芸術がなければ、われわれは多くの時代のことをろくに知らずにいたのではないでしょうか。歴史（と称されるもの）が王や戦士たちのことを記憶しているのは、彼らが破壊をおこなったからです。〈芸術〉は民衆を記憶している。創造をおこなったからです。

したがって、過去のくらしについてわたしたちが有しているこの知識は、正直でひたむきな人びと——なによりも世界の進歩を願ってはいるが、芸術のこの点ではいわば精神を病んでいる人びと——に処する仕方をわたしたちに示しています。たしかに、そうした人びとに対してはこう言ってよいでしょう——みなさん（そしてわれわれ）がかくも望んでいるものがすべて得られたら、つぎになにをしたらよいのか。われわれはそれぞれのやり方で大変革をめざして尽力しているわけですが、それは他の変化と同様に、盗人(ぬすっと)の夜来たるがごとく、知らぬ間に生じ、気づいたらもう起こっていたということになるでしょう。しかしこの変革が良識あるすべての人びとに認められ、歓迎されながら、突然、劇的なかたちで完成の域に達したと想像してみましょう。そのときに、新たな腐敗をさらに積み重ねたあげくに長年にわたる痛ましい労働を繰り返さないようにするためには、われわれはどうしたらよいのでしょうか。新しい旗が掲げられたばかりの旗竿からわれわれが離れ、新秩序を宣言した使者の喇叭(らっぱ)の音がまだ耳元で鳴り響いているのに立ち去るとき、いったいわれわれはどこへむかうのか、われわれはどこへむかわねばならないのでしょうか。

われわれの仕事、日々の労働のほかにあるでしょうか。

芸術なき労働

では、われわれが完全に自由で道理をわきまえた存在となったとき、なにをもって飾ればよいのでしょう。仕事、日々の労働は必要な労苦であるが、たんなる労苦でしょうか。われわれができることはせいぜい労苦の時間を極力短縮し、余暇の時間をこれまで人びとが望んでいた以上に長くすることぐらいでしょうか。あらゆる労苦が煩わしいとすれば、その余暇でなにをしたらよいのか。ずっと寝てすごす? ――それなら、いっそ目を覚まさない方がいい。

では、どうしたらよいか。われわれの必要な労働時間はなにをもたらすのでしょうか。

数多くの悪が是正され、この世の汚らしい仕事を強制される貶められた階級が存在しなくなった時代には、あらゆる人びとにとってこの点が問題となるでしょう。それでもなお人間の精神が病んでいて芸術を厭うようであれば、この問題に答えることはできないでしょう。

かつて人間はひどい専制のもとにあり、たいへんな暴虐と恐怖のただなかにあったのだから、二十四時間をどう生きていたのかと、いまは不思議に思われるほどです。だが今日とおなじく日々の労働が生活の主要部分であり、その労働は日々の〈芸術〉の創造のおかげでやわらげられていたことを忘れてはなりません。彼らが耐え忍んだ諸悪からわれわれは解放されているというのに、われわれは彼らよりいっそうみじめな日々を送るのでしょうか。さまざまな専制から脱した人間が、またひとつの専制にみずからを縛り、希望のない日々と無用な労苦を重ねつつ、またもや自然の奴隷となるのでしょうか。さらに事態はますます悪化し、ついにはこうなるのでしょうか――すなわち、この世界はその遺産を受け継ぎ、あらゆる敵に打ち勝ち、いかなる桎梏（しっこく）もなくなったのに、おぞましい醜悪を永久に甘受して働くことを選ぶのか。それでは希望はすべて裏切られ絶望の淵へと転落してしまうのではないか。

それはじっさいにはありえないことです。だが、芸術を嫌悪する病状が手の打ちようもなく進行すれば、そうならざるをえないし、美と想像に対する愛の消滅は文明の消滅であることが明らかになるでしょう。しかし、世界はその病気をいつか克服するでしょうが、その過程には苦痛も多々あり、そこには〈芸術〉の断末魔の苦しみと思われることも、世界の貧しい民衆にはたいへん嘆かわしいこともあると思われます。人間の先見能力なるもので、見えもしないのに未来を見ようとするよりも、強固な必然のほうが世界の変革に大きな力を発揮するとわたしは考えるからです。

さて、このような病気の存在には、〈芸術〉になにか欠陥があるのか、あるいはわれわれのどこかがまちがっているのかという、さきほどの疑問を思い起こしてください。理論上は〈芸術〉にはどこにも誤りはなく、またありえない――〈芸術〉は人間にとってつねに有用であるはずです。さもなければ、われわれすべてがまちがっている。とはいえ、今日われわれが知っているたぐいの〈芸術〉には多くの誤りがあります。さもなければ、今晩ここに集まる必要もなかったはずです。芸術学校がおよそ三十年前に国内各地に設立されたのは、民衆の芸術が消滅しつつある――あるいは、すでに姿を消してしまったのかもしれない――ということに気がついたからではないでしょうか。

その後この国がとげた進歩――進歩があったとすればこの国においてだけですが――それについてわたしがなにか言うとどうしても無礼だとか、誠意がないなどと思われてしまいそうですが、それでもなお言わねばなりません。いくつかの点で明白な外見上の進歩があったことは明らかですが、それがどこまで希望のもてることかわかりません。一時的な流行であるのか、あるいは文明の恩恵を受けた大衆における、まぎれもない活動の最初の徴候であるのか、歳月の試練を経て証明されなければならないからです。率直簡潔に友が友に対して語るがごとく述べるなら、わたしのこうした言葉もあまりに褒めすぎであり、真実ではないと思われるかもしれません。とはいえ、われわれは――なんとも言えませんが――過去だけではなく未来の歴史もこしらえてしまいがちであり、過去を振りかえるときも将来に目をむけるときも、ものが見えなくなってしまうことがあまりにも多い。それは自分の時代や自分の道筋だけに目をとらわれてしまうためです。これがみな杞憂であったらよいのですが。

ともかくわれわれが達成したものを数えあげ、それを現代の望み薄の徴候にぶつけてみようではありませんか。英国では、わたしの知るかぎり英国だけですが、画家の数が増加しているはずで、その仕事ぶりも以前よりも真面目で、ある場合には、これもとくに英国で顕著なのですが、世界が過去三百年のあいだに見たことがないような美の感覚を発達させて表現したのです。これはたしかに大きな達成であり、絵画を制作する人間にとっても、それを用いる人間にとっても、評価しきれぬほどの価値があります。

さらに英国では、これも英国だけですが、建築と、それに付随する諸芸術に大きな進歩がありました。この芸術を復興し育成することが前述の学校の特別な領分でした。これもまた、その作品を使う人間にはかなりの収穫ではあるが、その制作に携わった大部分の人間にはあまり重要な価値はないのではないか――そんな不安があります。

このような達成に対し、あいにく釈明しがたい事実をあげねばなりません。それは（いわゆる）文明世界の他の部分はこの点においていまだ停滞したままであり、われわれ自身のあいだでも、このような進歩はごく少数の人間にのみ関係し、大多数の民衆とはまるで関係がないことです。したがって、われわれの建築の大部分は、これがもっとも広く民衆の趣味に依存する芸術であるというのに、日を追ってますます劣悪になっている。

インド芸術の破壊

先に進む前に、もうひとつ残念なことを語らねばなりません。われわれの芸術学校の創立はひとつの運動の一部をなすものなのですが、その運動に最初にかかわった人びとが、東洋の美しい作品にわれわれパターン・デザイナーの注意を強く喚起したことはみなさんもよく覚えておいででしょう。彼らの判断はじつに的確でした。なにしろ美しくかつ整然としていて、この時代にも生命を失わず、なによりも民衆的である芸術を見るようにとわれわれに勧めてくれたのですから。ところが、この芸術が西洋の征服と商業の前で急速に、それも日ましに速度を上げて姿を消しつつあるのは、文明の病気の嘆かわしい結果なのです。われわれがここバーミンガムにおいて芸術教育の普及促進のために集まっているあいだにも、インドにおける英国人は、目先のことばかりにとらわれて、その教育の源泉そのもの——宝石細工、金属細工、製陶、更紗捺染、金襴織り、絨毯製作——を盛んに破壊しつつあります。あの大半島のあらゆる評判の高い歴史的な芸術は長いあいだ価値のないものとして扱われてきました。そしていわゆる商業によって作られた屑のような品物を売って儲けるために脇に追いやられてきた。いまや事態は急速に終結にむかいつつあります。英国皇太子がインド巡遊中に現地の王族たちから贈られた品物をご覧になった方もいらっしゃるでしょう。わたしも見たのですが、いかなる品物か見当がついていたのでさほど失望はしませんでした。だがひどく悲しい思いはしました。なぜなら、大切な宝物として献上された、こうした高価な贈り物には、産業芸術（インダストリアル・アーツ）の揺籃の地という古代の名声をかけらだけでも保持している品物は皆無だったからです。それればかりではなく、なかには被征服民がその主人のまったくの悪趣味をまねる哀れむべき愚かさが見られる場合もあり、それはそう悲しむべきことではないとしても、唾棄すべきものでありました。わが国はこのような堕落を、さきほど述べたように積極的に推進しているのです。昨年のパリ博覧会のインド部門を案内した小冊子*を読んだことがあるのですが、そこではインドにおける製造業の状態が個別に説明されていました。「芸術的手工芸品」とでも呼べるものでしたが、じつはあらゆる手工業がインドにおいては「芸術的手工芸品」である、あるいはかつてはそうだったのです。この本の著者バードウッド博士(4)はインドの生活体験も豊富であり、科学者であり、また芸術の愛好家でもあります。彼が語る話は、わたしにとって、また東洋とその仕事に関心のあるほかの人びとにとってもとくに目新しいものではないものの、じつに悲しいものです。被征服民は絶望のあまりどこでもみずからの芸術の真の実践を放棄するのですが、その芸術こそわれわれが理解し、声高に主張してきたように、もっとも純粋でもっとも自然な原理に基づいているのです。しばしば称賛の的になるこうした完成された芸術は幾時代にもわたる労働と変化の精華であるというのに、それを被征服民は無価値なものとして放棄し、征服者の劣悪な芸術というか芸術の欠如に順応しようとするのです。かの国では場所によっては純粋な芸術が完全に破壊されてしまっており、他の多くの地域もそれに近い状態です。多かれ少なかれ全土で悪化し始めて

＊［原注］現在それはバードウッド博士（いまはサー・ジョージ・バードウッド）によって「インド芸術案内」に組み込まれている。科学芸術省刊。

います。事態はこのようなありさまであり、〈政府〉[5]はここしばらくこの堕落を助長してきたのです。たとえば、おそらく良かれと思ってのことで、本国およびインドにおける一般のイギリス人に対する深い思いやりからなのでしょうが、〈政府〉は現在インドの監獄で安物のインド絨毯を製造していま す。監獄で真の作品、つまり芸術作品が生産されるのが悪いとは言いません。むしろ適切に運営されるなら結構なことでしょう。しかしこの場合、〈政府〉は前述のようにイギリス人への深い思いやりから、醜いものになろうがなるまいが、とにかく商品を安価にしているのです。断じて言いますが、たしかに安くてかつ醜い代物です。この種のものでは最悪の品物ですが、もし万事がこの方向で進むのでなかったら、こんな仕方で生産されることはなかったでしょう。そしていたるところで、インドの製造業すべてで同様な事態になっているので、ついにはこの哀れな民は、征服されてもなお残されていた唯一の栄光、唯一の卓越した特徴をほとんど失うまでになったのです。彼らの名高い製品は、われわれ自身のなかで三十年前に民衆芸術の復興に着手した人びとに称賛されていたのに、一般の市場ではもう手ごろな値段では買えず、われわれが芸術教育のために設立した博物館[6]のための貴重な遺物として探し求めて保存せざるをえなくなりました。要するに、その芸術は死滅したのであり、現在文明の商業がそれを殺戮したのです。

インドで進行していることは、多かれ少なかれ東洋全体でも進行しています。おもにインドについて語ったのは、われわれ自身がそこで生じている事態に責任があると考えざるをえないからです。偶然われわれはその地の幾百万の民衆の主人となったのです。たしかに、われわれが孤立無援にした民衆に魚の代わりにサソリを、パンの代わりに石を与えることのないように注意を払うのは当然です。[7]

とはいえ、文明を主導している国々がみずから健康な状態とならなければ、この方面でも、また他のいかなる方面でも芸術は改善されないので、われわれ自身の芸術の状態に立ちもどってこれを考察しましょう。過去数年間の芸術の表面的な進歩は明らかですが、ここでもまたその樹木の根にはどこかに欠陥があるため、二月の花の狂い咲きにはあまり喜べません。

インド芸術、東洋芸術の愛好者は、芸術教育のための施設の指導層、また、いわゆる支配階級と言われる多くの人間も含めて、芸術の下降傾向を食いとめるにはまったく無力である理由をいま述べました。文明の趨勢は芸術に敵対しており、対抗するにはあまりにも強力です。

また、われわれの多くは建築を心底愛し、美しいものに囲まれたくらしは心身の健康によいと信じていますが、大都会のわれわれのほとんどが住むことを余儀なくされている家屋は、醜くて不便きわまりないため、軽蔑の通り名となりはててしまっている。文明の流れはわれわれに敵対しており、それに抗って闘うことができずにいるのです。

さらに、われわれのなかにあって真と美の基準を守ってきた献身的な画家たち、描いた本人のみが知る苦境のなかで描かれた絵がどの時代の画家にも劣らぬ精神の本質を示している、そんな絵を描いた画家たちがいます。だが、そんな偉大な人びとの理解者はごく内輪にしかおらず、民衆の大部分にはまったく知られていません。文明はかくまで彼らに敵対しているものだから、彼らは民衆を動かすことができないのです。

それゆえ、こうした問題をすべて考慮すると、われわれが育てている木々の根がすべて健全とは思えません。じっさい、この世界で芸術以外のことがすべて止まってしまったら、さきほど述べたような進歩によって一種の芸術がもたらされるでしょうが、そんなありえない場合にはその芸術はある意味で安定し、これまた止まって動かなくなってしまうのではないでしょうか。このような芸術は臆面もなく少数者によって少数者のために洗練されたものとなるでしょう。その少数者たちは一般庶民を軽蔑することが必要だと考えるでしょう。義務だとさえ思うのではないでしょうか――義務なるものをこの連中が認めることができるならの話ですが。世界がその端緒から獲得すべく奮闘してきたあらゆることがらにかかわらぬように超然とし、自分たちの芸術の殿堂にだれも立ち入らないように目を光らせていなければならないというわけです。このような芸術の流派の将来について多言を費やすことはご免こうむりたい。この流派はある意味では、少なくとも理論上はいまも存在しており、見かけほど無害ではない合い言葉――すなわち、芸術のための芸術――を標榜しています。初めから失敗する定めですが、これがめざすのは、芸術があまりにも精妙なものであるためについにはその奥義を極めた人の手でも扱いがたいものになるということです。その奥義を極めた人間もついにはじっと座り込み、無為にすごさねばならないということになる――まあそうなってもだれも悲しまないのですが。

そう、みなさんがそんな芸術を促進するためにここに来られたのなら、わたしはこの場に立って仲間たちよと呼びかけることなどできなかったでしょう。もっともその手のひ弱な連中を敵と呼ぶこともできませんが。

コモンとしての芸術

もっとも、こうした手合いはたしかに存在します。わざわざそんな連中の話をしたのは、誠実さと知性を備えた人びとのなかに勘違いをしている人がいることを知っているからです。そうした人びとは、人間の進歩を希求しながら、人間の感覚のある部分が欠けていて芸術に反撥をいだいているものだから、芸術家というのはその手の連中だと思い込んでいるのです。それが芸術の意味だと、民衆のために芸術がするのはせいぜいそんなことだと、そうした狭量で意気地のないくらしがわれわれ手職人仲間たちのめざすものだなどと勘違いしているのです。そんな誤解を真に受けている例を年中見かけます。じっさい、もっと分別があってしかるべき人間でさえもそんな見解をいだいています。それでわれわれに対するそのような中傷を払いのけ、世間の人びとにつぎのことを理解してもらいたいのです――ほかのだれにもましてわれわれは階級間の溝を広げることなど望んでいない。いや、さらにひどいことだが、新たに上昇する階級と新たに下降する階級を作ること、新しい主人と新しい奴隷を作ることなどさらさら望んでいない。ほかのだれにもましてわれわれは「人間と呼ばれる樹木」を、ここではけちけちと、あちらでは無駄に金をかけてというように異なる方法で育てたくはないのです。わたしがみなさんに理解してもらいたいのはこうです――われわれが得ようと奮闘している芸術は、すべての人が共有でき、すべての人を高める良きものであること、まことに、万人がただちにこれを分かちあわないのであれば、分かちあえるものなどすぐにひとつもなくなってしまうだろうということと。万人がその芸術によって高められないのであれば、人類がそれによって得た高みから転落するだろうということ、これを理解してもらいたいのです。また、われわれが求めるそうした芸術は虚しい夢ではありません。そのような芸術はいまよりさらに過酷な時代にも、勇気も思いやりも真実も現在より欠けていた時代にも存在しました。そのような芸術はこれから先にもありうるでしょう。世界にいまより大きな勇気と思いやりと真実が備わったときであるのならば。

もう一度しばし歴史をふりかえり、わたしの話をしっかりと前に進めていきましょう。〈芸術〉を学ぶ学生に与えるべき、ありふれてはいるけれども必要な助言のひとつとして、古い時代の研究があると最初に述べました。きっとみなさんもわたしとおなじ助言をなさったことがあるでしょう。たとえば見事なサウス・ケンジントン博物館の陳列室を歩きまわり、人間の頭脳が生み出した美に接し、わたしと同様に、驚嘆と感謝の念で胸がいっぱいになったことがおありでしょう。さて、こういうすばらしい作品がどんなものであり、どのようにして作られたかを考えていただきたい。いま「すばらしい」という言葉を使用しましたが、それは誇張でも、見当はずれでもありません。そう、こうした作品は過去の時代のごくふつうの調度品だったのです。数が少なくて大切に保存されている理由のひとつがこれです。その時代には破壊や損傷を恐れることもなく使われたふつうの品物であり、当時は珍しくもなかったものなのに、それをわれわれは「すばらしい」と言うのです。

さて、それはどのようにして作られたか。大芸術家のデザインによるものでしょうか。教養があり、高給を支払われ、よいものを食べ、よい家に住んでいる、つまりは仕事をしないときには贅沢なくらしを送る人間が作ったのでしょうか。けっしてそうではありません。すばらしい仕事ぶりではありますが、それこそ「市井の人びと」が日々の労働のなかで作ったのです。こうした作品を尊ぶ際にわたしたちが敬意を表するのはそうした人たちです。その労働が彼らにとってうんざりするようなものであったとお考えでしょうか。芸術家であるみなさんならよくおわかりのように、そうではなかった、徒労感などありえなかったのです。こうした神秘的な美の迷宮を作りあげること、こうした不思議な鳥獣草花を生み出す際に嬉々として作業に当たっていたのだとあえて言いたい。みなさんも異存はないでしょう。サウス・ケンジントン博物館でそれを見てわれわれ自身も満面に笑みを浮かべてしまう。少なくとも仕事をしているあいだ彼らは不幸ではなかった。そしてわれわれと同様に、彼らはほぼ毎日、ほぼ一日中働いていたのです。

あるいは、われわれは近頃貴重な建築物をじつに念入りに研究していますが、それらの建物はどのようなものであり、どのようにして造られたのでしょうか。大寺院があり、王侯貴族の宮殿があるが、その数は多くはありません。それらは荘厳雄大かもしれませんが、いまなお英国の平凡な風景を美しくしている小さなグレイの教会や小さなグレイの家屋とのちがいは、建物の規模が異なるだけのことです。少なくとも一部の地域では、そうした家屋があるおかげで英国の村が格別なものとなっており、ロマンスと美を愛するすべての人びとが見物に訪れ、そこで思いをめぐらせます。市井の人びとが日々くらしていた家、彼らが礼拝に用いた気にもとめられない教会、こうした建物が建築面でのわれわれの宝物の大部分を形成しているのです。

さらにまた、そうした建物を設計し装飾したのはだれでしょう。ふつうの人びとのふつうの苦労がかからぬように保護されていた、とっておきの大建築家でしょうか。けっしてそうではありません。ときには農夫の兄弟である修道士が手がけたのかもしれない。おなじく兄弟である村の大工、鍛冶屋、石工といった「市井の人びと」が建てることもよくあったのではないでしょうか。こうした民衆のありふれた日常の労働によってかたちづくられた建物群が、今日、多くの勤勉で「教養のある」建築家たちの驚嘆と絶望の種となっているのです。そしてそれを建てた人間は仕事を嫌っていたのでしょうか。いや、それはありえない。われわれの多くがしてきたことですが、わたしもご多分にもれず、そうした人びとの手がけた建物を見物しに辺鄙な小村に出かけたことがあります。そこは今日では訪れる人はごくわずかで、住民も戸口から五マイル先へ出かけることもめったにない。そうした場所で目にした作品は、じつに繊細で入念に作られ、創意に富んでおり、それ以上望むべくもないようなものでした。矛盾を恐れず断言しますが、それを思いついた頭脳と作った手に加えて、第三の要素である喜びがなければ、いかに器用な人間といえども、そんな仕事ができるわけがありません。しかもそのような作品が珍しくないのです。権勢を誇ったプランタジネット家やヴァロア家(8)の玉座といえども、村の名もない農夫の椅子や、郷士の妻の箪笥よりも優美な彫刻をほどこされていたわけではなかったのです。

そういう次第で、おわかりのように、当時においてもくらしを我慢できるようにするものが多々あったのです。歴史を読むと、まるで毎日が殺戮と騒乱の時代と考えがちですが、そうではない。日々鉄床(かなどこ)の上で槌音(つちおと)が聞こえ、オークの梁に鑿(のみ)がふるわれ、そこから美と創意が、したがって人間の幸福が生まれない日はなかったのです。

労働における人間の喜びの表現としての芸術

いま述べたことは、本日ここに来てみなさんにお話ししたいと思ったことのまさに核心部分につながります。どうかこれが肝要な問題であるとお考えいただきたい。それもわたしの言葉についてではなく、この世界で胎動しつつあり、成長していつの日かかたちをとることになるひとつの思いについてお考えいただきたい。

わたしが理解する本当の芸術とは、労働における人間の喜びの表現であります。その喜びが表現されなければ、人間が労働において幸せでいられるはずがないと思います。得意とする仕事の場合はなおさらです。これは自然の賜物のなかでもきわめてありがたいものです。なにしろ万人が、いや、万物が働かなければならないのですから。それゆえ犬は狩りに、馬は走りに、鳥は飛翔に喜びを感じる。のみならず、そうした見方がわれわれにはあまりにも自然なものだから、大地もあらゆる元素も定められた仕事をするのに愉悦を覚えていると想像してしまう。春の草原は微笑み、火は歓喜に踊り、海は無限に笑いさざめく——そう詩人たちはわれわれに語ってきたではありませんか。

ごく最近まで人間はこの万人共通の贈り物を拒否したことはありませんでした。心配事で途方に暮れたとか、病魔に冒されたとか、災難に見舞われ打ちのめされてしまったというようなことがなければ、自分の仕事をせめて幸せなものにしようと努めてきました。苦痛を喜びのなかに、倦怠を休息のなかに見出すことがあまりに多かったために、人は快楽や休息に信用を置けなくなりました。つねに自分につきまとっている労働というものに人間の幸福が存するというのであれば、それで構わないではないか、というわけです。

もう一度言いますが、これほどの利益を得てきたというのに、人類最初のもっとも自然な利益を手放してしまってよいのでしょうか。すでに大方そうなってしまったのではないかとわたしは心底恐れているのですが、もしそうだとすれば、なんとも奇妙なフォグライト〔霧灯〕がわれわれの針路を誤らせたにちがいありません。別の言い方をするなら、あらゆる悪のなかでも最大の悪を忘れるとは、これまで克服してきた諸悪との闘いにおいてひどい苦境に追いつめられたにちがいありません。わたしにはそうとしか言えません。自分のなすべき仕事を本人が蔑んでいて、それが喜びに対する自然で当然の願望を満たさないのであれば、その人の生涯の大半は不幸で自尊心もなく過ぎてゆかざるをえません。それがなにを意味するのか、結局それがいかなる破滅を招くかを考えていただきたい。

文明世界の今日の主要な義務は、すべての人間にとって労働を幸福なものとし、不幸な労働の量を極力少なくすることにある。この点をご来席のみなさんに確信させることができれば、いや、二、三人でも確信させることができれば、わたしの今夜の仕事は上出来と言えるでしょう。

なすに値しない仕事

いずれにせよ、みなさんがおそらく感じている不安から身を守ろうとして、今日の芸術なき労働が幸福な労働であるなどという思い違いをしてはなりません。ほとんどの人間にとって労働は幸福なものではない。このような労働が生みだす、偽の芸術には喜びがないということをお示しして十分にご理解いただくには長くかかるかもしれません。しかしそれがきわめて不幸な仕事であることを示すもうひとつのしるし、それもじつに嘆かわしいしるしがあり、それならただちに理解できるはずです。それをここで述べるのはじつに恥ずかしくて気が退けます。それでも、そもそも病気を認めなければ治療にむかえません。この不幸のしるしというのは、文明世界でなされる仕事はほとんどが不誠実な仕事だということです。さて、たしかに文明は一定の品々を上手にこしらえますが、それらが現在のみずからの不健全な状態に欠かせないものであることを文明は意識的であれ無意識的であれ知っています。要するに、主としてそれらの品々は偽って商業と呼ばれる売買の競争を遂行するための機械です。また生命を暴力的に破壊する機械でもあります。すなわち、二種類の戦争のための道具にほかなりません。そのうち、後者のほうがおそらく最悪でしょう。それじたいはそれほどではないのかもしれませんが、生命を暴力的に破壊する点に、世界の良心が疼きはじめているからです。しかしその一方で、品位ある日々のくらし、信頼し合い、我慢し合い、助け合って生きる、それこそが思慮深い人びとにとっての本当のくらしですが、そうしたくらしを営むための物資を文明世界は病的な状態に陥らせ、ますます悪化させているのです。

わたしがこのように言うのがまちがいだというのであれば、この問題について広く考えられ広く流布もしていることを述べているだけだとご理解いただきたい。このあまねく広がった見解についてごくありふれた実例をあげましょう。いま鉄道の売店でかなり気のきいた絵入り本が売られています。『イギリスの労働者——彼を信ぜざる者の著』[9]という本です。その題名にも本の中身にもわたしは怒りと恥ずかしさを覚えます。なぜならいずれも風変わりな仕方で、また当然誇張して多くの不正と少なからざる真実を語っているからです。今日、庭師、大工、石工、染色職人、織物職人、鍛冶屋などにふつうのちょっとした仕事をしてもらおうと思い、それをよくやってもらえたなら、まれに見る幸運だというのはまさにそのとおりで、言うのも悲しいことです。その一方で、明白な義務を避けたり他人の権利を無視したりというのはどこにでも見かけます。しかしそうした悪事のすべてが「イギリスの労働者」のせいだとか、あるいは彼らが張本人だとかをどうして決めつけてしまえるのか、それがわたしにはわかりません。無理強いされる仕事、希望も喜びもまったくない仕事であれば、どの階層の人間であっても手を抜きたくなるでしょう。少なくともそんな状況に置かれればたいていの人がその仕事を避けてきたのです。その一方、骨が折れ希望もない仕事であるのに、それをきちんとやりとげようとするたいへん立派な人が多少いることも承知しています。そういう人たちは地の塩です。しかしこうした一握りの人たちを痛々しくも勇壮な境遇に追いやりながら、大半の人びとは手を抜かざるをえず、それで彼らはしばしばなかば無意識の卑下と堕落の淵に追いやられてしまう、そんな社会というのはどこかおかしくはないでしょうか。たしかに、現状のようなやみくもにあわただしく進んでいる文明こそが、この膨大な量の喜びなき仕事に対して重大な責任を負わねばなりません。それは体中の筋肉と脳髄のすべてを酷使しながら、喜びも目的もなくなされる仕事であり、それにかかわる人はだれでも、飢餓や零落の恐れがなければ即刻縁を切りたいような仕事なのです。

わたしが生きて呼吸しているのと同様に確実なことがひとつあって、それはこうです――日常生活の芸術が不正直なものになっているとだれもが不満を口にしており、わたしもそうであることを認めはする。しかしこれは人びとが会計事務所での戦争と戦場での戦争に追いまくられ、日々の労働における喜びを当然求めてしかるべきなのに、それをだれもがみな忘れてしまったことの自然で不可欠な結果である。

したがって繰り返しになりますが、これからの文明の進歩に必要なことは、人を貶めるような労働を制限し、最終的にそれをなくしてしまえるような、なんらかの手立てを講ずることです。

真の芸術の種を播く

ここまで述べてきたことからして、わたしの問題にしている労働が身体を酷使する力仕事や荒仕事のことだと受け取られたりはしなかったと思います。人が仕事で苦労しているからといって、それじたいで同情することはわたしはあまりありません。たまたまその仕事についているならなおさらです。つまり、その〔肉体〕労働が特定の階級や条件にどうしてもつきまとっているというのでなければ気にはなりません。それにこの世の中が激しい労働なしにやっていけるとも思えません（そうでなかったらわたしは気が変か夢を見ているかです）。そうした労働じたいがけっして人を貶めるものではないということは実地にこの目で見てきて承知しています。大地を耕す、投網を打つ、羊を囲いに入れる——こうしたこと、またこれに類するような作業はまさに重労働であり、たいへんな労苦をともなうが、わたしたちのなかの最良の者たちにとって申し分のない仕事なのです——適度な余暇と自由が得られ、適正な賃金がちゃんと支払われるのであれば。煉瓦積工や石工といった人たちについていえば、芸術というものが本来そうあるべきものであったなら、彼らは芸術家となって、必要な仕事をするだけでなく、美しい、それゆえ幸福な仕事をしていることでしょう。なくさねばならない労働というのはこうしたたぐいではなく、だれも欲しがらないような品物を大量生産する労苦のことです。そうした無用の製品は、我先にと売り買いをおこなうための持駒でしかありません。そうした売り買いを商業という虚偽の名前で呼んでいるのは前述のとおりです。まさしくこのような労苦をなくさねばならないということ、それをわたしは理屈からだけでなく、心の底からわかっています。だがそれに加えて、もともと必要で良いものであるはずなのに、いまは前述の商業戦争の持駒として作っているだけの労働も、規制し改善しなければなりません。それにこの改良をおこなうには芸術によるしかないのです。われわれが正気に返って、現在はごくわずかな人しか知らないのだが、あらゆる人間にとって労働を甘美なものにする必要をみながわかれば——必要という言葉を繰り返すのは、不満、不安、絶望がついに社会全体を呑みこんでしまわないようにするためです——目を澄まし、無用のものを所有するのは正しくはなく不安の原因となるので、そうしたものをある程度犠牲にできさえすれば、そのときこそわれわれは世界がかつて知らなかった幸福の種を播いたことになるとわたしは確信します。それは平安と満足の種であり、そこから本来そうあるべきだと思わずにはいられない世界が生じるでしょう。その種とともに、真の芸術の種も播かれることになるのです。それは人間の労働における幸福の表現です。民衆によって、民衆のために作られる芸術、作り手と使い手にとってひとつの幸福にほかならない芸術、これなのです。

これこそがあるべき唯一の本当の芸術です。世界の進歩を妨げるのでなく、進歩の道具となる唯一の芸術なのです。それはみなさんが心中で同意される考えであることをわたしは疑っていません。ともかく芸術の素質をお持ちのみなさんはそうお考えのはずです。本日申し上げたほかの点については大きく意見が異なるかもしれないが、この点は同意していただけると思います。このような芸術こそが、われわれが一堂に会して促進しようと努めているものです。まさにこの芸術に必要な教育をできるだけ広く普及しようと、われわれは努めてきたのです。

これで芸術の未来のための希望と不安と思えることをいくばくか述べました。こういう意見を開陳することでどんな実際的な結果を期待するのかと聞かれたら、ただちにこう答えましょう。たとえわれわれがみな同意見であっても、そして私見ではこの問題についての正しい見解であるとしても、この先にはまだなすべき仕事が山とあり、障害も多くあるのだと。われわれのなかの最善の者たちのもつ思慮、先見の明、勤勉をなお必要とします。それでもなお、われわれの進む道は見通しがきかないこともあります。そしてわれわれが正しいと思っている見解、いつかは広く認められるであろう見解に注目してもらえるように、とにかく悪戦苦闘しなければならないのが今日の現状であり、そんなときに地図に正確かつ明瞭に記された道を見ようなどというのは気が早すぎます。こんなことを言うと当たり前ではないかと言われそうですが、普通教育は人びとにものを考えさせるように仕向けるものであり、その教育がいつか芸術についても正しく考えさせるようにするでしょう。たしかに当たり前すぎるのですが、わたしは心底それを信じているし、そのことで勇気もわいてきます。なにしろいまは旧時代から新時代への過渡期であることが明白で、それを思うと心強いのです。われわれの無知蒙昧のために、なんという不可思議な混乱が、旧時代の使いつくされたがらくたと、新時代の生硬ながらくたから生じつつあることか。いつの日かわれわれは混乱から抜け出すことになるのでしょうが、そのどちらのがらくたも、いつでも手の届くところにあるのです。

しかしさらに実践的な助言らしきものを述べねばならないとすると、わたしにはむずかしそうです。なにを言うにしても気分を害される方がこのなかにおられるのではないかと恐れます。いわゆる芸術というよりはじつは道義の問題だからです。

とはいえ、私見では芸術を道義心や政治や宗教から切り離すことは不可能だということを忘れることはできません。こうした信条の問題では真実はひとつであり、さまざまに分割してしまえるのは紋切り型の論文だけです。すでに述べたことを思い起こしてください。いま話しているのはこのわたしだけですが、どんなに弱々しい声で、とりとめなく話しているのであっても、わたし自身よりもすぐれた人びとの思想を語っているのです。さらに事態が最善の方向にむかっているとしても、すでに述べたように、われわれを正しく導いてくれる最良の人間を必要とします。しかしその状態からはほど遠い現在であっても、われわれのうちのもっとも力弱き者でも、この大義に忠実に奉仕することで立派に生きかつ死ぬことができるでしょう。

誠実さと簡素なくらし

それでわたしの信条を述べるなら、現代のくらしが快いものとなるには、ふたつの徳が肝要です。民衆によって、民衆のために作られるべき芸術、作り手にも使い手にも幸せなものである芸術の種を播くにあたり、このふたつは絶対に必要であるはずです。その徳とは誠実さと簡素なくらしです。わたしの言わんとすることをもっとはっきりさせるため、このうちの第二の徳に対立する悪徳を挙げるなら、それは奢侈（しゃし）です。また誠実という語でわたしが言わんとするのは、注意深く、また熱意をもってすべての人に公平に分け与え、だれかに損をさせることで自分だけが儲けようなどという魂胆をけっしてもたない態度のことです。わたしの経験からいってもこの徳は取るに足りないものではありません。

けれども、このふたつの徳のうちどちらかひとつを実践すると、もうひとつの徳の実践がいっそう容易になることにご留意ください。欲しいものが少なければ、欲にかられて不正をおかす機会もずっと減ります。また万人に公平に分け与えるという原則にたてば、自分だけ取り分を取るなど、自尊心が許さないはずです。

芸術において、また安定した価値のある芸術が存在できるようにする準備として、これまで貶められてきた階級を高めてゆく際に、このふたつの徳を実践することによって新しい世界が現出するでしょう。金持ちであれば、自分のくらしを簡素にすることによって文明諸国の大きな恐怖である浪費と欠乏のひどい対立を減らしてゆけるし、みなさんが高めようと欲している階級の人びとに品位あるくらしの模範と基準を示してあげられるからです。現状ではその階級が金持ち連中とかなり似通ってしまっていて、大金の所有が作り出す怠惰と浪費に耽ることを羨み、その真似をしたがります。

それだけではなく、ふれざるをえなかったこの道義心の問題とは別に、なお述べておきたいことは、芸術における簡素さは高くつく場合もそうでない場合もありますが、少なくともそれは浪費ではないこと、また簡素さを欠いてしまうことほど芸術にとって破壊的なことはない、ということです。どこの金持ちの家に行っても、そこにある品物の九割方は放り出して焼き捨てた方がいいと思います。じっさい、奢侈という点ではわれわれの犠牲など取るに足りないか皆無でしょう。わたしが理解するかぎり、ふつう人が言う奢侈とは、たくさんの品物を取り集めてみたものの持ち主にはひどく煩わしい状態であるか、あるいはこれ見よがしの贅沢品が並んでいて、歩くたびに足を取られて妨げになるような住環境のことです。たしかに奢侈とはある種の奴隷状態がなければ存在できません。他の奴隷制の廃止と同様に、奴隷と主人の双方を解放してやることで、これを廃止するのが望ましいのです。

最後に、くらしを簡素にすることに加えて、正義を愛せるようになれば、芸術の新しい春を迎える準備はすべて整ったことになります。このなかで雇用主である人たちは、労働者に支払う賃金が安すぎてまともにくらしていけないほどで、与える余暇も少なくて教育を受ける時間も満足になく、また自尊心も傷つけてしまうなど、そんなまねをすることに我慢できるでしょうか。また、このなかで労働者たちは、結んだ契約を履行しないとか、あるいは卑怯なごまかしや手抜きをするので現場監督が監視のため巡回を要するなどという状態に我慢できるでしょうか。あるいは商店主であれば、損失を他人に肩代わりさせるために、その商品について嘘を言うことに耐えられるでしょうか。また一般の市民であれば、一人を苦しめ、別の人を破滅させ、さらにまた別の人を飢えさせることに手を貸すような商品に代金を払うことなど我慢できましょうか。さらには、作り手が作るのが苦痛であり悲しみであるようなものを使うことにどうして耐えられるでしょうか。どうしてそんなものを楽しめるでしょうか。

芸術の再生への希望

以上、お話しすべき点はこれですべて話したと思います。わたしの話に新しいことはなにもないと言わねばなりませんが、ご存知のように、多数の人間に聞き入れてもらうためには、何度も繰り返し語る必要があるというのが世の経験です。したがって今晩のわたしの話も、ひとつの思想を表現するのに必要な時間の一部とみなしていただきたい。

そのほかのことについては、わたしが述べたことに対してまじめな反論がありましょうが、お話をきいてくださったみなさんは、わたしの言葉のように、義務感と心からの善意から述べられた言葉であれば、それによって思考をかきたてられ、よい種を播かれることになるでしょう。ともかく誠実に仲間に対しようと考え、本当に胸のうちに燃えるものを腹蔵なく話すことによって、おたがいがより親密になり、無意味な諍いの原因となる誤解を避けられるようになるというのは、結構なことです。

だがわたしの話しぶりに希望がないように思われたとしたら、それは舌足らずだったためです。そもそも望みがなかったらわたしは口を閉じてしまって、話し出すこともなかったはずです。わたしはじつは希望にあふれています。とはいえ、その希望が実現する日を示すこと、わたしやみなさんの命あるうちに実現するのだと言うこと、それがわたしにできるでしょうか。

しかしせめてわたしはこう言いたいのです。「勇気をもちたまえ」と。なにしろさまざまなすばらしいこと、望外のこと、輝かしいことが、わたしが生きてきたこの短い期間にも起こったのですから。たしかに、この時代はすばらしく変化に富むものでもあります。その装いだけでも新しい生命をまとい、集めているのですから、人びとの労苦の多い日々にいつの日かよりよきものをもたらし、より自由な心といっそう澄んだ目でふたたび外部の美に対する感覚をとりもどして楽しむようになるでしょう。

それに対して、いまが暗黒の時代であるとしても、じっさい多くの点で暗黒といっていいのですが、せめて手をこまねいて座しているだけというのはやめましょう。愚か者やご立派な紳士方のごとく、凡俗の労苦は自分向きではないと考え、呆然としてなにもできずにいる、ということでは困ります。むしろよき同胞として働こうではありませんか。ほの暗い蠟燭の光を頼りにわれらの作業場をしつらえ、明日の陽光に備えようではありませんか。明日は文明世界がもはや貪欲や闘争や破壊を捨て、新しい芸術をもたらすでしょう。それは民衆によって、民衆のために作られた芸術、作り手にも使い手にも幸福となる、光輝ある芸術にほかならないのです。

（一八七九年）

（1）このエピグラフの引用はダニエル・デフォー（Daniel Defoe, 1660–1731）の『ロビンソン・クルーソーのその後の冒険』（*The Further Adventures of Robinson Crusoe*, 1719）の第一章より。邦訳デフォー『ロビンソン・クルーソー（下）』平井正穂訳、岩波文庫、一九七一年、一五頁。

（2）「みなさんの芸術協会と学校」とはバーミンガム芸術家協会・デザイン学校（the Birmingham Society of Artists and the School of Design）のこと。モリスはこの協会の会長を一八七八年から二年間務めた（解題を参照）。

（3）エスファハーン（Esfahan）。別称、イスファハン（Isfahan）。旧称、イスパハン（Ispahan）。イラン中部の古代からのオアシス都市。ペルシア王アッバース一世の治世（一五八七―一六二九）にもっとも栄えた。銀細工、絨毯などの手工芸品で有名。ノーサンバーランド（Northumberland）はイングランド北東部の州。

（4）ジョージ・バードウッド（Christopher Molesworth George Birdwood, 1832–1917）は博物学者、著述家、インド植民地官僚。インドのベルガウムで生まれ、エディンバラ大学で学位を得たのち、インドに赴任。インドの芸術（工芸品）をヨーロッパに紹介したことで知られている。

（5）ここで若干イギリスによるインド支配の歴史の一部にふれると、一五二六年に建国したムガール帝国が最盛期を過ぎ、十八世紀初めに衰退すると、イギリスは一七五七年のプラッシーの戦いでベンガル太守を破り、その後侵略を進め、全インドの支配権を獲得し、東インド会社をインド統治の機関に転化し、富を収奪するとともにインドをイギリスの綿製品などの市場とした。一八五七年のインド大反乱がイギリス支配の根底をゆさぶると、東インド会社を廃止し、国王の直接支配下に置き、支配体制を再編成した。本講演のこのくだりは、芸術の衰退を問題にすることによってイギリス政府の植民地政策を批判しており、この数年後に社会主義運動に深く関与するモリスの基本姿勢――芸術批判をとおしての政治的コミットメント――をすでに示している。

（6）そうした博物館の代表例としてサウス・ケンジントン博物館（the South Kensington Museum）がある。一八五一年ロンドンで開催された万国博覧会を契機に、イギリスの産業芸術、工芸、工芸教育を促進するために五二年モールバラ邸に創設された産業博物館を母体とする。ヴィクトリア朝期の植民地拡大により、内外の工芸品などが多数収集され、一八五七年に新しく建設されてサウス・ケンジントン博物館となる。一八九九年に増築されて「ヴィクトリア・アンド・アルバート博物館（the Victoria and Albert Museum）と改称。モリスは一八七六年にサウス・ケンジントン博物館附属芸術学校の審査員に任ぜられた。

（7）ここは新約聖書マタイの福音書第七章九の「汝らのうち誰がその子パンを求めんに石を与え魚を求めんに蛇を与えんや」というイエスの言葉をふまえている。

（8）プランタジネット朝（Plantagenet）はアンジュー伯ヘンリーがイングランド王（ヘンリー二世、在位一一五四―一八九）となり開いたイングランド王朝（一一五四―一三九九）。その初期にはアンジュー、ノルマンディー地方のほか、ブルターニュ、アキテーヌ地方などフランスの西半分も領土として支配した。ヴァロア朝（Valois）は一三二八年、ヴァロア伯シャルルの子、フィリップ（六世）が諸侯により王に選任されて以来、一五八九年にアンリ三世の死去まで続いたフランス王朝。

（9）『イギリスの労働者――彼を信ぜざる者の著』（*The British Working Man, by one who does not believe in him*）はヴィクトリア朝の風刺雑誌『パンチ』（*Punch*）としのぎを削った『ファン』（*Fun* 一八六一年創刊の週刊誌）に掲載された作品をまとめたもの。一八七八年に『ファン』の編集部から刊行された。著者はジェイムズ・フランク・サリヴァン（James Frank Sullivan 1852–1936）風刺画彫版はディエル兄弟（Dalziel Brothers）による。

生活の美

――propter vitam vivendi perdere causas.〔生きる理由を生存のために放棄すること〕

――ユウェナリス(1)

今宵みなさんを前にして、わたしは昨年には感じなかったようなむずかしい立場にいます。というのも、新しい話はほとんどないからです。前回より多少詳しくお話はできます。失礼をかえりみずにあれこれ実際的な提案を申し上げることもできるでしょう。あるいは言うべきことをもっとわかりやすくお話しして、もっとよくご理解いただけるかもしれない。ですが、わたしの言うべきことは最初にお目に掛かったときとじつはおなじなのです(2)。

芸術が順風満帆であったとしたら、ともかく不満がほんのわずかしか生じていないという程度に順調であったとしたら、熟練職人から仕事の流儀だとか、成功を妨げる罠や成功への近道、あるいは工房での諸々の秘訣といった話を聞くことで、かなり楽しめるでしょうし、あるいはためにもなるのかもしれません。そうであればたしかに気の置けない同士の、職人仲間のまことに楽しい語らいとなるでしょう。しかしそれはまだまだ先の話に思えます。いや、長生きしたとしても、われわれの仕事場の希望と不安についての楽しい語らいといったような、心安まる話をする余裕はないのかもしれません。ともかく今夜のわたしには無理なのです。むしろ芸術に忠実な人びとに対して、ひとつの闘いにむかうべく再度呼びかけなければなりません。自然との闘いということであれば、本物の職人のすべてがそうするために生まれたのであるし、それが彼らの人生を築くのと同時に摩滅させるものでもあるのですが、こちらのほうは自然とのそうした穏やかな闘いよりも広範で狂おしい闘いです。

この会場を見まわし、みなさんすべての様子を考えると、文明人の生活の困難と、その困難を刺し貫く希望にわたしは心を揺さぶられずにはいられません。いわばわたしはたまたま伝言を託されているのであって、それをふたたびみなさんに伝えないわけにはいかないのです。その伝言とはつまり、文明を脅かしている最近の危険――文明みずからの申し子である危険――に立ち向かおうとみなさんに呼びかけることです。その危険とは、人類のもっとも力をもつ一部のために贅沢のかぎりをつくした生活を残らず達成しようとあがいている者たちが、人類全般から生活の美のすべてを奪い取ってしまう危険です。いちばん力があり知恵もある者たちが、〈自然〉を完全に支配しようと奮闘したあげくに、もっとも単純でまたもっとも広範に及んでいる〈自然〉の賜物(たまもの)を破壊してしまう。そうすることでそうした連中は純朴な民衆を奴隷にし、またみずからも隷属化し、ついには世界を第二の野蛮状態に引きずり込んでしまうのです。それは最初の野蛮状態よりも下劣で、その千倍も絶望的な状態なのです。

わたしの話をいま聞いているみなさんのなかには、すでにこの伝言を受けとめて胸にきざみ、それが呼びかけている闘いに日々とりくんでいる方々もきっといらっしゃるでしょう。そのような方々に申し上げられるのは、わたしの言葉に少しでも気落ちしてしまうようであればなにも話さないほうがよかったと心底思う、ということぐらいです。とはいえ、敵の正体と攻撃目標の城をはっきり示したからといって、敵前逃亡を指示したことにはなりません。またここから約束の地までの道程に数多の困難――それは死そのものであるかもしれない――が待っているからといって、荒野で手をこまねいて座っていろということにもなりません。みなさんの前途に希望があるのはおわかりのとおりであり、わたしがなにを言おうとその希望を奪うことはできないのです。だが戦場で戦友同士が攻撃はどこそこから来るぞと叫ぶことは役に立つのではないでしょうか。どうかわたしの気忙しい言葉もそんな意味で受けとめていただきたい。

とはいえ、なかには漠然とした不満を感じている方もいらっしゃるでしょう。みなさんをとりまく生活に圧迫され、その圧迫にかきみだされ困惑していて、救済策があればありがたいのだが、どの方面にそれを求めたらいいかわからない方々もいらっしゃると思います。さて、われわれはもう長くこの困難に直面してきたので、みなさんを支援できると信じています。たしかにその困難をただちに取り去ることはできず、むしろ初めはかえって困難を増やすかもしれません。ですがそこから脱け出す道についての考えはお話しできるのです。そうすれば、みなさんみずからやほかの方々がその道をちゃんと進むためになすべき数多のことがらをするその渦中において、あなた方の働きがめざす直接の目的の先にある幸福について考えることで、多くの日々において、いや、きっといつも、その困難を忘れることでしょう。

けれども、なかには世界の進路に疑問を感じて悩むことなどはまったくなく、その進路をよりよくしようとする希望にも心を動かされない方々もいらっしゃる（率直に言えば、大半がそうです）。この方々にとっては文明の目的は単純で、平凡なものでさえある。それは驚異、希望、不安などとは無関係で、日の出と日没のようにまちがいがなく、あえてその進路に文句を言うとか、それを方向転換するとかの、余計な世話をやく必要はないものなのです。

このような見方にはそれなりの道理と知恵の根拠があります。たしかに世界は、われわれの理解や制御のおよばぬ衝動にうながされて、独自の道を歩みつづけるのでしょう。とはいえ、世界がその旅をする体力を増大させるために不可欠な食糧は、われわれみなの生命と切望です。文明のせっかちな無分別としばしば思われるものに対して不満をいだいて闘うわれわれも、文明に平坦で不変の進歩しか見ない人びとにおとらず、文明に育まれたのであり、なんらかの方法で文明をさらに進歩させるために尽力するでしょう。そこで、自分たちこそ進歩の唯一の忠実な臣民と自負している連中が、われわれの存在に耳を傾けることも多少は役に立つかもしれません。連中がそれを聞かなければ、不満をいだく者をなくすことができないからです。連中を、重荷について耳を傾け、考えるようにしむけるのも無駄ではないでしょう。その重荷を彼らは手をさしのべて担ってやろうとはしないのですが。しかしそれは来るべき文明の形成を助けようとしている仲間たちにとっては正真正銘の重荷なのです。

生活の美の破壊

文明がいま進んでいる道が生活の美を破壊する危険――いかにもこれは角が立つ表現であり、穏当な言葉にできたらよいのですが、真実だと確信していることを語っているかぎりは、言い換えは無理なのです。

生活の美など取るに足らないと断言する人はほとんどいないと思います。ところが文明人のほとんどが、まるでそれがどうでもよいものであるかのように振る舞っているのであり、そう振る舞うことによって自分自身のみならず後に来る人びとに対しても害をなしているのです。生活の美とは、もっとも広い意味での芸術のことなのですが、私見では、それは人びとが受け取るのも捨てるのも好きにできるような、人間の生活にとってのたんなる偶然の産物ではなく、われわれが自然の命ずるままに生きようとするならば、つまり人間以下の境遇に甘んじないのであれば、生活に必須のものなのです。

ここでみなさんにうかがいたい。わたし自身が長らく自分に問うてきたことなのですが、文明の進んだ国々のなかで、国民のうちのどれほどの割合がこの生活［の美］に欠かせぬものに与っているのでしょうか。

その質問に対して返されるべき答えは、どうみても現代文明は生活の美をすべてふみにじり、われわれを人間以下にするほうにむかっているという、わたしの不安を裏づけます。

さて、前からこうだったではないか、芸術について無知で、興味もない無教養で下品な大衆はつねにいたではないか――そう言う方がもしもここにいらっしゃるなら、それにまず答えておきます――前からそうだというなら、それはずっとまちがっていたわけであり、まちがいだと気づいたのなら、ただちにそれを正さねばならないのだ、と。

　しかし、それに加えて、奇妙な言い方になりますが、世界は気まぐれにみずからのために苦痛を作り出してきたにもかかわらず――まるで聖なる良きものであるかのように、いつの時代でも世界はその苦痛にしがみついてきたのですが――、大衆が芸術に無関心だということのまちがいは、つねにそうだったわけではないのです。

　いまでは後世にたくさんの作例を残した芸術の時代について多くのことが知られているので、これらとあまり多くを残さなかった時代の遺物とを比べることで、われわれはすべての時代の芸術を判断することができます。すると、つい最近までは、人間の手がふれたものは、多少なりともみな美しいものだったという結論にかならずなります。したがって、そのような時代にはなにかものを作る人びとはだれでも、そのように作られたものを使う人びとすべてとおなじように、芸術を分かちあっていました。すなわち、すべての人びとが芸術を等しく分かちあっていたのです。

　しかし、なかにはこう問う人もいるかもしれません――それは望ましいことであったのか。芸術のこの普遍的な広がりは、ほかのことがらでの進歩をはばみ、世界の働きを妨げたのではないか。それはわれわれの男らしさを損なってきたのではないか。そうでなくても、でしゃばりすぎて、人が考慮すべき他の問題を押しのけてしまったのではないか、と。

さて、わたしは芸術のために必要な地位、当然の地位を要求してきました。それはまさに芸術にとって最重要のものです。そして芸術はその本質上、生活のあり方すべてに芸術じたいの秩序と適合性の規則をあてはめるでしょう。それゆえ、美の外的な表現があまりにも大きな力となって生活の他のさまざまな力を凌駕してしまうのではあるまいかと憂慮しすぎる人たちは、彼らが森羅万象の創造主であったとしたら、食べるのに具合が悪いというので麦の穂を美しくするのを躊躇したのではないかと思われます。

だがじっさいには、芸術が普遍的なものとなるには、それがほとんど自意識をもたず、たいていほとんど骨を折ることとなくなされるという条件においてでしかないように思えます。そのため、「人間にとって」外的な自然の産物がそのあらゆる形態と雰囲気が醸しだす美によって妨げられないのと同様に、人間世界の荒削りの仕事も美によって妨げられることはほとんどないでしょう。わたしが話題にしていた時代がまさにそうでした。意識的な努力によって作られた芸術、特別な才能に恵まれた人びとが、その思想を完璧に表現するために努力した個人の成果については、驚異に満ちたごく短い期間をのぞいて、いまと大差なかったのではないでしょうか。そういう人びとにとっても、美を創造する苦労はいまほど苛酷ではなかったと思うのですが。とはいえ、偉大な思想家の数がいまと変わりなかったとしても、幸福な働き手（ワーカー）は数えきれないほどいて、彼らの作りだしたものはなんらかの独創的な思想を表現しており、また表現せずにはいられなかった。その結果としてそれは興味深くかつ美しいものとなったのです。いまでは、それよりも個人的な芸術が社会に共有される機会はもちろんなく、そのあまりにも多すぎるともいえる作品がわれわれをうんざりさせるか、あるいはそのうるさい自己主張が、教養の高い人びとがみずからにふさわしい役割を世間のほかの仕事においてはたすことを妨げています。そのような芸術はおこなうことがあまりにもむずかしい。個人的な芸術のもとで花開くすべての作品はつねに、半ば意識的なものであり、不完全な精神の欠点を満たすだけのものでしょう。しかしそれは芸術の力の大きな浪費であり、まして人びとの精神に影響を与えることはないでしょう――もし、かつてだれもが分かちあっていた、あの多数のより身近な作品に囲まれて、芸術が本当に目を覚まし、それが容易にたえまなく実現されるなら話は別ですが。その場合には、人がなさんと欲する仕事――その良し悪しは別として――を〔個人的な〕芸術が妨げることはなくなるでしょう。民衆によって、民衆のために作られた芸術、作り手と使い手の双方にとっての喜びとなるような芸術は、芸術以外のことがらの進歩を妨げるよりもむしろ促進すると、一方においてわたしは信じていますが、他方においては、偉大な頭脳と奇跡的な才能をもつ手だけが生み出せる例の高級芸術は、民衆の芸術なしでは存在しえないという確信もあります。民衆芸術がいわば眠っているか、あるいは病んでいるというのに、高級芸術が存在しているというような現在の状態は過渡的なものであり、いずれ終わるはずのものです。その結末は、芸術が完全な敗北を喫するか、あるいは完全な勝利を得るか、そのいずれかです。

というのは、かつては職人たちの仕事は、意識するしないにかかわらず、すべてが美しかったのに、いまは二種類に、すなわち芸術品と非芸術品とに分かれているからです。いまは人の手によって作られるものは、区別がつかないものではありえない。美しく人を高めるものか、醜くて人を貶めるものかのどちらかです。そして芸術なき品物はきわめて醜く下品です。そうしたものの存在によって芸術は傷つけられてしまう。それらがいま幅をきかせているので、われわれは芸術作品をみずから探し求めていかざるをえないのです。ところが芸術的ではない品物が日常生活のありふれた伴侶になっています。そのために、芸術を知的に陶冶している人びとが、どんなにその特別恵まれた才能と高い教養で身を包んだり、他の人たちとは距離をおいて見下しながら幸せにくらしたりなどしないようにいくらしようとしても、そうすることはできないのです。それはまるで敵国に住んでいるようなもので、どちらを向いても、そうした人びとの繊細な感覚と教養のある目を傷つけ悩ませる代物が待ち伏せています。彼らもあまねく広がっている不満を分かちあわねばならないわけです――わたしはこれを結構なことだと思います。

ルネサンスと芸術の衰退

そうすると、問題はこうです――〈芸術〉が万人への慰安となることが〈自然〉の目論見なのであって、歴史の始源からつい最近まで、〈芸術〉はその目的を十分にはたしていました。万人が芸術を分かちあっていたのです。昔はそれこそが生活をいわゆるロマンティックなものにしていたのでした。盗賊である領主たちだとか、階層化された貴族たちやその他のくだらぬ輩を従えた近寄りがたい王侯たちだとかがロマンティックにしたのではないのです。芸術はますます発展しました。さまざまな帝国が病むのを見て、帝国とともに病みはしたものの、快復し、より強壮になり、やがて、あらゆるものを征服し、物質界を支配下に置いたかのごとく、大いなるものとなったのです。それから、多くの点でそれまでヨーロッパが知っていたなかで最大の生と希望の時代に、ひとつの変化が生じました。それはさまざまな希望を孕んだ大いなる希望の時代で、これを人びとは〈新生〉〔ルネサンス〕の時代と呼びます。芸術に関するかぎり、わたしはその名称は適切ではないと考えます。その時代に生きて芸術の営みに栄光を与えた偉大な人びとは、新しい物事の秩序の萌芽ではなく、むしろそれより古い時代の果実であるとわたしには思われるのです。しかしそれ〔ルネサンス〕は活発で希望にあふれた時代ではあり、そこから新たに誕生した多くのものが、以来十分に実りをもたらしてきました。奇妙で理解しがたいことですが、その時代からこのかた、時の流れは、たくさんの混乱と失敗をとおして、他の問題では概して特権と独占を着実に破壊してきたというのに、芸術については一握りの特権階級に引き渡して彼らの独占物としてしまい、民衆からその生得の所有権を奪ってしまいました。しかも、それを奪われた側も、奪った側も、どちらも自分たちの所業にはまったく無自覚だったのです。

まったく無自覚に——ではあったけれども、われわれはもはやそれを知らずにはいない。そこに芸術の苦しみがあり、また希望もあるのです。

いわゆる〈ルネサンス〉の栄光がしだいにうすれ、思いもよらず突然消えてしまったとき、致命的な冷気が芸術を襲いました。その〈新生〉とは、主に〔古代ギリシアとローマという〕過去をかえりみることを意味しました。その過去のなかに当時の人びとは完璧の域に達した芸術を見たと思ったのです。彼らの考えではその芸術は彼ら自身の父親たち〔中世の職人たち〕の、より荒削りで暗示的な芸術とは、程度の差だけではなく、性質においても異なるものでした。この〔古典芸術の〕完璧さを彼らは模倣しようと熱望し、これだけが彼らにとっては芸術であり、そのほかは幼稚に見えたのです。彼らの活力には驚くべきものがあり、また大いなる成功を収めたものだから、偉大な巨匠たちはきっとそんなふうには思っていなかったのでしょうが、凡庸な人びとからすれば本当に完璧の域に達したと思えたのでした。そうして、いったん完璧なものが得られたとしたら、そのあとどうしたらよいのか。それよりも先へ進むことはもうできず、なんとか踏みとどまっていなければならない。だがそんなことはどだい無理というものです。

芸術はこの〈ルネサンス〉が進んだ以後の時代にもけっして踏みとどまっていることはなく、ものすごい速度で坂道をくだり、丘の麓まで転がり落ちてしまいました。そしてそこで、まるで魔法にかけられたかのように、長いあいだのうのうとして横たわりながら、ミケランジェロの芸術こそが自分たちの芸術だと信じ込んでいたのですが、それは絵を売りたがっている本人以外はだれも覚えていないような連中の芸術であったわけです。

個人が製作するかたちの芸術についてはこんなふうだったのです。民衆の芸術について言えば、大芸術がもっとも繁栄していた諸国や地域では、大芸術とともに一歩一歩下り坂をたどりました。たとえば英国のような僻地の国では、民衆芸術は以前の幸福な時代の息吹をなおも感じつづけていて、しばらくはある程度生きつづけました。けれどもその命はとても弱く、いわば道理に合わないものだったので、外界の変化に抵抗することができませんでした。ましてや新しいものをなにも生みだせなかった。そしてこの〔十九〕世紀が始まる前に、その最後の光も消えてしまったのです。それでも、どれほど老いぼれた状態であっても、それがまだ生きているあいだは、ここまでのわれわれの考察の対象である日用の品々のなかになにものかを継続的にふくませていたのであり、美に対するいくばくかの切望を満足させてくれたことはまちがいありません。それが死んだとき、人びとは長いあいだそのことに気づきませんでした。あるいはいわばその亡骸に忍び込んでそれにとって代わったものがなんであったのかがわからなかった——すなわち、それは芸術の擬い物です。それは機械で作られるのですが、時としてその機械は人間と呼ばれます。まぎれもなく労働時間の産物なので、人の生産物ではある。けれども、芸術がすっかり滅んでしまうかなり以前からこの擬い物は堕落しきっていたので、分別があると自任するあらゆる人から、この〔民衆芸術という〕主題全体が唾棄すべきものとして扱われるのがふつうになってしまいました。要するに、文明世界の全体が、作り手と使い手双方の喜びとして、民衆によって、民衆のために作られた芸術がかつて存在していたということを忘れてしまっていたのです。

　しかし、変化がこのように唐突であったということじたいがわれわれをほっとさせてくれると、いまわたしには思えます。黄金の鎖のつながりのこの断絶がたんなる偶然にすぎず、それじたい長続きしえないと、そのことが思わせてくれるのです。なぜなら、原始人が、マンモスを見て、その姿を骨に火打石の破片で彫りつけてから、あるいは彼が追跡していたトナカイが重い角をつけた頭をゆっくりもちあげる姿を伝えてからどれほどの年月がたったのか、考えてみましょう。そのときから〈イタリア・ルネサンス〉の栄光が陰るまでの時間の隔たりについてぜひ考えてみましょう。じつは、その時代から民衆芸術が人知れず死んで世間から蔑視されるようになるまで、たかだか二百年しかたっていないのです。

ロマンスの復興

やはり不思議なことですが、死というものはまさに、いずれにせよなんらかの新生と同時に起こるものです。なにしろ絶望の極みから〈フランス革命〉の灯に照らされて希望の新しい時代がほとばしり出たのですから。そして芸術の衰退と同時に、それまで衰退していたさまざまなものが復興し、たしかに芸術の新生の先触れとなったのです。本当に詩がよみがえったのです。阿諛追従(あゆついしょう)を得意とする韻文書きの手によって英語は憐れむべき戯言(ざれごと)に貶められ、その意味は、意味があるとすれば、翻訳しなければわけのわからぬものになっていたのですが、ブレイクとコールリッジの美しい調べとあいまって、われわれの言語は明快、清澄、そして素朴さにあふれはじめたのです。われわれにとっての草分け的存在であるこの二人の名前を、ジョージ二世〔在位一七二七—六〇年〕の時代以後の文学に生じた変化の一類型とみなしてください。

　文学のなかでロマンス、すなわち、あの人間性(ヒューマニティ)が再生をとげたのですが、そうした文学とともに、外的な自然のロマンスを求める感情も生じました。それはいまのわたしたちのなかに確実に根づいている感情であり、先人の生活の現実を知ろうとする願いと結びつきました。結びあわされたこれらの感情については、ウォルター・スコットの本をひもとけば、そのもっとも幅広い表現を見出せます。ひとつの芸術がときとして、復興したもうひとつの芸術のあとを遅れてついていくありさまを示すものとして興味深いのですが、たとえば、『ミドロジアンの心臓』〔一八一八年〕というなにものにもとらわれない精妙な自然主義の作品を著わしたこの作者は、〈ゴシック建築〉へのみずからの愛を恥ずかしいと感じているように思えてならないので、それについて弁明しなければならないと、自分自身つねに考えていました。スコットはそれをロマンティックだと感じ、自分に喜びを与えることを知りながら、なぜかそれが芸術であることがわからなかった。著名人による学問的な基準によって判定されたものでなければ芸術ではないという教育をいろいろな意味で受けていたためです。

以来どんな変化が起こったかをくだくだしく語る必要はおそらくないでしょう。主要芸術のひとつである絵画芸術が大変革されたことはよくご存知でしょう。わたしの個人的な友人、いや、師匠である方々について語ることは本当にむずかしい。だが言わないわけにはいかないので、率直にありのままに語るほかはありません。それはわたしが少年時代に通いなれていたころのロイヤル・アカデミー展の惨状から英国の芸術を現在の水準にまで向上させた、あの画家たちの小集団[3]のほかには、無からなにほどかの価値あるものを創造する偉業に近いことをなしとげた集団は、芸術の歴史全体においていまだかつてなかったということです。

ある人物の名前をここでふれずに済ますのはまったく恩知らずというものです。なにしろ、その人からじつに多くのことを教わったのみならず、わたしが講演をおこなうときにはいつもその人の言葉を繰り返しているにすぎないと感じているのですから。それはジョン・ラスキン氏です。潮流がわれわれの期待するように芸術の方向に向かい出して以来生起したことがらについて説明する際には、ラスキン氏を外すわけにはいきません。なるほど、たしかに氏の比類のない英語文体と見事な雄弁は、主題がなんであっても、まだ文学への愛好を失っていなかった時代であれば、なんらかの聴衆を得たことでしょう。しかし氏が教養のある人びとにおよぼした影響とは、氏の文体と雄弁が人びとの精神のうちにすでに芽生えていたものを表現した結果であることはまちがいありません。人びとになんらかの心の備えがなければ、氏はその著作をものすることはできなかったでしょう。同様に、いつか人びとに分かってもらえるという希望があったからこそ、あの画家たちも三十年前に芸術を支配していた無気力と無能に対する聖なる戦い（クルセイド）を始めることができたのです。

さて、こうした潮の変わり目以来の進歩とは、いわば二百年前に切れて落ちた黄金の鎖を拾いあげた一握りの芸術家がいるということ、そして彼らを理解できる少数の教養のある人びとがいるということです。それに加えて、民衆のあいだにも、自分たちをとりまく恥ずべき醜さへの、同程度の漠然とした不満の感情が広がっています。

これは、最後の民衆芸術がわれわれのまえから消滅して以来われわれがはたした前進を記すものであるようにわたしには思えます。その当時のことを考えれば、それは大きな前進でないとは言えません。闘いにはまだ勝利していないが闘う用意のある人間がいる、という状況にいたっているからです。

じっさい、そうでなかったとしたら、この時代にとって奇妙な恥辱となっていたでしょう。世界のどの時代でも混乱のもととなる特有の困難と、障壁となる特有の愚かさがあるわけですが、それと同様に、どの時代にもそこではたすべき仕事があって、その仕事はその時代のたしかな徴候によって指し示されているからです。いかなる時代に生を享けた者であっても、「自分たちはそんな仕事にとりかかったりしない、こんな厄介なことになったのはわれわれのせいではないのだから、その治療法を求めて苦労などしたくない」、などと言うのは臆病で愚かなことです。そんなふうに放っておいたら、子孫にいっそう重い荷を負わせることになる。それを背負い込もうとして、体が痛み不自由になってしまうほどの重荷となるでしょう。われわれの先祖はそんなふうではなかった。朝から晩までよく働き、猛烈に活発で精力的な民衆の大群を残してくれたのであり、それをわれわれは近代ヨーロッパと呼ぶわけです。われわれのためにつくしてくれた先人たちはそんなふうではなかった。なにしろ彼らは実り豊かな変化とすばらしい可能性のある、この現代をわれわれのために創ってくれたのです。

〈商業の世紀〉

いまや終わりに向かい始めたこの〔十九〕世紀は、あだ名を付けるなら〈商業の世紀〉と呼べるでしょう。だからといって今世紀がなしとげた成果を過小評価するつもりはありません。今世紀は多くの偏見を打ち破り、多くの教訓を与えてくれました。これまではその教訓を世間が学ぶのは遅かった。別の時代だったら精神か身体、あるいはその両方を支配される奴隷となっていたはずの多くの人びとが、今世紀には自由に生きられるようになりました。今世紀の半ばにいたる頃に心から期待されていたようには、世界中に平和と正義を広げるということにはなりませんでしたが、少なくとも平和と正義への新たな希望を多くの人びとのなかにかきたててきました。良い成果をたっぷりもたらしたのではありますが、その多くはやはり、やり方が杜撰(ずさん)でした。活力に満ちていながらも無謀さをともなうのが常であり、性急に事を進めるあまり後先が見えないことがあまりに多かった。したがって、来(きた)るべき世紀にはこの無謀さによる失敗を埋めあわせ、拙速な仕事でたまった塵を片づけるという作業をたくさんしなければならないのではないでしょうか。それどころか、今世紀の最後の四半世紀の後半には、われわれもまたその家の片づけにむけて働かなければならないのではないでしょうか。

たとえば、〈商業の世紀〉と大いに関係がある、この高名な大都市〔バーミンガム〕については、みなさんの利益はだれが見ても明らかですが、そのために払われた代償も多くの人びとにとって明らかです。なによりもみなさんご自身にとって明らかでしょう。利益が代償に値しないとは言いません。英国によってでも世界によってでも、今日のバーミンガムを一七〇〇年のバーミンガムと取り換えるなどとうてい無理な話です。しかしみなさんが手に入れた進歩が偽物(にせもの)でないのであれば、この利益だけでとどまるわけにはいかないし、このままおなじ利益を積みかさねてゆくこともできません。このブラック・カントリー〔バーミンガムを中心とする重工業地帯〕の現状が、みなさんの生活と地位のための不変の必要物であるとは信じられないのです。このような悲惨な状況はまったくの無分別から始まり、そのままつづいたのであり、それを作りだすために費やされたエネルギーの百分の一もあればそれを取り除くことができるでしょう。もし、われわれみなが「わが亡き後に洪水よ来たれ[4]」という卑劣なことわざを黙認しようとしないのであれば、このすばらしい中部地方（ミッドランド）の丘陵や平原が、人口を減らさずとも、いつかなんらかの方法でふたたび喜ばしい土地となるという希望がただの夢ではなくなる、そうわたしは思います。あるいは「重めの毛織物の産地（ヘヴィ・ウーレン・ディストリクト）」たるヨークシャーの谷は、広大な丘陵と高貴なる河川をもち、かつては美しいものでありましたが、そこを〈商業の世紀〉の産物である犬小屋ではなく、心地よい人間の住みかにもどすために、打ち壊して廃墟にしてしまうような荒療治は必要ないのです。

さて、民衆はこのような改革をはじめるために必要な労苦をひきうけたり、お金を費やしたりはしないでしょう。ひどい環境のなかでくらしているのにそれを自覚しておらず、人間以下のものにみずからを貶めてしまっているからです。彼らに意気地がないのは、芸術という当然の分け前に与っていないからなのです。

またこの点では富裕層も貧しい人びととおなじように、自己欺瞞におちいっていると言えます。みなさんは近頃、上品で教養の高い人びとに会われることもあるでしょう。そのような人びとはイタリアやエジプトなどを訪れ、十分な学識を（ときには荒唐無稽なまでに）もって芸術論をぶつことができます。また過去の芸術と文学に造詣が深く、自分の家に不満のかけらも見せず座っています。ところがその家ときたら、周囲の環境と同様に、ものすごく下品で醜い代物なのです。彼が受けた教育はせいぜいその程度のものだったのです。

本当のところを言えば、芸術において、またその他のさまざまな問題においても、一握りの人間が苦労して教育を受けたところで、そうした人びとでさえ、国民の大多数の無知につきまとう害悪を免れることはできないのです。そのすさまじい卑しさときたら、奥底までたっぷりと堆積しているのですが、それは、そのように堆積させた張本人である連中の上面（うわつら）を剝ぐまでもなく、彼らの利己的な洗練ぶりをとおして多くの場合露呈しています。芸術の欠如、というかむしろ芸術の抹殺によって、われわれの街々は呪われ、下層階級は汚穢に満ちた環境に貶められていますが、これとまったく対になるかたちで、中流階級は生気のない俗悪な環境に置かれ、また上流階級もさらに輪を掛けて生気のない、ひどく俗悪な環境でくらしているのです。

これは当然のことだと言っておきましょう。この点だけで言えば正当で公平なことです。さらに言えば、金持ちは暇があるわけなので、自分で痛みを感じるならば、他にまして行動しそうなものです。しかし、彼らとわれわれ、われわれすべてはどう行動すべきでしょうか。治療法は何でしょうか。文明の不手際を治療するのに、文明のさらなる促進以外にいかなる治療法があるというのでしょう。この方向では行き着くところまで行ってしまったと、よもや思ってはいらっしゃらないでしょう――この英国においてさえも。

なんらかの変化が起こったときに（その変化はたいていの人びとが考えるより早く起こるのではないでしょうか）、教育はきっと質量ともに発展するでしょう。そうなれば十九世紀が〈商業の世紀〉と呼ばれたのとおなじように、二十世紀は〈教育の世紀〉と呼ばれるかもしれません。だがいまは、学校を卒業しても教育は終わらないというのが常識です。それでは機械のような生活を送っている人たち、仕事の合間のほんのわずかな時間においてしか考えられない人たち、要するに、有意義に心身ともに発達させるにはむかない仕事をしながら、ほぼ一生を送っている人びとを、じっさいどうしたら教育できるでしょうか。彼らに芸術を分かちあう場を与えることができなければ、教育することはできません。文明化することもできないのです。

たしかに現状では、ほとんどの人間に芸術を分かちあうようにさせるのはむずかしい。彼らは芸術がなくとも平気だし、芸術を求めてもいないからです。現状では、芸術をもてぬことを残念に思ってそれを求めるというのはまずありえません。だがなにごとにも出発点があり、多くの大事業の発端は非常に小さなものでした。先程述べたように、このような見解はすでにさまざまなかたちで広がっていますから、一見計り知れない重荷を持ち上げなければならないように見えても、あまり落胆するにはおよびません。

結局、われわれはただ自分の役割をはたし、自身の割り当てられた荷を背負うしかないのです。個々の割り当てはそう大きなものではないが、それが求められる場合にはやはりいつでも荷を負う必要があります。それゆえ、やってみてくじけないことです。次のことを忘れてなりません。不確かな時代の只中においては、成功するかどうかの疑念がときには悩みの種になるのは当然で無理もないが、そうした疑念を克服しようとせず、疑念などないかのように働くことは、たんなる意気地なしであって、許されることではありません。なにをしてみても無駄であったとか、先人たちの献身的な不屈の闘争はすべて不毛な結果に終わったとか、人類は永遠に堂々巡りをくりかえすだけだ、などと言う権利はだれにもありません。そんなことを言っておきながら毎朝起きて食事を摂り、夜は眠り、そのあいだずっと自分のくだらない生活を守るために、他人に苦役を強いる権利などだれにもないのです。たとえ事態が混乱を極めているように見えるときでも、その混乱から抜け出すなんらかの方途が必ずあります。おなじくたしかなのは、われわれがこれまでしてきた仕事が誠実なものであるなら、それゆえ細心の注意をもって考え抜かれたものであるなら、なんらかの役に立つものとなるだろうということです。

文明の歪み

繰り返しになりますが、どんなことにおいてであれ文明が道を踏み外しているのなら、それを正す方途は、じっと立ちどまっていることではなく、文明をさらに完全なものにすることです。さて、多用され、誤用されることもよくあるこの文明という言葉について、どのような議論がなされようとも、以下の点について、わたしがただの紋切り型の言い回しで言っているのではなく、心底信じているということを賛同していただけると思います――すなわち、民衆全体を担わない文明は没落の運命にあり、担うことを少なくとも目標とする文明に取って代わられるであろう、と。

古(いにしえ)の諸民族の文明、古典時代の文明についてわれわれは云々します。彼らが文明化されていたのは疑いない――すくなくとも一部の人間はそうであったでしょう。たとえばアテナイの市民は質素で品位のある、ほとんど申し分のない生活を送っていました。しかし、彼が所有した奴隷の生活には幸福にとって不都合なものがあったのかもしれません。古代文明は奴隷制度に基礎をおいていたのです。

じっさい、あの古代社会は世界に模範を与え、生活と思想の自由、克己心と惜しみない教育がいかにありがたいものであるかをつねに示してきました。古代の自由民はこうした賜物(たまもの)のすべてを世界に示し――そしてそれを独り占めしていたのです。

それゆえに、サラミスとテルモピュライ(5)の戦士の子孫を奴隷にしたゆえに、かくも下劣な僭主(せんしゅ)はおらず、かくも空虚な口実もなかったのです。それゆえに、〔共和国期の〕ローマ人――彼らは厳格で克己心をもち、共和国の栄光のためにすべてを、生命さえも取るに足らぬものとして投げ捨てる備えができていました――の末裔が放埒で無謀な愚行の怪物を生み出したのです。それゆえに、一握りのガリラヤの農民〔初期のキリスト教徒たち〕はローマ帝国を打ち倒したのです。

古代文明は奴隷制と独占的特権に縛られて、それで崩壊しました。それに代わった野蛮状態によってわれわれは奴隷制度から解き放たれ、成長して近代文明に至りました。今度はその近代文明が選択を迫られています。けっして止まることのない成長か、あるいはより高度な成長の種子を内に秘めた破壊か、その二者択一です。

ひどい事実を表すいやな言葉がありますが、わたしはそれをあえて使わざるをえません。それは残滓(レジデュアム)〔最下層民〕(6)という語です。この語は、その用例を初めて見て以来、わたしにとっては恐るべき意味をもちつづけていて、そして心底つぎのように感じずにはいられませんでした――一部の人びとが公然と認め、また多くが言葉に出さぬまでもそうだと思っているように、この残滓(レジデュアム)が近代文明に欠かせない要素であるとすれば、この文明は、その姉たる〔ローマ〕文明と同様に、いつか自身を破壊する毒を内にふくんでいる、と。文明がこの程度で止まってしまうのなら、ここまで来なかったほうがましです。この悲惨さを取り除くことを目指さないのであれば、そして文明は幸福で気高い生活を作り出してきたのだし、そのために疲れを知らぬ精力を注いできたというのに、そうした生活をすべての人びとが分かちあえるようにする努力をしないのであれば、近代文明はたんなる組織的な不正、たんなる圧制の手段にすぎなくなります。近代文明のうぬぼれはいっそう仰々しく、その奴隷制はより隠微で、その支配を打ち壊すのもより困難だという点で、それは先の文明よりもはるかに悪質なものです。なにしろ近代文明は、かくも分厚い固まりとなった、ありきたりの満足と安楽さによって支えられているからです。

たしかに、これはけっしてあってはならないことです。たしかに、これが不正だというはっきりした感情が広がっています。それで近代文明が、たんなる人口増大と金儲けに終始するのでなく、もっと高みに上ろうと、あらゆる努力をしているのに、それをこの残滓(レジデュアム)がいまなお妨げているのだとすれば、これに対処するうえで障害となるのは、第一に、暴力の時代——ほとんど意識的に野蛮な不正行為がなされていた時代——から受け継いでいるものであり、第二に、無思慮の時代、拙速と無分別の時代から受け継いでいるものです。たしかに、世界の未来を考えている人びとはみな、どうにかしてこのような恥辱をなくそうと努めているのです。

私見ではそれこそがわれわれの言う〈国民教育〉の意味なのです。この教育をわれわれはすでに始めていて、おそらくもう果実をもたらしています。(7) そして将来すべての人びとが、自分や親が所持する金に応じてではなく、自分の知力に応じて教育されるならば、さらに大きな成果を生むことになるでしょう。

芸術の未来にこの教育がどんな効果をもたらすかはわかりませんが、非常に大きな効果があると思ってまちがいないでしょう。なぜなら、いまは民衆がまるきり無知蒙昧であるかのごとく、彼らの目のまえから完全に隠されている多くのことがらが、教育によってはっきりと見えてくるようになるでしょうから。このことは、無知の弊害を直に感じている人びとのみならず、それを間接的に感じている人、すなわち教育を受けたわれわれにも作用するでしょう。数多の自然な欲望と切望とに満ちた、高まる知性の大波がすべての階級を巻き込み、われわれみなにわからせてくれるでしょう――永遠の必要悪とみなされてきた多くのことがらが、過去の愚かさから偶然に生み出された一時的な腫れ物にすぎず、十分な努力によって、勇気、善意、そして先見の明を働かせることによって、避けられるものであるということを。

そしてわたしの確信するところでは――またつねにそう信じるべきところでは――こうした数多の害悪のなかに入るのが、昨年の講演〔「民衆の芸術」〕でわたしが、あらゆる害悪のなかで最たるもの、あらゆる奴隷制のうちでもっともゆゆしきものと考えると申し上げたものです。すなわちその害悪とは、民衆の大半がほぼ一生を労働に従事させられているということであり、その労働たるやよくても興味をもてるものではなく、人の最良の能力を発揮させるものでもなく、最悪の場合には（これがいちばんよくあるのですが）、ただ辛いだけでしかない奴隷的な苦役、情け容赦なく無理強いされることで搾り取られるだけなので、できれば避けたいと思うような苦役なのです――避けたいと思うのも当然で、彼らを責めるには当たらない。この苦役が人びとを人間以下に貶めています。彼らはいつかそれを知り、自分たちを人間にもどせと叫ぶでしょう。そしてこれをなしうるもの、この奴隷制から彼らを救い出せるものは芸術をおいて他にありません。繰り返しますが、これこそが芸術が目指すべき最高にして最大の光輝ある目標です。芸術がもっとも確実に、みずからを純化し、完璧にむかうみずからの切望を活気づけるのは、この目的を達成しようとする努力においてなのです。

しかしわれわれは――一方でわれわれがなすべきことはと言えば、これらの来るべき輝かしい時代の明らかな徴候が地上や天上に示されるのを座視して待っているのでなく、こうした徴候のひとつでも生きて見たいというなら、そこに参加できるよう細かい点まで自分を適合させてゆくという、平凡で、おそらくはたいてい退屈な仕事にかかることです。あるいはそれが実現するまえに死んでしまうなら、そのための地ならしのために最善をつくすことです。

それでは、教えてくれる者が一人もいない状態で、ある日、一から始めなければならないということにならないよう、過去の伝統を守るために、われわれにはなにができるでしょうか。品位あるくらしに注意を払い、それを普及させ、そうすることで、民衆が芸術を熱望しはじめるときに、それを成長可能なものにする畑を持つために、われわれはなにをなすべきでしょうか。最後に、われわれのそれぞれが芸術のなんらかの芽を育て、それが別の芽と出会い、われわれが求めているものへと徐々に成長し広がってゆくようにするために、われわれにはなにができるでしょうか。

古建築の保護

さて、これらの責務のうちの第一のものがみなさんにとって興味のない問題だと考えることはできません。なにしろわたしは、昨年の秋ここで講演の栄誉にあずかったとき、ヴェネツィアのサン・マルコ大聖堂の（いわゆる）修復を主題とした熱のこもった集いを経験しているのですから。[8] このときみなさんはまことに正しく考えたとわたしには思えます。その正しいお考えとは、この主題が芸術全般にとって重要な問題であるということであり、この問題について懸念している人びとが、その〔修復についての〕決定権を握っている人びとにむかって発言することは自然で自明なことだということでした。たとえ前者がイギリス人、後者がイタリア人と呼ばれようともです。というのも、芸術を愛する者という名はそうした差を埋めると、みなさんは感じていらっしゃったからです。みなさんが〔この修復計画に〕なんらかの疑念を抱いたとき思い起こしたのは、世界にこんな建築物はただひとつしかないということであり、われわれの発言がそれを救うのに寄与できるなら、あえて礼儀にそむいても、口をはさむだけの価値があるということでした。さて、イタリア人たちのほうはといえば、彼らのうちの何人かは、至極当然ながら確実に道理のない反応として、一時（いっとき）は怒って、新聞や雑誌でわたしたちに自分の国のことだけを気にしていればよいと言い放ちました。そんなことを言っても、サン・マルコ大聖堂の正面（ファサード）をむやみに建て直すような考えを正当化できるはずもなかったのですが。もっとも、イギリス人のほうについても、同様の問題の観点から自分の国をまだ見ていない人は、もう遅きに失しているかもしれませんが、急いでそのように見直したほうがいいというのはたしかなことです。というのは、わが国にはサン・マルコ大聖堂のような金彩色の室内空間はないけれども、古い芸術と歴史的遺産を兼ね備えた建物がまだ多く残っているからです。それらがいまどうなってしまっているか考えてみたらよい。そして、われわれはそれらの価値を理解していると公言しているのだから、〈商業の世紀〉に芸術がいかになすすべのない状態に置かれてしまっているかに注目しなければいけません。

そもそも、英国とおなじように文明化されたヨーロッパ全般にわたって数多の美しい古建築物が破壊されています。市民の生活の便の邪魔になるからというのが破壊の理由なのですが、すこしでも先見の明があるならば、そのような利便を妨げることなく建物を救うことができるでしょう。[*] しかし、

＊［原注］本書の校正作業中に、わたしは二件その手の破壊行為に直面している。ひとつはウェストミンスター寺院の大食堂の遺跡と、それと隣接するアッシュバーナム・ハウス。美しい建物で、これはおそらくイニゴー・ジョーンズの作である。もうひとつはオクスフォードのモードリン橋である。たしかにこれは〈生活の美〉に対する教育の影響へのわたしの希望を嘲笑するものであるように見える。なぜなら、前者の破壊計画はウェストミンスター校の当局によって熱心に推進され、後者についてはオクスフォード大学に居住する教員はほとんど反対の声を上げなかったからである。

そのことを別にしても、われわれ自身のみならず子々孫々までをも高潔にし教育してくれる芸術の遺産を守るために、われわれの生きているあいだ不便なのを多少我慢する覚悟がなければ、芸術――あるいは教育――を語っても空しいし、無益なことです。このような蛮行はまちがいなく〔さらなる〕蛮行を生み出すはずです。

おなじことは、本来の目的に近い用途でいまなお使われている古い建築物を拡張、あるいは利便のために変更する場合にも言えます。それはたいていの場合じつは、少々の金をかけて新たな用地を買い、それから必要な用途にあわせて建物を新築し、今日の技法で装備すれば、問題は片付くのです。その一方、古(いにしえ)から遺された建物は、変化と進歩の物語をわたしたちに語るため、また諸芸術の実践における見本と警告をわれわれに掲げるために残しておくのです。そうすることで公衆の利便、近代芸術の進歩、そして教育の大義のすべてが少々の代価で促進されるのです。

たしかなのは、今日の芸術作品にかかわって尽力する価値があるとするならば、過ぎ去った時代の芸術を保存するために多少の気遣いと配慮と金を費やす価値もあるということです。今日の作品であれば、われわれがなおも生きているからには、ほとんどどのようにでもできますが、昔の作品の場合は（悲しいかな）残っているものはほんのわずかであり、世界がいかによい状態に至ったとしても、二度と手に入れることができないものだからです。

古い建物を壊したり傷つけたりする行為に賛同する者に、芸術を気にかけていると装う権利はありません。また、文明と進歩に対する自身の犯罪を擁護するような理屈を持ち出せる者もいません。まったくの獣のような無知のなせる業である、と言うなら別ですが。

しかしこの主題を離れる前に、〈修復〉と呼ばれるこの時代の奇妙な発明について少々述べておかねばなりません。それは過去の作品を扱う一方法であり、その精神においては徹底的な破壊ほど下劣ではないものの、そうした芸術作品の状態に与える結果は、破壊行為とほとんど変わらないのです。今夜はこの問題を詳述する時間がないのは明らかですので、ただ以下の点を断言しておくだけにします。

〈修復〉に抗う

古い建物は、芸術作品でもあり歴史的記念物でもあるから、言うまでもなく細心の注意を払って扱わねばなりません。今日の〔過去のものの〕模倣的な芸術は古の芸術とおなじものではないし、おなじではありえません。古の芸術の代わりにもなりえない。したがって、こんなものを古の作品に重ね合わせてしまったら、芸術としても歴史の記録としても、それを壊してしまいます。それから、最後に言っておきたいのですが、建物の自然に風化した表面は美しく、それを失うことは禍いです。

さて、修復者たちの見解は正反対です。彼らの考えによると、今日の利口な建築家であれば、造作なく古い建物をうまく扱えると言います。われわれのまわりにある他のすべてのことがらが（たとえば）十三世紀からすっかり変化したにもかかわらず、芸術は変わっていないし、現代の職人は十三世紀の職人と寸分たがわぬ仕事ができると考えています。そしておしまいには、古い建物の風化した表面は無価値であって、できるだけそれを取り去るべきだと言うのです。

見てのとおり、修復する者と修復に反対する者には共通の土台がないように思えるので、この問題について議論をするのはむずかしいのです。ですから、わたしは公衆に訴えて、われわれの見解は誤りかもしれないが、われわれが勧める行動は軽率なものではないということをわかってもらいたいのです。この問題はしばらく棚上げにしておきます。いつも主張しているように、もしこうした記念物が荒廃してしまわぬように適切な配慮がなされうるのならば、〔すなわち〕われわれの意見が誤りだということが証明されて、人びとがこの処置を適切だと考えるとき、いつでも「修復」はできるでしょう。しかし、われわれのほうが正しいということが後日わかっても、いったん「修復された」建物をどうしてふたたび〔もとどおりに〕修復できるでしょうか。そこでわたしがお願いしたいのは、われわれのなかで芸術が大いに進歩し、自信をもってこれに対処できるようになるまで、この問題についてなんの疑問もなくなるまで、棚上げにしていただきたいということです。

われわれの芸術と歴史のこうした記念建造物は、法律家がどう言おうと、ある特殊な集団やそこいらの金持ちのものではなく、確実に国民全体のものであり、このように〔修復を〕先延ばしすることには意義があるのです。「名高き人びとと、われらをもうけし父祖たち(9)」の生活の最後の遺物が、われわれに多少の忍耐を要求するのは当然のことでしょう。

共有（コモン）であるものの擁護

われわれの所有物をすべてこのように保護するのはたしかに面倒なことでしょう。しかしもっと面倒なことが起こります。ここで別の問題にふれねばならないからです。それはわれわれの共有物（コモン）であるべきもの、すなわち、緑の草、葉、水、ほかならぬ陽光と空気のことです。こうしたものに〈商業の世紀〉は、忙しさのあまりこれまでろくに注意を払いませんでした。まず思い出していただきたいのですが、ここにいらっしゃるみなさんはどなたも芸術に関心があると公言なさっているとわたしは考えています。

さて、わが国にはまことに奇妙なことに製造業者（マニュファクチャラー）[10]と呼ばれる裕福な人間がいますが、この言葉は手でものを作る人（マニュファクチャラー）たちを組織するために他人に賃金を払う資本家を意味しています。このような紳士（ジェントルマン）たちの多くは絵画を購入し、芸術に関心があると公言しながら、大量の石炭を燃やしています。時として、また場所によっては、排煙の濃い雲が世間に飛散するのを防止するために通過した〈条例〉が存在しますが、思うに、たいへん不完全で偏った〈条例〉です。しかしこれらの芸術愛好者が自分自身の良識を法として、自分の工場に関するかぎり面目にかけて煙害を極力抑制しようとすることを妨げるものはなにもありません。要るのは金だけで、しかもほんのわずかしかかからないというのに彼らがそれを実行しないところを見ると、そんな人間の芸術愛好心とはたんなる見栄にすぎないようです。そもそも風景そのものを大事にして（ケア・フォー）いないということを自身の行為で示しているのに、風景画にどうして興味をもてる（ケア・アバウト）でしょう。また、美しい形態や色彩を他の人びとが共有できないようにしておいて、それらを独り占めにする権利がどうしてあるというのでしょう。

さて、煤煙令[11]そのものについては、バーミンガムの事情はよく知りませんが、*ほかの土地でいかに注意が払われていないかはわたし自身目にしてきました。たとえばブラッドフォードがそうです。ブラッドフォード市民がわが身を恥じるような模範例がすぐ近くのソルテアにあるというのに。ソルテアの場合、サー・タイタス・ソルト[12]とその兄弟たちの何エーカーにもわたって立ち並ぶ織物工場と紡錘工場で使われている巨大煙突は、ふつうの台所の煙突と同程度にしか煙が出ない無害なものだからです。マンチェスターもひどいものです。そこの市民である一人の紳士は、煤煙令は当地ではただの死文であると、わたしに語りました。さて、彼らはマンチェスターで絵を買い、芸術の促進を願うと公言しています。しかし、金持ち連中に関するかぎり、それは空しい見栄にすぎないことがおわかりでしょう。彼らの望みは芸術について語って、自分のことを話題にしてもらいたいということだけなのです。

この地〔バーミンガム〕でこの問題についてどうされているかわかりませんが、その対策をまだ考慮されていないなら、みなさんは芸術の成功にいたる道の地固めがまだできていないのだと、失礼ながら申し上げねばなりません。

＊〔原注〕バーミンガム住民以外の読者もこの文章を読まれるかもしれぬので付言しておくべきだが、この講演をおこなった集会において、バーミンガムではこの法律が厳密に施行されているという当局の説明があった。

以上、大いなる迷惑について申し上げました。これは気難しい人間であれば〈商業の世紀〉ではなく〈迷惑千万の世紀〉と呼んでもよさそうな世紀に生じたなかでも最悪の迷惑の一種です。この問題については、当面は金持ちと有力者の良心に任せておいて、今度はわれわれ一人ひとりの努力で軽減できるような小さな迷惑について述べたいと思います。小さいとはいえ、それはたいへん困った問題です。それでわたしの話がみなさんのうちの二十人にでも注意を呼びおこすことができれば、わたしの今晩の仕事は上出来と考えます。だがよろしいですか、申しあげたいことはサンドウィッチの包装紙です——もちろんみなさんはお笑いになる。だがよろしいですか、みなさんのようなバーミンガムの教養ある市民が、リッキー丘陵や公園などにそれを散らかしたままにしておられるのではないでしょうか。そんなことをしていないというのであれば見上げたもので、どう称賛してよいかわからぬほどです。われわれロンドンっ子は、たとえばハンプトン・コートに行楽に出かけると、弁当を食べたことをわざわざみなに知らせたがり、そのため［ハンプトン・コート宮殿の］門のすぐ外の公園は（美しい場所なのに）汚い紙で雪の降り積もったようなありさまとなります。ここにご出席のみなさんには、そんなだらしない習慣はやめると、一人ひとりお約束いただきたいと心底思います。煤煙が迷惑であるのとおなじように、これもまた一種の迷惑です。記念碑に自分の名前を落書きしたり、木の枝を折りとったりというのもこの部類に入ります。

どの町も広告ビラで塗りつぶされ、日ごとに汚くなっているありさまですが、これに対して嫌悪の情を表明するというのは、芸術復興の黎明期になされることだと思うのです。こうした現状においてもなお、われわれはそうしたおぞましいものを嫌悪するべきだし、そんな仕方で宣伝されている商品は絶対に買わないと心に決めるべきです。売るのにそんなに大声をあげねばならないものに、たいした価値があるとは信じられません。

樹木の伐採

さらにこうお聞きしなければなりません。建物の建築予定地の樹木をみなさんがどうなさるのか、と。樹木を救うために建物をそれにあわせて建てるのでしょうか。街中や郊外では樹木がいかに貴重なものであるか、あるいは樹木のある場所におそらく建てられる予定の、（失礼ながら）ひどい犬小屋のような建物に対して、樹木がどんなに慰めのもとになるかおわかりでしょうか。心配しながら、そして心に悲しみを覚えながら、わたしはこれをお聞きしているのです。というのもロンドンとその郊外ではいつでも、[*]樹木をすべて伐採して、用地を舗装したかのように丸裸にしてから建物を建てるからです。わたしが住む郊外（すなわち、ハマスミス）で、理不尽にも虐殺された多くの樹木の一部をお見せできたら、まずだれでも衝撃を受けるだろうと心底思います。そのなかには見事な杉が何本かありました。〔テムズ〕川沿いにあるその界隈は、かつてはそうした木立で有名であったというのに。

* 〔原注〕厳密にはいつでもというわけではない。チジックのベドフォード・パーク付近の小住宅街では、風変わりで美しい建築物をなるべく生かすために、できるだけ多くの樹木が残されている。

しかしながら、ここでもなお見ていただきたいのは、〈商業の世紀〉のあわただしさのなかにあって、芸術や自然に関心のある人間がいかに無力であるかということです。

どうか忘れないでいただきたいのですが、樹木を気まぐれに、あるいは無頓着に伐採する人間、とくに大都市やその郊外でそうする人間は、芸術に関心があるふりをするべきではないのです。

こういったこと以外に、芸術の小径(こみち)でみずからや他人を教育することに寄与し、作り手と使い手の双方の喜びである、民衆によって民衆のために作られた〈芸術〉を実現する道にいたるために、なにができるでしょうか。

ここまでの話で芸術とはなんであるかについて多少わかるようになり、古来の芸術的記念物を、過去についてなにがしかをわれわれに語ることのできる——たとえ彼らの顔が時間と悲しみによって摩滅しているとしても、われわれはそれを修復することは欲しない——友人たちだと考えるようになり、品位の問題——大きなものであれ、小さなものであれ——で金と労を費やすようになり、大都市の郊外においても自然に本当に気遣うことが明白なものとなる——ここまで進んだのであれば、つぎに自分たちの住む家について考えることにしましょう。

なぜなら、繰り返しになりますが、理にかなった良き建物(アーキテクチュア)をもちたいと決意しなければ、芸術について考えてもまったく無駄であると言わねばならないからです。

〈建築〉に欠かせぬもの

これまでさまざまな民衆芸術について語ってきましたが、それらはすべてこの〈建築(アーキテクチャー)〉という一語に要約されるでしょう。民衆芸術はあの〔〈建築〉という〕大きな全体のあらゆる部分をなしており、家屋の建築の芸術はその全体の始原です。染色や布を織る技術を知らず、金も銀も絹もなく、六種類の黄土(オーカー)やアンバーのほかには塗装のための顔料がなかったとしても、それでもわれわれは、木材、石材、石灰、それに切る道具が数本ありさえすれば、すべてに通じる価値のある芸術を創りだすことができるのではないでしょうか。これらの材料や道具が作るこうしたありふれたものが、風雨をしのぐだけではなく、われわれのなかでうごめく思想と切望を表現するものともなるのです。

古(いにしえ)の人びとの場合と同様に、〈建築〉はわれわれをあらゆる芸術に導きます。しかしこれを蔑み、どのような家に住むかにまったく注意を払わないのであれば、他のさまざまな芸術はまさにひどい目に遭うことでしょう。

どんなに楽観的な人でも否定できないと思うのですが、全般的に見て、われわれは目下まことに恥ずべき家屋に住んでおり、たいていの人は既存の家に住まなければならないので、どうしたらよいのかお手上げだと認めざるをえません。いつか家ががらがらと崩れ落ちるまで待っているしかすべがないのです。

ただしそうした欠陥を建築業者のせいにしてはなりません。そうしたがる人もいますが。業者は十分に謙虚な奉仕者であり、われわれが要求するままに建てるのです。忘れてはならないことですが、金持ち連中は醜い家に住む義務などないのに、わざわざ好きこのんでそうしています。それが連中の欲しているもののしるしだと建築業者が受け取ったとしても無理からぬことです。

単刀直入に言えば、われわれは自分たちができることをおこない、人びとにどうしてもらいたいか、みずから範を示すことで彼らに理解してもらわねばならないのです。

いままでのところでは、建築業者はその基準でわれわれを判断してこう言うでしょう——あなた方は物それ自体よりも見せかけを欲しておられる、と。あなた方は、金持ちでないならばつまらぬ贅沢を見せびらかすことを欲し、金持ちであれば鼻持ちならない愚かさを見せびらかすことを欲しているのでしょう、と。そして概してわれわれはじっさいよりも二倍も金がかかったように見えるものを手に入れたがっていることが、業者にはお見通しなのです。

こうした条件では〈建築〉を得ることはできません。質素で堅固であることが〈建築〉の第一の必要条件です。そうでない場合を考えてみたらよろしい。代々住んでいた人びとのことを考えながら古い建物でくらすのはなんと心楽しいことでしょうか。そんな人びとの喜びをその古い建物がどう受けとめ、その悲しみにどう耐えたのか、彼らの愚かささえもがほろ苦くそこに残っているように思われはしないでしょうか。その家は、昔の人びとにとってそうだったように、われわれにも慈悲深く見えます。そして新築された住宅を見るとき、それがきちんと建てられているならば、これとは逆のことをかならず感じとれるはずです。それを建てた人が、自分がいなくなったあとも、自分が残した魂の片鱗（へんりん）が長いあいだに次々と来てくれる新しい住人を迎え入れるのだと思うと、喜びを覚えるはずです。

ところが、凡庸な現代の家はわれわれのなかにどんな感情を、どんな思いをかきたてることができるでしょうか。その卑しい醜さを一刻も早く忘れたいと願うだけではないでしょうか。

しかしみなさんが、このように堅固にすることのための特別な出費をどのように支払うのかとわたしに尋ねるのならば、それはもっともな問いであるとわたしには思えます。芸術作品であり、それゆえとりわけ適切に建てられた建物を、見かけだけは芸術作品のふりをする建物と同価格で作ることができると期待する向きがありますが、そんな幻想は即刻捨てなければならないからです。ついでながら、安価な芸術全般について語るとき、けっして忘れてならないのは、芸術はすべて時間、労力、思想を必要とするのであり、金はこれらを示す目安にすぎないということです。

とはいえ、まともな家を手に入れるためにどのように支払うかという先程提起した問いにわたしは答えねばなりません。

たいへん幸いなことに、それに支払う方法は、民衆芸術を生みだすことのできる唯一の方法を用いることであるとわたしには思えます。すなわち、質素な生活を営むことです。繰り返しますが、芸術の最大の敵は贅沢であり、芸術はそのような環境では生きられないのです。

ご存知のように、古代の人間の贅沢といえば、それはわれわれの贅沢とは似ておらず、今日贅沢と称するものというよりはむしろ途轍もない愚行への耽溺でありました。今日のそれはむしろ安楽さと呼ぶほうがよいのかもしれません。さて、その安楽さという言葉を受け入れて、わたしはこう言いましょう。贅沢な時代のギリシア人やローマ人が生き返って、裕福な中流階級の家の安楽さを見せられたら、呆気にとられるだろう、と。

しかし、こうした安楽さの達成こそが文明と非文明を区別するものであり、それが文明の本質だと考える人がいるのは承知しています。本当にそうでしょうか。それならわたしは希望を捨てねばなりません。なにしろわたしの考えでは文明とは、平和と秩序と自由の達成、人と人とが好意を深めることであり、真実を愛し不正を憎むようになること、それらの結果として育まれる良きくらしを得ることだったのですから。すなわち、恐怖に苛まれることからは免れているが、出来事に満ちているくらしというのがわたしの考えていた文明であり、ふかふかの椅子やクッション、絨毯やガス〔照明〕、またうまい食べ物や飲み物を増やすことではありません。それに、階級間の区別をよりいっそう際立たせるようなことを意味するものではないのです。

もし文明がそんなものであれば、わたしとしてはこれを抜け出してペルシアの砂漠の天幕でくらすか、あるいはアイスランドの丘陵地の草小屋（ターフハウス）〔屋根が芝草で覆われた小屋〕に住みたい。だが、いずれにしろ——わたしは自分の見方が正しいと思っているのですが——芸術は文明のそのような側面を忌み嫌うということ、息苦しい奴隷制のもとにある家では芸術は呼吸することができないということを言っておきます。

よろしいでしょうか、芸術はまずそれぞれの家庭から始めるべきですが、もしそのようにしようと思うならば、たえず侵入してくるわずらわしい余分なものを家のなかから一掃せねばなりません。つまり因襲によって安楽だと思い込んでいるものをなくさなければならない。それは本当に安楽なのではなく、せいぜい召使いと医者の仕事をこしらえるだけのものです。万人にあてはまる黄金律をみなさんが望んでいるのなら、以下のとおりです。

有用であると思えないもの、あるいは美しいと信じられないものは、なにも家には置かないこと。

この規則を厳密に適用すれば、第一に、われわれは自分が本当に欲しているものを建築業者などをはじめとする公衆に奉仕する者たちに示すことになり、文字どおりの本物の芸術への需要を創りだすことになるでしょう。第二に、品位のある家を手に入れるための資金をより多く貯めることが確実にできるでしょう。

家具調度

健康な人間がくつろぐ居間に欠くことのできない家具調度について私見を述べても、そうみなさんをいらいらさせることはないでしょう。居間とは、そこで料理をすることはそうはなく、概してそこで眠るのでもなく、ゴミを散らかすような手仕事をする必要もない部屋です。

まずはかなりたくさんの本が入る書棚。つぎに書きものなどの仕事にかかれる固定机。それから数脚の可動椅子と、座れて横にもなれる長椅子。つぎに引き出し付きの戸棚。そして書棚や戸棚に美しい彩色や彫刻がほどこされていなければ、購入できる範囲の価格の絵画か版画が欲しいですが、ただの間に合わせでなく、本物の芸術作品を壁に掛けるべきです。さもなければ壁そのものを美しい落ち着いた模様で装飾しなければなりません。花を活ける花瓶も一、二個欲しいところです。ことに都会ぐらしであるなら、ときには花を活ける必要があります。それからもちろん暖炉ですが、わが国のような気候のところでは、これが当然部屋の主たる設備になります。

これだけあればよいでしょう。とりわけ、床が良質ならこれで足ります。そうでないなら――ついでに言うなら、現代の家ではほぼ確実に床はひどいのですが――二分もあれば丸めて部屋の外に出せる小さな絨毯が有用だと思います。そして美しい絨毯を敷くように心がけるのがよい。さもないとひどい悩みの種になります。

さて、われわれが音楽好きではなく、ピアノ（美しさという点では、ピアノはぱっとしないのですが）が要るというのでなければ、これだけあれば沢山です。これらの必要物にさらになにか付け加えてしまうと、面倒なことになるし、仕事や思索、そして休息の妨げになります。

こうした家具類を良質で堅牢にできる最低価格でしつらえるのであれば、大した費用はかからないはずです。それに家具調度の数が少ないので、ともかくもこれらを備える余裕がある人びとには、部屋に合う美しい家具を手に入れる労を取るだけの余裕はあるでしょう。芸術に関心のある人はみなそうしたことに大いに心を砕くべきであり、生産者や販売者の品格を下げるだけの偽の芸術が自分の家に紛れ込まないように注意しなければなりません。芸術に関心のあるすべての人間がこの苦労をいとわなければ、きっと公衆に強い印象を与えると思います。

その一方で、この質素さを、自分の好きなだけできるかぎり高価なものにしてみてもいいでしょう。壁に漆喰を塗ったり壁紙を貼ったりする代わりにタペストリーを掛けてもよい。あるいはモザイクで壁を覆ってもよいし、大画家にフレスコ画を描かせてみてもいい。それが美のためであり、見せびらかしのために作られるのでなければ、これはすべて贅沢ではありません。これはわれわれの黄金律、すなわち有用であると思えないもの、あるいは美しいと信じられないものは、なにも家には置かないこと、という決まりを破るものではないのです。

あらゆる芸術の出発点がこの単純さにあります。芸術が高度になればなるほど、ますます単純さの度合いも増すのです。ここまで住居の家具調度について述べました。住居とは食べたり飲んだりし、また心安い時間をすごす場所です。しかし、その用途が厳粛あるいは荘重であるがゆえに格別に美しくしたいと欲するような場所の場合には、さらにいっそう単純にし、極力美しくしたむき出しの壁のほかにはなにもないようにするのがよいです。ヴェネツィアのサン・マルコ大聖堂の内部は家具が非常に少ない。大半のローマ・カトリック教会よりもずっと少ないのです。かの美しく威厳ある母たるコンスタンティノープルの聖ソフィア大聖堂(13)は、キリスト教会であったときでさえも、さらに少なかった。しかし、それに注目するためにヴェネツィアやイスタンブールへ行く必要はありません。わが国にある大きなゴシック様式の身廊のひとつに歩み入り（どなたか、初めてこのような場所に歩み入ったときのことを覚えていらっしゃるでしょうか）、そのなにもない広々とした空間が、窓と壁から装飾がはがされてしまっているいまでさえも、どれほど心を満足させ、気分を高揚させてくれるかに留意していただきたい(14)。そうして単純さの意味を、そしてわずらわしい見かけ倒しの品々がないことの意味を考えていただきたい。

芸術の大義

結局のところ、芸術を学ぶわれわれにとって、芸術を促進するためのもっとも確実な道をどこか遠くに探しに行く必要はないのです。芸術の最大の育成者は芸術です。われわれの作る一つひとつの作品は、われわれがきちんとおこなっていさえすれば、芸術の大義に大いに資するのです。見せかけや生半可なものはすべて芸術をひどく傷つけます。芸術を実践しておられるみなさんのほとんどは、やがてみずからに才能があるかどうかがおわかりになることでしょう。万一ないとわかれば、断念することです。さもないと自分自身が不幸な時間を送ることになり、ぎこちない見せかけの仕事で芸術の大義を損なうことになります。しかしなんらかの才能があれば、本当にほとんどだれにも及ばないほどの幸福が得られます。なぜなら、あなたはつねに自分の喜びとともにあり、その喜びをどれほど享受しても放縦ということにはならず、その喜びをどれだけ使っても減ることはなく、むしろいや増すからです。ことによると夜になってその喜びにうんざりすることがあるかもしれませんが、朝起きたときには熱心にそれを追い求めます。あるいは朝の時間にしばし愚かなことをしているように思えたとしても、手がいつもの調子で動いていれば、やがて新しい希望が湧き起こってきて、また幸せな気持ちになれます。ほかの人たちは大地に根を生やした植物のように、終日風が吹かなければ自分の向きも変えられずに一日を過ごすのですが、あなたは自分が望むところを知っていて、自分の意志で敏感にそれを発見し、喜びであれ悲しみであれ、なにがあろうとともかく生き生きしていられるのです。

さて、昨年は講演が終わって着席してからいくぶん心配になったのは、いくつかの点であまりにも多くのことをしゃべり、熱心さのあまりつい辛辣になりすぎて性急な発言に失望された方もいらしたのではないかということでした。だが、それは本意ではありませんでした。わたしが望んでいたこと、わたしが今夜望んでいることは、それを達成するために奮闘すべき大義をはっきりみなさんに示すことです。

その大義とは〈芸術の民主主義〉であります。すなわち日々のふつうの仕事を気高いものにすることです。人間に労苦を強制し、現状の世界を維持するための力としての恐怖と苦痛に代わって、それはいつの日か希望と喜びをもたらすでしょう。

その大義のために一人でも協力者を得られれば、わたしの発言が性急であっても、微力であっても、害になるのではなくずっと役立つはずです。また、その大義にすでに参加された、あるいは参加される用意のある方々の気持ちをわたしの発言がくじいたとは思いません。行く道はこれらの人びとにはことのほか明らかなので、落胆などしようがありません。われわれだれもが、大小を問わず、その大義に手を貸すことができるのです。

この闘争のこまごました点にうんざりし、希望がいつまでもかなわず忍耐力を試された人びとが、振り返って昔日に思いをはせてしまうことが時としてあるのも無理からぬところだと思います。昔であれば、争点がはっきりしていなくても、決着の付け方はずっと単純でした。あまりにも波乱に満ちていたので、大義のために公然と死ぬことによって、多くの失策や違背を償うことさえもできた時代です。ライデンでスペイン軍の槍に立ちむかったこと、あるいはオリヴァーとともに剣を抜いたことは、今日の錯綜した状況にいるわれわれにとって時として幸運と思われるのも当然でしょう。[15] おれは愚かな人生を送ったが、いまこの一時、その愚かさをかなぐり捨てて男らしく死ぬのだ、と言える者には、たしかに一理あるからです。しかし、大義のためになによりもまず生きることなく、大義のために死ぬような幸運な者はめったにいないということもたしかです。このような運命をもっとも求めうる者は大義にしたがう大人であり、このような運命にしたがう小人はまずいません。

そういうわけで、心に〈大義〉をいだくわれわれにとっては、最高の大望ともっとも単純な義務は同一のことです。たいていの場合、われわれは自分の手がけている仕事をするのに余りにも忙しいものだから、目に見えるかたちでの大きな進歩を待ちあぐねてひどく苛立つようなことはないでしょう。しかし、われわれは〈大義〉の僕であるのだから、希望はつねにわれわれとともになくてはならないということはたしかです。そしてときには希望がわれわれのヴィジョンを加速させることで、そのヴィジョンは時ののろい歩みを追い越し、勝利の日々をわれわれに見せてくれるのかもしれないのです。いまは暗闇に座している幾百万の人びとが、民衆によって、民衆のために作られる芸術、作り手と使い手の双方にとっての喜びとなるような芸術の光に照らされる、そんな時代をそれは垣間見させてくれるのかもしれません。

（一八八〇年）

（1）古代ローマの風刺詩人ユウェナリス（Decimus Junius Juvenalis, c.67–c.128）の『風刺詩集』（*Satires*）第八歌八三行からの引用。前行と併せると以下のようになる。「よいか、名誉より命を優先すること、また生きる理由を生存のために放棄することは言語道断であるぞ」（summum crede nefas animam praeferre pudori,/ Et propter vitam vivendi perdere causas）。モリスの講演の中味に引きつけて解するならば、「生活の糧を得る日々の労苦に追われてしまって、生きがいをなくしてしまってはならない」といった意味になるだろう。

（2）解題に記したように、この講演は一八八〇年二月十九日、バーミンガムのタウンホールでおこなったバーミンガム芸術協会・デザイン学校のための講演で、一年前のおなじ日時におなじ聴衆を相手に「民衆の芸術」の講演をおこなっていた。

（3）一八四八年に結成されたラファエル前派兄弟団（the Pre-Raphaelite Brotherhood）の画家たちを指している。

（4）「わが亡き後に洪水よ来たれ」"After me the deluge" フランス語で "Aprè moi le deluge" フランス軍がドイツ軍に負けたとき、ポンパドゥール夫人がフランス王ルイ十五世に言った言葉とされる。またルイ十五世自身の言葉ともされる。「あとは野となれ、山となれ」と同義。

（5）サラミスはギリシアのアテナイ西方にある島。ペルシア戦争中の紀元前四八〇年にこの付近の海戦でギリシア軍はペルシア軍を破った。テルモピュライはアテナイ北西部の海辺の峡路。おなじく紀元前四八〇年にこの地でスパルタ軍はペルシア軍に敗れた。

（6）レジデュアム（residuum）ラテン語で「残り物」「残滓」の意から転じて（職業・権利などのない）「下層（の人びと）」を指す。

（7）イングランドとウェールズでは一八七〇年に初等教育法（the Elementary Education Act）が制定された。これは自由党議員のウィリアム・フォースター（William Edward Forster, 1818–86）の起草になるため、「フォースター教育法（the Forster Education Act）とも呼ばれる。この法制化によって初等学校が多く新設され、国民の識字率向上につながった。

（8）モリスは一八七九年の秋、サン・マルコ大聖堂西正面の修復工事に反対する古建築物保護協会の運動のため各地で講演やスピーチをおこなった。ここでモリスが言及している前年秋の「サン・マルコ大聖堂の（いわゆる）修復を主題とした熱のこもった集い」とは、一八七九年十一月十三日にバーミンガム・アンド・ミッドランズ協会の講堂で開催された集会を指していると思われる。

（9）「名高き人びとと、われらをもうけし父祖たち」〈famous men and our fathers that begat us〉は『旧約聖書』外典「シラ書（集会の書）」第四十四章の一句。

（10）「小さな芸術」の訳注（5）でも記したように、Manufacturer とは語源的には「手を用いて作る人」の意味で、古くは「製造人」「職工」を指したが、十八世紀後半に工業化が進んで、大工場の経営者を意味するようになった。

（11）「煤煙令」（Smoke Act）はイギリスで一八五三年に国会を通過し、一八五四年八月に施行された大気汚染公害防止のための法令。

（12）タイタス・ソルト（Titus Salt, 1803–76）。イギリスの羊毛紡績・紡織業者。アルパカの機械紡織法を発明し、一八五三年、ブラッドフォード近郊にモデル工場村ソルテア（Soltaire）を建設した。村には病院、老人のための救貧院、学校、専門学校、教会が建設された。

（13）聖ソフィア大聖堂（ハギア・ソフィア）については「小さな芸術」の訳注（4）を参照。

（14）モリス自身は八歳のときに父に連れられてカンタベリー大聖堂を訪れたときの印象を「まるで天国の門が開かれたかのようだった」と後年友人に語っている。

（15）ライデンはオランダ西部の都市。オランダの独立戦争中の一五七三―七四年にスペイン軍に包囲されたライデン市民は抗戦して都市を守った。オリヴァー（Oliver）がだれについての言及であるのか、はっきりしないが、ピューリタン革命（一六四〇―一六〇年）の指導者オリヴァー・クロムウェル（Oliver Cromwell, 1599-1658）を指すものと解釈しておく。以下を参照。Joseph Black et. Al. eds., *The Broadview Anthology of British Literature: The Victorian Era* (Broadview Anthology of British Literature, Second Edition), Peterborough, Ontario: Broadview Press, 2006, p. 565.

最善をつくすこと

今夜の演題は自分の工芸の経験から心にとめるようになったこと、わたしの実践の指針となっている一連の決まり、というか行動原理についてです。なんらかの工芸に長年たずさわってきた人であれば、みなこうした決まりが念頭にあるもので、みずからそれに従わずにはいられません。また一定の指導的立場にあれば、弟子や職人を相手にするときは必ずこれを力説します。こうした決まりが――あるいは衝動と言い換えてもよいのですが――多くの職人の心を満たし、かつ手を導くとき、彼らは独自の流派の創出に尽力しているのであり、彼らが表現する芸術は、いかに粗野で、おずおずとしていて、足りないところがあるとしても、少なくとも明らかに生き生きしています。こうした決まりが避けがたい者であればあるほど、こうした強力な欲求が広がれば広がるほど、彼らが生み出す芸術はますます活気を帯びてきます。ところがこの決まりが軽んじられ、あまり影響をもたない時代、すなわち、ある人の行動原理が仲間の職人には馬鹿げて見えたり、取るに足らぬものに思えたりする時代には、芸術は病んでいるか眠りこけています。あるいは大多数の人びとのなかにまばらにしか広まっていないために、世間の日常生活には影響力がほとんど、あるいはまったく及ばないものとなっているのです。

　というのは、人によっては工芸のこの種の決まりは恣意的に見えるかもしれませんが、私見では諸事情がたいへん複雑に絡み合った結果であり、大哲学者でもなければその由来を言葉にしてみなに理由を指し示すことはできないようなものなのです。職人（クラフツマン）であるわれわれはこうした決まりを実践で証明することでよしとしなければなりません。なにしろわれわれはこれらの決まりの大本（おおもと）が人間らしさにもとづいていると信じているのですから。まさにおなじように、その最初の果実が、あらゆる歴史のなかでももっとも驚異に満ちたもの、すなわち芸術の歴史に見出すことができるということをわれわれは知っています。

　それゆえ、わたしのことをひとりの職人――多くの職人とある種の欲求（インパルス）を分かちあっている職人、その欲求があるがために、自分に強いられた決まりに疑問を差しはさむことが許されない職人――とみなしてもらえるでしょうか。そうすれば、わたしの話が独断的すぎると思われても、多少は大目に見てもらえるでしょう。

　もっとも、わたしがなにかひとつの工芸を代表しているとは言えません。分業制は競争的商業の促進に大きな役割をはたし、ついには生産的であるのと同時に破壊的な力をもつ一個の機械と化しました。これにあえて抵抗する者はほとんどおらず、だれもその結果を制御したり予見したりできません。人間の文化の一領域でわたしの天職となった分野をそのような分業制がひときわ激しく圧迫してきたのです。人の喜び、希望、慰安の主たる部分が芸術という沃野（よくや）の主産物であるはずですが、それが分業制のために荒らされています。その制度はかつて競争的商業の従僕であったのに、いまではその主となっているのです。もっとも、商業じたいがかつては文明の従僕であったのに、いまや文明の主となっています。いや、この専制は徹底したものなので、わたし自身が生業とするささやかな片隅を見過ごすこともなく、多くの点でわたしの邪魔をしてきたのでした。なかんずく、わたしの手がける〔装飾〕芸術からするとどうしても他者の助けを借りずにはいられないのですが、分業制の専制によってそれが拒まれたというのがいちばん大きかったのかもしれません。そのためにわたしはこれまで多くの工芸を学ぶことを余儀なくされ、格言[1]に従うならば、おそらくそのうちのどれひとつものにできていないのでしょう。それで、この講演も多岐にわたりすぎて、ひとつとして深められないのだとみなさんに思われてしまうのではないかと心配です。

それはやむをえないことです。前述の専制のために、わたしたちの一部は、本来なら満ち足りているはずの職人から、不満をもって専制に反抗する煽動者に変えられてしまったのです。その結果、工房の製法と行動原理について語らねばならないときでさえも、われわれの心は安まることがありません。じっさい、率直に言えば、現状に対して不満を抱き、反乱を起こすように他人と自分自身をともにかきたてたいという希望を内に秘めていなかったら、諸芸術に関連するすべての問題にわたしは口を閉ざしているべきでしょう。わたしはさらに別の希望にも賭けています。すなわち、われわれの不満がいつか実を結び、われわれの反逆心が少なくともわれわれ自身の命のつきるまでぐらつかぬものとなるという希望です。われわれが反抗しているのは、〈自然〉の法則に対してではなく、愚かな因習に対してであると信じているのですから。

とはいえ、反逆者であっても生きることを欲しているので、そしてときには休息と平和を求めなければならないので――いや、いわば戦いをつづけるための要塞を自分で築かねばならないので――たとえ今宵、いかに最善をつくすかを熟考するとしても、一貫性がないとして非難されるいわれはありません。どれだけの配慮と苦労と忍耐があれば、われわれはあのような奇妙な住居に我慢できるのでしょうか――それは人間が自分のために建てたもののなかでも、もっとも卑しく、もっとも醜く、またもっとも不便な代物で、みずからの拙速、窮乏、愚かさのためにわれわれの大半はそこに住むことを強いられています。以上がわれわれの当面の問いです。

現在の住宅

この問題を扱うに際しては、わたしがいちばんよく知っている中流階級の住居を中心に話さなければなりません。ただしわたしの見解はほかのどんな種類の住居にもあてはまるでしょう。現代の住宅はどれも、大小を問わず、間取りに品位も調和もないからです。そこには中心も個性もなく、例外なく複数の部屋をなりゆきまかせに寄せ集めたようなものです。したがって、わたしが語らねばならない単位は、一軒の家についてというよりひとつの部屋についてです。

さて、われらの父祖がいわば魂の奥底から建てた立派な建物に住む幸運にあずかっている方もこのなかにいらっしゃるのではないでしょうか。いまではそのような幸運は人に訪れる最大のものと言えます。だが、こうした幸福な方々は今晩の厄介な問題については、ほとんどかかわることなく同情的な傍観者であるほかありません。そうした方々に対してできることは、深く愛しているはずのその建物に対する義務を忘れないようにと念を押すぐらいです。その義務とは、気まぐれな思いつきや使い勝手にあわせて変更したり痛めつけたりせずに、その住宅を建てた人びと——彼ら住人たちが大いに恩義を受けている人びと——がいまなおその古屋（ふるや）の悲しみに傷つき、その繁栄に喜びを覚えることができるかのようにその建物を扱うことです。そうすれば彼らのこともまた将来忘れられずにいるだろうし、かならずや感謝を受けるでしょう。

　立派とは言いがたい家——いや、いま述べた家に比べればほとんど粗悪と呼べそうな家——に住む方々もここにはいらっしゃるでしょう。だがそれを建てた人びとはまだ芸術の時代が残した伝統をある程度保持していました。そうした住宅は少なくとも堅牢かつ丹念に建てられており、たとえ美しさがほとんど、あるいはまったくなくても、ほどほどの良識と使い勝手の良さがあり、その時代の様式と感情をかならず示しています。その最初期の建物はアン女王の治世〔一七〇二―一四年〕のものであり、ゴシックの時代に手をのばしていて、とくにその周囲が美しければ、絵画的（ピクチャレスク）な美しさがないわけではない。さらに後の時代の作はジョージ朝〔一七一四―一八三〇年〕後期の建築であり、たしかに絵画的（ピクチャレスク）な美観はまったくないが、前述のように堅牢であって不便ではない。これらのすべての家、いわゆるアン女王様式の家と、紛う方なきジョージ朝様式の家は、とりわけロマンスに惹かれる人にとっては、いずれも装飾するのがたいへんむずかしい。それらのなかには人が無視できない様式がまだ残っているからです。同時に、それらが建てられた時代から外れて生きる者にとっては、たんに気まぐれにすぎないことがその特徴であるような様式、なんら確固たる原理にもとづいていないような様式に共感はできないのです。それでもその時代の建築はいくらひどくても度が過ぎるほど醜いとか下品とかいうのではなく、仕事や思索をするにはそれほど支障なく住むことができます。したがって、現代の生活の一切を覆っている醜悪さの闇のような見苦しさのなかにあっては、対照の妙によって輝かしい場所ともなるのです(2)。

しかし、忘れてならないのは、そうした反逆をさらに推し進めるためにわれわれはここに集ったわけですが、その反逆はすでに始まっており、その生の徴候がはっきりと目に見えていることです。というのは、型にはまった凡庸な設計士が土建業者のために設計した家だとか、過去の様式を衒学的に模倣する連中が設計した家などとはたしかに異なる住宅が最近そこここに現れているからです。そうした家は実験的なものと呼ばれるのかもしれませんが、それが思想と原則から、そしてすぐれたデザイン能力から生まれたことはだれも否定できません。今夜わたしたちがすべきことはこれを批判することではけっしてありません。それを建てるにあたって数々の困難(それもみずから生み出した困難ではないわけですが)を切り抜けた作り手たちは、われわれ以上に自身の欠点を熟知しており、その成功にわれわれが元気づけられているのであっても、本人たちは有頂天にはなっていないと思うのです。いずれにせよ、時代の善し悪しにかかわらず、それらの家はつねに敬意を払うべきわが国土への贈り物であり、これを手がけたデザイナーたちの深慮と労苦、そして希望に対して心から感謝の意を表してくださるように、みなさんにお願いしたい。

さて、われわれの住宅の質が下落していて、それは歴史上いまのこの時代だけの特徴となっていますが、それについて三つ留保すべき点があることをかねがね述べてきました。

第一に、芸術の時代からわれわれに残された家がごくわずかながらある。時々そうした建物を見ることができるのかもしれませんが、それ以外では大半の人はほとんどかかわりをもてません。

第二に、芸術が病んで死にかけていたとはいえ、人びとが芸術を悪しき仕事としてすっかり手放してはいなかった時代――少なくとも不良建築を体系的には学ぶことのなかった時代――の家がある。さらに言えばその時代の人びとは望むものが手に入り、彼らの生活はその建築によって表現されていた。こうした住宅は全国にまだたくさん残ってはいますが、競争という抗いがたい力を受けて急速に減りつつあります。じっさい、まもなく稀少となるでしょう。

第三に、今宵の集会は下劣な醜悪さへの反逆を促すことを目的としているのですが、その反逆の首謀者たちが建て、また彼らの大半が住んでいる家が少しある。こうした家がまだまだごくわずかであるのは明らかです――そうでなかったらみなさんは、この主題についてわたしが申し上げなければならない造作もない話を聞くために、わざわざ時間を割いてここに来ようとは思われなかったことでしょう。

さて、以上は例外的な事例です。これ以外がじつはわれわれ国民すべての住居ということになります。その建物は美への希望も配慮もまったくない。通常の住宅の外観になんらかの喜びがありうるという考えもない。さらにまた（高潔さをこんなふうにないがしろにした結果）、じっさいの使い勝手もほとんど考えられてはいない。正直で、自主独立のくらしを営み、気高い精神をもち、他者への気遣いも備えた人びとのために、そのようなひどい家が建てられたことが、信じがたいことに思えるような日がいつか来ることを望みます。こうした住宅は人びとの美質をなにも表現しておらず、むしろ偽善や追従、また軽率な身勝手さを表しています。もはやわれわれの生活の一部ではなくなっているというのが事実です。われわれはそれを悪しき仕事だとして見放しました。住宅がわが国と個人の両方の特徴のもっともひどい面しか表現していないならば、われわれには思慮がないのです。

　こうした低劣な無配慮は文明にはたいへん有害で、後世の人びとに対してもじつに不当なものであって、人びとにはまさにこの点を捨て去ってもらいたい。自分の家について考えるようになってもらいたい。わが家を心身ともに自由な人びとにふさわしい住まいに変えるように尽力してもらいたい。そこから多くのことが生まれるだろうと思います。

　さて、私見では、この目標にむけての第一歩は、しばしば――まさにですが――実際的と言われるわが国民の流儀にしたがい、およそ考えもおよばぬ理想はしばし棚に上げて、すぐには一掃できないその場しのぎの住宅について、われわれがなしうる最善策を人びとに考えてもらえるように試みることです。

　これをなしうるのは小芸術（レッサー・アーツ）によってのみなのですが、賢明で如才ない多くの人びとからも、その芸術家が分別のある人間の関心には値しないとみなされていることは承知しています。しかし、芸術家の協会での講演なのですから、話を聴いておられるみなさんはきっとその程度の賢明さと如才なさの上をいっておられ、すべての芸術が重要であるとお考えでしょう。とはいえ、この問題はすでにあり余るほどの満足と喜びを得ている人びとにほんのわずかな満足と喜びを加えるぐらいのものだと思っていたら、みなさんにあえて注意をうながす資格などわたしにはなかったでしょう。言わせてもらうなら、わたしが自分の全人生の目的を誤ったか、この小芸術（レッサー・アーツ）の繁栄がすべての職人――彼を芸術家（アーティスト）と呼ぼうが職工（アーティザン）と呼ぼうが――の満足と自尊心の問題にかかわるものであるか、そのいずれかです。

したがって、繰り返して言いますが、わたしの希望は、食事をとり、眠り、学び、友人と会話を交わす部屋をどのようにして最善のものにするかを熟慮しはじめた人びとが、最善をつくしたとしても、その快適な島を包囲しているみじめなありさまに対して、健全かつ実りある不満を心に育むこと、またこの不満を鎮めようとするのであれば、すべての人間の労働は機械ではなく自由な人間にふさわしいものであると主張する以外に出口はないのだと知ること、これであります。わたしの法外な願いは、いつの日か民衆が芸術についていくばくかを学び、さらに多くを希求し、わたしが得たような認識をもってもらうことです――すなわち、美しい家に住み、ふさわしい仕事をもつことが万人の権利であるということをあまねく認める以外には、そこに到達することはできないという認識です。そこにこそ破壊することのできない人生の喜びのすべてがあります。だれもそれ以上要求する必要はないし、それ以下のものしか認められない人がいてもいけない。それが足りないという人がいたら、浪費と不正によって生得権を奪われてしまっているのです。

ところで、この最善をつくすという心得でできることをやってみますが、まず断っておきたいことは、否定的な忠告をたっぷりとして、しきりに「するなかれ」と言わねばならない——これはご承知のように、改革を公言する者のほとんど宿命です。

庭の薔薇

家のなかに入る前に、いや、その外観をながめる前に、庭について、主に都会の庭造りとの関連で考えてみたい。じっさいわたしは、これに手を染めた人であればみな同様だと思うのですが、かなり骨の折れる仕事です——世界のなかでわれわれの住む地域において、都会で品位あるくらしを送るのにこれだけは欠かせないもの、すなわち樹木に慈悲の念をいだく人がほとんどいないというのが現状なので、いっそう困難を極めます。それで家で机にむかって仕事をしているとき、斧の音が聞こえると体がふるえるほどの状態になるのです。しかし、困難な仕事であろうがなかろうが、真剣に最善をつくそうとすれば、都会の庭造りの問題を軽視するわけにはいきません。

さて、都会の造園業者はふつうむしろその逆をおこなっていると言わざるをえません。たとえばロンドン近郊の造園業者は、多くの場合、風景式庭園(3)の様式の醜い大庭園を愚かしく模倣して、少しの砂利道と草地を曲がりくねらせ、それから手に入る、さも見てくれだけの草木で妙なふうに空地を満たします。ところが、ほんのわずかな常識さえあれば、与えられたささやかな地面をごく単純に割りつけて、(十分な広さがあれば)区画ごとに、全体を道路からできるだけ整然と柵で囲うことでしょう。そしてのびのびと成長できる趣のある植物で花壇を満たすでしょう。望ましい複雑さを得るには自然にゆだねるのがよいのです。花屋にまかせて自然を見捨てなければ、自然がそれを誤ることはまずないでしょう。最高の花が得られるはずなのに、花屋はむしろそれを得にくくしてきたのです。

造園業者による花の扱い方に注目したからといって本題を外れることにはなりません。むしろ美を考えない変化、変化のための変化を適切に例証する実例を与えてくれます。そうした変化はどの時代でも芸術の退廃に大きな役割をはたしてきました。例として薔薇がどう扱われてきたかに注目してみましょう。わたしが知らない時代から薔薇は八重咲きです。八重咲きの薔薇はこの世界への贈り物として、新しい美がそれによって与えられたのであり、なにも取り除かれていません。野薔薇はどんな生垣にも育つからです。野薔薇はほとんど品種改良されなかったと考えてよいでしょう。生育の仕方全体や細部の点で、路傍の茂みにある野薔薇以上に美しいものはなく、香りにおいてもそれ以上甘美で純粋なものはないからです。とはいえ、庭の薔薇には新しい美しさがありました。それは豊かなかたちをもちながらも、その葉は野薔薇の驚くほど繊細な質感を失ってはいませんでした。赤薔薇からダマスクローズにいたるまで、薔薇が獲得してきたゆたかな色合いは、薔薇に加えられたあらゆる力のなかで純粋でまた本物でした。エグランタイン〔原種薔薇の一種、別名スイートブライアー〕の甘美さをたしかに少し失いはしましたが、依然として新鮮であり、同時にあふれんばかりの豊かさを有していました。そう、そのすべてが近年までつづいていたのですが、現代にいたって、花屋たちが薔薇に襲いかかったのです。彼らはけっして足ることを知らない連中であり、大輪の薔薇を求め、それを得たのでした。かくして花屋の薔薇の極め付きの見本は小ぶりのサヴォイキャベツ(4)ほどの大きさになってしまっています。連中は強い芳香を求め、それを得ました――しまいに花屋の薔薇はいま述べたサヴォイキャベツのあまりよくはない香りを漂わせているのではないかと疑われることもままあります。また強い色彩も求めてそれをものにしましたが、出来上がったものはトチの実のように強く、あくどい色になりました。こんなことをしているあいだ、彼らは薔薇というものの本質を見失っていました。薔薇には過剰さと贅沢しかないと思ったのです。連中はそうした特徴を誇張したあげくに劣悪なものにしてしまった一方で、えも言われぬ美しいかたち、繊細な質感、そして優美な色彩を投げすててしまったのです。本来の庭園の薔薇はそうした特徴をもって、ほかのさまざまな花とからみあってゆたかな調和をかもしだしながらも、みずからをあらゆる花の女王に、花のなかの花にしているというのに。じっさい、これの最悪なところは、こうした見かけ倒しの薔薇が本来の薔薇を駆逐していることです。こうした点に注目しなければ、後世の人びとは薔薇のなかでも極美の形状のキャベッジローズ[ロサ・ケンティフォリア]とか、暗緑色の茎をもち比類ない色合いの赤薔薇、あるいは新鮮さを失わずにゆたかな香りをたいそう遠くまで届けてくれる、花芯の黄色い東洋の薔薇についてなにも知らないということになるでしょう。もしこれらすべてを知らずにいれば、後世の人びとは、昔の詩人たちが薔薇の美しさを手前勝手に途方もなく誇張したと責めるのではないかと心配です。

一重咲きと八重咲き

さて、ロンドン子として薔薇のことを語りすぎたのかもしれません。なにしろわれわれのいるロンドン郊外の煤煙のなかにいるわれわれにとって薔薇を育てるのは至難の業なのです。しかし薔薇についてお話ししたことはほかの花にもあてはまります。それでこの点についてもっと語っておきたいのです。八重咲きの花は極力避けるのがよい。オダマキ(コランバイン)は、鳩のかたちの花の房がはっきり目立つ古くからの品種を選ぶべきであり、房がぼろぼろに見える八重咲きはだめです。チャイナアスターは、現在たいそうご自慢の、切り紙細工のように見える球状花ではなく、中心が黄色でそれが茶紫色の茎と面白い色合いの小筒花(フロレット)とがうまく調和している旧来の品種を(それが手に入るなら)選ぶことです。あの見事なまでに美しい一重咲きのスノードロップをだまし取られぬようにしましょう。八重咲きのスノードロップはなんの取り柄もなく欠点ばかりです。八重咲きのヒマワリはさらに欠点が多く、粗野な色の退屈な植物であるのに対して、一重咲きは、最近われわれの庭に入ってきたものとはいえ、けっして蔑むべき花ではありません。どんな場所でも育って興味深く美しくもある花だからです。その鋭く彫りの深い黄色い小筒花は、趣のある模様のくすんだ色の花芯によって引き立ち、その花芯には蜜がつまっていて、蜜蜂や蝶々がいつも群がっています。

庭園

人の手を入れすぎた花についてはこのくらいにしておきましょう。花の誤った配置について若干述べておきます。庭にシダを植えてはいけません。岩の裂け目に生えたコタニワタリ、滝の水しぶきがかかる場所に生える風変わりなシダは、そういう場所にあってこそふさわしいのです。森のへりに生えるシダは、その枯れしぼんだ茎が森の懐かしい香りを思わせる晩秋であれ、去年の枯れ株から渦巻き型の芽が吹き出る春であれ、いっそうその場所にふさわしい。しかし庭ではだめで、なんの足しにもなりません。それを植えたら庭でかもしだせるロマンス、庭園のロマンスが台無しになります。

おなじことは、ものめずらしいだけの多くの植物についても言えます。それは〈自然〉の意図によって、美しいものではなくグロテスクなものとされた植物であり、概してあまりに早く発芽し繁茂する熱帯産の植物のことです。これらのなかでもいちばん強いものは、ジャングルおよび熱帯の原野といった人間が住むところではなく、人間が侵入者で敵とみなされるような場所の産物であることに注意していただきたい。植物園へ行ってその手の植物を観察し、そうした不思議な場所について存分に考えていただきたい。だがそんな植物を煉瓦に囲まれ煤煙に侵された地面に植えて枯死させることはありません。なんの飾りにもならないでしょうから。

庭園における色彩について語りましょう。花の色彩は塊（かたまり）として見ると非常に強烈であり、かなり用心して扱わないと、庭造りの喜びをぶちこわしてしまいます。総じて最善でいちばん無難な計画は、複数の花を混ぜ合わせて、特定の色に固まらないようにすることだと思います。だがなかにはあまりにひどい色なのでけっして使うべきでない花もあります（それは人間、つまり花屋がこしらえたものです）。たとえば深紅のゼラニウム、あるいは黄色のカルセオラリア〔巾着草〕は、思うに花でさえすさまじく醜くなりうるということを示すために、むやみやたらと塊で植えられることがじつは珍しくないのです。

また、もうひとつ、よく見かけるものがあります。それは精神の異常を来した行為であり、さもなければ恥ずかしくてみなさんにひとことと口にすることさえ憚(はばか)れるようなものです。これは専門用語で毛氈花壇(カーペット・ガーデニング)と言われています。これ以上説明する必要があるでしょうか。ありません。わたしは一人きりでいるときでさえも、これを考えただけで恥ずかしくて顔が赤くなるのですから。

残念ながら、最善をつくすことが困難な仕事になり、ありきたりの鉄製の柵がふつうに使われて庭園の一切の美をぶちこわしているような当今では、このように言う必要がとりわけあります——すなわち、庭を仕切る際には、生垣を用いるか、あるいは（コッツウォルズ[5]の一部で使われているように）石を平らに敷くか、あるいは木材か編み枝垣か、要するに、鉄以外のものを使うようにお勧めする、と。*

ここで庭についてまとめておきます。大きくても小さくても庭は整然と、そして、ゆたかに見えるようにすべきであり、また外部の世界からきちんと仕切られているべきです。〈自然〉の頑なさや荒々しさをそのまま真似るのは禁物で、家の近くでなければけっして見られないようなものにしなければ

＊［原注］美しいデザインの鍛鉄製の格子垣や門が——主に仰々しい大庭園にではあるが——うまく使われてきたことは承知している。だからそれがいずれまた使われてもよいのかもしれないが、いまは時期尚早であろう。

ればなりません。要するに、家の一部のように見えるべきです。したがって、結論としては、私的に楽しむ庭は大きすぎてはいけないし、公共の庭園は区画を設けて、牧草地や森のなか、あるいは舗道のあいだに、たくさんの花壇があるように見せるのが肝要です。

庭園についてどんな場所がもっとも望ましいのかを検討することが正しく考える鍵になります。ひときわ美しい地方、とくに丘陵地であれば、庭園がなくても十分です。それに対して、起伏のない単調な土地では庭が望まれ、そういうところでは庭を作ることがまさしく自分の家屋敷を築くことになる場合が多いのです。その一方、個人庭園でも公共庭園でも、市民が心身ともに無理なく健康に生活するためには、庭園がぜひとも必要なのです。

庭園についてはこれくらいにします。庭園は住宅の一部であるべきだと言ってきたので、これについて語りすぎてはいないと思いたいです。

家の外観

さて、現代の間に合わせの家の外観について言えば、あいにくあまりにも醜いので長くかかずらっていられません。塗装が必要な場合にはできるだけ単純に、主として白か白みがかった色にするべきです。建物のかたちが醜いと装飾に耐えられず、さまざまな色でいろいろな部分を目立たせると醜さを際立たせてしまうからです。それゆえに白い壁面の表面仕上げに血のような赤やチョコレート色で住宅を塗装することは勧められません――これがロンドンの一部で流行りだしたように見受けられるのですが。窓枠や桟はかならず白く塗り、窓の殺風景な空間をいくらかやわらげるようにしなければなりません。もうひとこと言っておかねばならないのは、一部の内装業者が大好きな強い赤茶色の使用には、断固反対してもらいたいということです。だれかがその色にもっとよい名前を考えるまでは、とりあえずゴキブリ色と呼んでおいて、使わないことです。

室内へ

ようやく家のなかに入りました。名称はなんであれ、生活するための部屋にいます。その広さについては、我慢できる程度であれば、じっさいには現代のふつうの住宅としてはまことに恵まれています。だが最善を望もうではありませんか。広さがたっぷりあるなら、高さ、奥行き、幅など、どれかひとつの点がほかよりもすぐれているか、なにか特徴がなければなりません。部屋が真四角か、ほとんど真四角に近いように見えるなら、高さがあってはいけない。奥行きがあって狭ければ高さは構わないけれども、低いほうがいっそうおもしろい。他方、明白ではあってもほどほどに長方形の設計であれば、かなり高くしたほうが断然よいのです。

検討すべき部屋の各部分は、壁、天井、床、窓とドア、暖炉、そして家具です。このうち壁は装飾を担当する者には数多くある部分のなかで最重要であり、これを説明するとなるといろいろな問題に立ち入ることになります。それでまずは他の部分、部屋の各部分の配置のみについて、ざっと片づけておきましょう。この際みなさんにお願いしたいのですが、壁面用のパターン・デザインについて申し上げることの大半は、私見では多少なりともすべてのパターンにあてはまるということを理解していただきたい。

窓

まず窓ですが、あいにくまた文句を言わねばなりません。たいていの上品な家、あるいはそう呼ばれる家では、窓が大きすぎます。計画性がなく、思慮を欠いているために光の洪水が入ってくるのです。そのために、住んでいる人間はさらに鎧戸（よろいど）、ブラインド、カーテン、衝立、ぶ厚い布地など面倒なものでさえぎることを余儀なくされます。また、窓はほとんどの場合、低すぎてしばしば踝（くるぶし）の位置に敷居がくるので、部屋のいたるところに入ってくる斜光が濃淡の調和をことごとく破壊してしまうのです。さらに窓は壁面に大きな長方形の穴を穿（うが）っているか、さらにひどい場合には、頭部がぶっこうな円形か弓形にしています。その一方、「良い」家のお決まりの習慣では、この窓に大きな一枚ガラスをはめこんでいるか、あるいは中央を薄い桟で仕切っているかしています。このようなガラス窓をはめるというのは、窓に対して最悪のことを為すと決意したのとおなじです。そんな扱いをしたら、部屋だって見るに耐えられなくなります。人びとがゴシック風の窓のトレイサリー〔はざま飾り〕だとか、カイロにあるような格子造りだとかを称賛することで、これをどう感じているかがわかるでしょう。美しさに対するこうしたとりあえずの代替方法は、堅牢な窓格子にほどよい大きさの窓ガラス（お好みであれば板ガラス）をはめることです。こうすることで、ともかく寒い日にも部屋のなかにいると感じられます――頭上に屋根があるように感じられるのです。

床面

床(フロア)については、経済的に余裕のある人びとの場合、埃まみれのひどくねじ曲がった隅々まで良質の、もしくは悪質な、あるいはどうでもよい絨毯で覆いつくすのが少し前の一般的な習慣でした。さて、大事な問題は住宅の芸術より住宅の健康であるという人びとから（現実にはありえませんが、このふたつの問題が切り離せるとして）、リチャードソン博士[6]のような教師から、これがいかに不潔で不健康な習慣であるかお聞きになったことがあると思うので、わたしはそれが不潔で不健康に見えるとだけ言っておきます。だが、幸いにもその習慣もいまは破られていて、消え去る定めであると見てよさそうです。なぜなら、整理整頓を旨とするどの家庭でも、絨毯はいくら大きなものでもいまでは〔床一面を覆うのではない〕敷物(ラグ)となり、とにかく動かせないものには見えず、隅の埃をためる塵取りのような装置でもなくなったからです。しかしわたしはさらにその先を行って、富裕層にせめて夏場だけでも絨毯を部屋の必需品とはもはやみなさないようにさせたいと考えています。これにはふたつの利点があるでしょう。第一に、いまの住宅の床は現代建築の主要な面汚しのひとつなので、もっとよい（そしてすきま風の少ない）床を強く求めさせること。第二に、敷く絨毯の数が減るので、もっと良質の品を手に入れる余裕ができること。現在の何百ヤードもの機械織りの間に合わせの品物とおなじ値段で、ささやかなものであっても本当の芸術作品を手に入れられます。とにかく本物の床が見られることは大きな慰めです。ご承知のようにこうした床は寄木張りか、さもなければタイルや大理石のモザイクによってさらに装飾的なものにすることができます。後者はとくに技法にかぎればたいへん簡単な芸術であり、資源も豊富ですから、もっと多用されないのがたいへん残念です。大理石のグレイの色調と東洋の手織り絨毯の鮮やかな色彩の対照は、たいへん美しく、両者あいまって部屋にほとんどなにも加えずとも満足できる装飾になります。

形態を単純にする必要があるので木製モザイクあるいは寄木細工を使う場合は、木材の色を変えないのが最善です。木目の多様な形状などで生じる変化があれば十分です。ごく単純な幾何学模様が作られる場合は色の強い対照を避けるべし、という原則をたいていの内装業者が喜んで受け入れると思います。

天井

床についてはこれくらいにします。床の相棒である天井については、最善をつくすこと、というわたしの試みにおいての泣き所であると告白せねばなりません。天井の装飾のもっとも簡単で自然な方法は、小梁と梁をちゃんとこしらえて、その下の面を、お望みなら模様(パターン)塗りをして、そのまま露わにしておくことです。現代の間に合わせの家ではこれがいかに困難であることか、言うまでもないでしょう。そこでエリザベス朝〔一五六三―一六〇三年〕やジェイムズ一世時代〔一六〇三―二五年〕の家にしばしば見られるように、天井を漆喰による繊細な模様で飾る自然で美しい方法があります。それはしばしばゆたかにデザインされ、熟練の技で作られており、過度になめらかな仕上げにして、それをひけらかすようなことはけっしてありません。――いや、職人の手なみにしては荒っぽいといえるものもあります。しかし残念ながら、小さな芸術（レッサー・アーツ）において漆喰職人にもまして技術が落ちたものはないのです。これ見よがしの部屋に延々と見られる漆喰細工は、装飾のおぞましい戯画でしかなく、見ないですむならそれにこしたことはありません。それが言わんとしているのは、たんに「この家は金持ち用に建てられた」ということです。そもそも材料じたいが大まちがいで、たいていが病みおとろえた芸術の産物です。古い家に見られるゆたかなデザインの、自由に伸び伸びと仕上げられた漆喰は遅乾性の粘りのあるものが使われていて、それは塑像製作者の粘土のように職人の手をよく助けました。現在天井に使われているもろい漆喰などは一切使われませんでした。いまの漆喰の取り柄はせいぜい滑らかに加工できるということぐらいのものでしょう。現行の誤った基準によって良質だとされるためには、天井は加熱圧搾して作った紙のようにてかてかに光るものでなければならないのです。だから目下のところでは、たっぷりと時間と手間をかけることをしないのであれば、こうしたたぐいの天井装飾を期待することはできません。

　壁とおなじように、天井にも紙を貼ることが考えられますが、うまくいくとは考えられません。理屈上は壁紙は、漆喰の上に手で彩色するかわりに紙にプリントすることで表面に水性塗料を塗ったものだといえます。だがしょせんそれは紙であり、部屋の全面に紙を貼りめぐらすのは、箱のなかでくらすようなものだということを忘れてはいけません。さらに、つまらない材料を用いて部屋中を安手の反復模様で覆うことは、困難の解決法としては貧相な手立てであり、そんなものにはわれわれはすぐに飽きてしまうことでしょう。

したがって、残るところは、余裕があれば天井を注意深く、できるだけ典雅に彩色することです。もっとも、その簡単なことですら、先に述べた漆喰による装飾や天井蛇腹（コーニス）のひどさのためにむずかしくなっています。あまりひどいものは塗らずに無視して放っておくしかありません。とはいえ、無視しても、天井の平面を彩色する場合、それがある意味で装飾の一部となり、考えうるどんな色彩計画をも台無しにしてしまいそうです。それでも、できれば忘れてしまうためには、入念に彩色するか、白い面をそのまま残すか、そのどちらかしかないと思います。もちろん、この塗装はみなさんが分別を働かせて部屋で〔照明用に〕ガスを使ったりしないという想定に立ってのことです。ガスを使ってしまうと、せっかくの装飾がたちまちのうちにかなり平凡なものになってしまうでしょう。

壁面

さて、ようやく部屋の壁面にたどり着きました。これがわれわれの最大の関心事です。なにしろ壁になにもせず放置する可能性を認める人はいないでしょうから。第一の問題は、どのように壁を水平に区分するかということです。

部屋が小さく天井が高くない、あるいは壁が絵や背の高い家具などで区切られていれば、わたしは壁を水平に区分したりはしません。一種類の壁紙の模様、あるいはなんであれ、色がひとつあれば間に合うのです。それは精巧で建築的な装飾計画を実施しない場合ですが、間に合わせの家であればそんな計画はまず無理でしょう。しかしもし部屋が十分に広く、壁があまり区切られていなければ、そんなに天井が高い部屋でなくても、なんらかのかたちで水平に区分することが望ましいのです。

では、どのように区分したらよいか。まず二等分にすべきでないことは言うまでもありません。ラピュータ島(7)から来た者でもそんなことはしないでしょう。そのほかの点については、この場合もまた入念な装飾計画がなければ、壁を一度分けて二区画にするだけで十分だと思います。さて、そうするには実際上ふたつのやり方があります。コーニスの下に狭いフリーズ〔装飾帯〕を設けて、そこから床まで壁とするか、あるいは、ほどほどの大きさの、たとえば四フィート六インチ〔約一四〇センチ〕の腰羽目〔壁の下部に張った羽目板〕を張り、コーニスから腰羽目の上端まで壁とするかです。その場に応じてどちらでもよい。高い壁面と狭いフリーズのある前者は、壁が壁掛けやタペストリー、あるいは羽目板で覆うのが最適であり、その場合、先に述べたような漆喰が塗られていないなら、フリーズを繊細な一枚の絵にすることが望ましい。あるいは部屋の広さからしてどうしても必要な場合でも、手彩色を入れるのが無理ならプリントされた帯状の壁紙を使うのもよい。ただしこれはまさに間に合わせの品の最たるものであると言っておかねばなりません。手彩色あるいは間に合わせの壁紙で装飾するには腰羽目を境にして、そこからコーニスまで壁面を区切るのが最適です。

この壁紙については、ひとつの部屋に複数の模様を使ったりしないようにと強く言っておきます。別の壁紙を割り込ませてもそれがほとんど目につかないようなかすかな模様であれば問題ないのですが。わたしは壁紙にいくつもの模様を重ねあわせた実例を見ましたが、とても満足できるものではありませんでした。要するに、いま述べたように、〔テキスタイルのように〕光が揺らめくということがなく、それじたいなんら特別の美しさもない安手の繰り返し模様はかなり控え目に使用しないと、装飾の品のよさをすべて損ない、こうした製品のデザインに存する美しさを享受する力を鈍らせてしまいます。

装飾のために壁をどのように区切るかという話題から離れる前に述べておくべきことですが、天井が非常に高い部屋を扱う際には、床からおよそ八フィート〔約二・五メートル〕よりも高いところには目を引きつけるものは置かないことが最善です――それ以上は、いわばたんなる空間だけにしておくのがよい。こうすれば高い部屋につきまといがちなあの憂鬱な感じが避けられます。

壁面の区分けについてはこれくらいにしておきます。つぎに壁面を覆う素材をどうするかを考えねばなりません。この話題になると、その前に下地をどうするかという問題にかなり時間を費やして、絵画作品以外の施工による平面空間全般のためのデザインを考えなければならなくなります。

話を進めるために、部屋の木工部分の処理について若干述べておきましょう。平彩色（ひらさいしょく）を要する場合はできれば木細工は使わないようにしたい。平彩色というのは、油性かワニスで溶かした着色鉛顔料でもって地を四回上塗りしていくという程度の意味ですが、オークのような良質な木材が手に入らないのであれば、平彩色を使うしか、すべがないのではないかと思います。樅（もみ）材を用いてそれを透明に着色したものでうまくいった例をわたしは見たことがないし、その自然の色合いは貧相で、どんな装飾計画にもなじまないし、磨きをかければいっそう悪くなります。要するに、ただ材木として大規模に使用される場合のほかは隠さねばならない不十分な材料です。大規模に使う場合でも、教会の屋根などでは水性塗料を塗っても損なわれないので、屋根や天井の室内の木造部分にはたしかにそれを使うべきですが、わたしは手のとどく範囲の木細工には彩色しました。その色彩については原則として壁とおなじ一般的な色調にするべきですが、色合いは多少濃い目にしたほうがよいでしょう。たいへん暗い色調の木細工では部屋が憂鬱で不愉快になりますが、一方では、装飾が非常に明るい色調でなければ、木造部分を壁より明るくしても無駄です。その他の点については、運よくオーク材を使うことができて、それがふんだんにあれば、鉋（かんな）をかけたままのオークを装飾の基礎にするのがよいでしょう。

さて、壁面の装飾については、ただ単純な色調を用いるべきだということ以外には、なにを使うべきかという制約はないので、より適切な装飾とはなにかという話に進む前に、主要な色彩について少しばかり述べておきます。ただし、これを語る際に、もっぱら壁の彩色にかなう色調だけを考えるというのはほとんど無理です。壁に合った色というのはじつは多くないからです。

色彩

主要な色のなかでも人それぞれで好みの色があり、好きな色を選ぶのはまったく構わないのでしょうが、なにか特定の色に対して偏見をいだくのは芸術家の病的な徴候です。そのような偏見は生半可に芸術教育を受けた人、あるいは生来芸術への感受性が鈍い人に一般的かつ顕著に見られます。それでも、それぞれの色は、それじたい積極的であるとともに、それを使用する各人の方法には相対的であるという、いわば独自の装飾の仕方があります。それゆえ、こうした仕方についての所見の一端を述べることは許されるでしょう。

　黄色は大きな面として使うことができる色ではありません。かなり色を弱めたり、他の色と混ぜたりして使うのであればそのかぎりではありませんが、その場合でも光と陰影のゆらめきの効果が十分に発揮されるような素材で補う必要があります。ご承知のように一般的に人は黄色のものをいつも黄金色（ゴールデン）と呼びます。まったく黄金の色ではない場合でもそうです。黄金というものは、混ざり気のないものであっても、明るい黄色ではないのですが。それは気持ちのいい黄色が前向きな色ということではなく、前述のようにそれを助けるための光り輝く材料を必要とすることを示しています。黄水仙やプリムローズのように明るく輝く黄色は、シルクの場合をのぞいて芸術上の用途にはまず向いていません。その輝きは日光が〈自然〉によくある黄色い花に作用するのとまったくおなじように、その場所の色からその色調を奪って明度を加えるからです。水性塗料のような光沢のない材料にかぎり、明るい黄色は他の色彩と組み合わせる場合にだけ控え目に使用できるのです。

　赤もまたなにかの材料の美しさに助けられなければ、用いるのがむずかしい色です。それは黄みを帯びた緋色（スカーレット）、また青みを帯びた深紅（クリムゾン）と呼ばれようが、深く濃い色でなければ喜びがほとんど得られないからです。緋色が不純の度をある程度超えると、どぎつい赤茶色になり、大きな面でははなはだ不愉快です。深紅を抑えすぎると、近ごろは紫紅色(マゼンタ)と呼ばれる冷たい色になるきらいがあり、単独でも組み合わせてでも、芸術家が用いることは不可能です。赤系統でもっとも美しい色は深紅(クリムゾン)と緋色(スカーレット)の中間の色で、たいへん力強い色ですが、屋内用の塗料としてはほとんど手に入りません。グレイがかった茶が入り、赤褐色に傾いた深紅(クリムゾン)もたいへん有用な色ですが、美しいすべての赤い色とおなじように、家屋塗装業者よりはむしろ染色家むけの色です。世界には可溶性の赤い染料はたいへん多く、可溶性の染料としては非常に色の褪せにくいものですが、もちろん塗料としてはとても使えるものではありません。

ピンクは組み合わせるともっとも美しい色のひとつですが、ふつうの広さであっても屋内用の塗料としての使い方は容易ではありません。ピンクのさらにオレンジを帯びた色合いはもっとも有用ですが、冷たいピンクはぜひ避けなければなりません。

紫色は常識があれば大きな面を鮮明にするのに使う人はいないでしょう。組み合わせて暖色系で赤みがかった色にすれば少しは明るくなるのかもしれません。ですが紫色の最上質でもっとも特徴的な色合いはけっして明るいものではなくて、赤褐色(ラセット)がかった色です。エジプト産の斑岩(はんがん)はヴェネツィアのサン・マルコ大聖堂の敷石のように、とくにオレンジ色と対照させると、まことにみなさんのためにある色です。大英博物館や他の一、二の有名な図書館には、ビザンティン芸術がその最盛期に理解していたようなこの種の色合いの見本がまだ残されています。それは書物で、紫に染めたヴェラムに金と銀で書かれています。その紫はおそらく古代人が使っていたが現在は失われてしまったアクキガイあるいは魚類染料を用いており、その染料の色についてプリニウス[8]は『博物誌』のなかで詳細かつ正確に記述しています。まず言うまでもありませんが、ふつうの屋内用塗料ではこの目もあやな色は再現できません。

緑色は（とにかく英国では）〈自然〉によってもっとも広く生かされている色ですが、〈自然〉が生かしている鮮やかな緑は多くの人間が考えるほどはありません。その大半が春の一、二週間の、木の葉が小さくて、それが枝のグレイなどのくすんだ色にまじっている時期にあたります。民謡（バラッド）にあるように「葉が大きく長くなる」[9]と、葉の色もグレイになります。これはラスキン氏によって指摘されたことで、真実をついているように思えますが、早春の若葉を見る喜びは主として色調の明るさよりはむしろやわらかな色合いに依ります。ともかく〈自然〉の緑の色合いに壁の緑で張り合おうとすればかならず失敗し、おまけに居心地が悪くなります。要するに、明るい緑色には十分に用心しなければならないし、それを使う場合でも、明るくかつ強い緑はめったに使うべきではありません。

その一方で、汚い胆汁のように見える黄緑色の罠に落ちないようにしましょう。その色にはわたし自身格別の憎悪の念をもっています。というのは（私事を述べることをお許し願えるなら）わたしが多少その色を流行らせたのだと思われているからです。それはじつはわたしの科（とが）ではないと強く言いたい。

じつは、まじり気がなく同時に冷たくもなく下品でもなく、生活していて明るすぎない緑を手に入れることは、さまざまある単純なことがらのなかでも、装飾者がなさねばならないあらゆることと同様にむずかしい。しかしそれは可能であり、特別な材料の助けも要りません。これがなされると、そのような緑はとても効果的であり、また目にもたっぷり安らぎを与えるので、この点についてもまた〈自然〉にしたがい、あの平日むきの〔派手ではない〕色彩の緑を大いに活用せねばならないのです。

とはいえ、もし緑が平日むきの色と言われるなら、青はそれこそ祝日むきの色と呼ばねばならず、鮮やかな色をなによりも熱望する人びとはこの色でいちばん喜びを覚えるのではないでしょうか。青が赤みを帯びて冷たくならないように、あるいは緑がかって下品にならないように十分な注意をはらえば、明るさをさほど気にする必要がないからです。さて、赤がなによりも染色家の色であるように、青はとくに絵の具と塗装の色です。世の中には多数の不溶性の青があり、その多くはじっさいに色が褪せないものなのです。

すでに述べたように、壁を彩色するのに適した色は多くはありません。わたしが知るかぎりでは以下に挙げられるものくらいです。まず濃厚な赤、あまり深くはなく、むしろピンクと称してもよく、黄にも青にも合う色で、これをうまく出せればすばらしい色になります。それから明るいオレンジ・ピンク、これは控え目に使うべき色です。また淡い黄金色、つまり黄褐色で、これを出すのはとてもむずかしい。さらに、このおしまいのふたつの色〔オレンジ・ピンクと黄褐色〕の中間の色、それは淡い銅色（ペール・コパー）と呼べます。この三色はどれもよほど慎重に扱わねばなりません。濁らせたりくすませたりすると台無しだからです。

緑の色調は純粋で淡いものから深く灰色がかったものまで、純色であればあるほど薄く、深ければ深いほどより灰色がかることをつねに忘れないでいただきたい。

ムクドリの卵の色である緑がかったものから、灰色がかった群青（グレイ・ウルトラマリン）にいたるまでのまじり気のない淡い青は、色彩ゆたかであるために使うのがむずかしいですが、正しく使えば比類のない色となります。この場合、緑が青に勝ってひどい色になったり、赤が青に勝って薄いラヴェンダー色や堅苦しい青のようなひどい色になったりすることは慎重に避けねばなりません、まあ往々にしてその手のひどい色がエレガントな客間やお上品なダイニングルームを装飾する業者たちのお好みではあるのですが。

ここでわたしは水性塗料のことを話していること、その材料ではこうした色が考えられる色のすべてであることがお分かりいただけるでしょう。使う色をもっと派手にしたり、深めたり、あるいは強くしたりすると、色彩の調和を得るために単彩を棄てるはめになります。

水性塗料と壁紙

単彩ではない水性塗料と、その間に合わせである壁紙について最後にひと言述べたい。私見ではこれらの材料でつねに最善なのは、色を無理に出そうとせず、かなり明るくするかかなりグレイにするかでよしとすることです。そしてけっして暗くなりすぎないようにしたい。豊潤さは壁材に任せるか、塗金の導入を許す彩色に任せればよいのです。

一般的な色にかんする雑駁とした覚書を終えるにあたり、ふつうの居室の壁の色はほどほどのものにすべきだと念を押しておきます。使う材料に応じて淡く明るい色から、深く濃い色にいたるまで進めることができるにせよ、人びとをうんざりさせて装飾など金輪際ご免だなどと抗議の声をあげさせたくなければ、落ち着いた色調がある程度どうしても必要です。ですが、思うにこれは駆け出しの装飾家にだけ必要な注意でしょう。これが一方の欠点だとすれば、他方の欠点は色を汚く濁ったものにしてしまうことです。これはより矯正しがたいものであるがゆえに前者よりもさらにひどい欠陥です。色の仕事にかかわるすべての誠実な職人は、極力その仕事を明るいものにしようと努め、その仕事の性質が許すかぎり色彩ゆたかなものにしようとするでしょう。表現せねばならない目的によって、材料の性質によって、あるいはその用途によって、このゆたかさが制限されるかもしれません。だがどの色を基調に仕事をするにしても、純粋で澄んだ色を得ることができなければ、その技術をものにできなかったことになります。仕事に欠陥があるのにそれを見てとれないのであれば、とうていものにはなりません。

パターン・デザイン

さて、これまでのところ装飾の問題についてはその配置について語るだけで、それ以上は立ち入りませんでした。われわれの主題に関連するいくつかの一般的な問題を語る前に、装飾の主要部分をなすパターン・デザインについて少し述べておかねばなりません。この主題は広範でむずかしく、十分に扱うだけの時間がないのですが、そこここでヒントが口に上るかもしれません。そうしたらそれをいくらか新しい言い方で述べてみたいと思います。

大体において、こうした模様について語るに際しては、わたしはどうしても繰り返し模様を念頭に置くことになります。すなわち、版木とか織機のように大なり小なり機械的な道具によって実現せねばならぬデザインです。

これまで色彩について考えてきたので、まずはこの面を取り上げるのがよいでしょう。これをデザインの他の必要条件と切り離して考察することがむずかしいのは承知のうえでありますが。

単彩から離れる第一歩は、地に同色だが濃淡の度が異なる模様を加えて変化をつけることです。淡くするのが最善でいちばん自然なやり方です。多くのたいへん重要なデザインがそのようにされていますが、この色彩の問題については多くを語る必要はありません。これらのダマスク織、わたしはそう呼びますが、それについてわたしが注目した点がひとつあります。主要三色のうちで赤はふたつの濃淡の色合いが互いにもっとも近づいていなければならぬ色であり、さもなければお粗末で弱い効果しか得られない。一方、青では濃淡に大きな相違を加えても色彩を失わずにすむ。そして緑は両者の中間の位置を占めます。

つぎに、これら二種の色の濃淡を深みと色調の両方で、あるいは深みの代わりに色調で異なるものにするならば、単彩をかなり抜け出したことになり、ふたつの色調を調和させるむずかしさをたっぷり味わうことになるでしょう。たとえば、深い赤みを帯びた色に明るい緑がかった青色、瑠璃色（サファイア）に明るい青緑色（ターコイズ）を乗せることは、みなさんの腕前を試すことになるでしょう。ペルシア人はこの妙技を駆使したのですが、第三の色を付け加えずにいることはめったになく、それでつぎの段階へ進みました。じっさい、深みと色調とを変えることで模様（パターン）を引き立たせようとするこのやり方は、暗めの色を扱う際にはたいへん効果があります。たとえば黄褐色とかグレイの場合です。もっと強い色を扱う際には一般的には少なくとも第三の色を加える必要があるのがわかるでしょう。そうするとつぎの段階に入ることになります。

それは複数の色を用いた模様を——ただしすべて薄い色の模様を——暗い地の上に載せて引き立たせることです。これはみなさんのパレットがいささか限られている場合にはとりわけ効果があります。たとえば、機械織りを用いなければならない模様織りや、地をふくめて手に入るのが三色か四色の場合がそうです。

さまざまな色を重ねあわせてみようという野心をもちすぎないのであれば、これは模様を引き立たせるのにむずかしいやり方ではないことがわかるでしょう。ただし欲張りすぎて重ねた色を強く出しすぎるとたがいに色が飛び離れてしまうか、あるいは微妙すぎて色がかちあってごっちゃになるかしてしまいます。この種の作品で卓越している点は、かたちがくっきりとしていながら柔らかく浮き上がっていること、色がみなそれじたいで美しいこと、そして下地の色が控え目でありながらも美しく、ほかの色とも調和していることです。硬すぎれば作品を損ない、臆病な色使いのためかたちが混乱して、目障りで落ち着かない気分をもたらし、色が足りない場合は模様の存在理由（レゾンデートル）を無視していると感じさせます。したがって、それは結局デザイナーに重い負担をかけるのです。それにもかかわらず、わたしはそれをいまでも完璧なパターン・デザインのもっともやさしい方法であるとみなしています。

わたしはそれを暗色の下地に明るい模様を構成するものとして話しました。わたしが考えているデザインの十全なかたちでは、模様のなかに複数の平面があるという印象をしばしば受けます。模様が厳密にひとつの平面上にある場合、このデザイン方式の十分な発展形――色彩と形態があわせて用いられて十全に発展した状態――にはいたっておらず、形態のほうが支配的になってしまっているのです。

この種のデザインの最良の例がないわけではありません。十二、十三、十四世紀のコリントス、パレルモ、そしてルッカの織機は絹の綾織物を産出しました。それらの織物は広く求められたので、イースト・アングリア〔英国東部地方〕のいくつかの教会にある十五世紀に作られた内陣仕切りに使われていたり、あるいはファン・エイク[10]の絵画の背景にあしらわれていたりというかたちで、この織物の実例を見ることができます。またこの現物のもっとも重要な収集品はグダニスク〔ポーランド〕の聖マリア教会の宝物蔵に保存されています。サウス・ケンジントン博物館[11]もまたこれらの非常に見事な収集品を所有しています。これは一般の人びとがふつうに見られるようにすべきなのですが、現状では目にするのがむずかしいと思わざるをえません。ただし同館から出版されたロック博士の見事な図録が当局〔教育諮問会議科学芸術部門〕から刊行されており、その助けを借りて確認することはできます。[12]望むらくは博物館は展示スペースを広げて、もっと見やすくしていただきたい。

さて要約しましょう。パターン・デザインのこの方法は西洋の洗練された方法にちがいありません。これはいつも絵を見ていて、形態についての明確な観念が頭につまっている職人たちが用いた方法です。色彩は彼らの仕事に欠かせないものであり、彼らは色彩を愛おしみ、理解してもいましたが、つねに色彩を形態に従属させました。

つぎは明るい下地に暗い模様を置く浮き彫り的描法（レリーフ）についてです。時としてこの方法は先の方法の逆にすぎないことがあります。それに色彩と色調の変化に乏しいものだから、あまり効果的ではありません。時としてこの方法は先に述べた方法から、色に色を重ねる方法への過渡期とみなすべきかもしれません。このように使われると、なにか不十分なものがそこにはつきまといます。人は杼（ひ）や版木で出せる以上の色を切望することに思い当たります。つぎのような特別な方法が必要であると感じられます。そこでは分割線が使われて、それがしだいにその方法に引き込まれます。これがじつはわたしが最後に語らねばならない方法であり、そこでは色の上に色が重ねられるのです。

この方法では、さまざまな色をほかのひとつの色の線で分割し、ただかたちを表わすだけではなく、色そのものを完結させることが必要です。その輪郭線は、もっと自然主義的な作品であれば描影法（シェイディング）で得られるようなグラデーション〔濃淡法〕の目的をはたしつつも、デザインをまったく平面的なものにし、そこに複数の面があるとは考えられないようにします。

このようなパターン・デザインの処理法は他の方法よりもずっとむずかしいものなので、これじたいでほとんどひとつの芸術であって、個別に研究する必要があります。暗色に明色を重ねる浮き彫り的効果の方法が西洋風の洗練された方法と呼んでよければ、こちらは東洋風で、ある程度までは未開の方法です。

しかしそれには広い幅があり、形態(フォーム)はあまり重要ではなく、ただ色を区分するためにだけあるものから、形態がよく研究され、またたいへん手が込んでいて美しいために、形態が色彩に従属するとはとても言えないものまであります。また一方では、色にたいへん楽しませてくれるものがあり、とても創意に富み、的確に調和が取れているので、両者が浸透し合っていて、色を抜きにして形態を考えることがほとんど不可能なものもあります。

わたしが知るかぎり、このような作品は最上級のペルシア芸術にのみ見られるのであり、たんなるパターン・デザインを究極の完成域にまでいたらせているため、このような芸術を未開と呼ぶのはいささかむずかしいと思われます。だがご承知のようにそこではいわゆる副次的な芸術作品の制作に全身全霊が込められています。絨毯のほうが絵画よりも重きを置かれていたのです。いや、正確に言えば絨毯そのものが絵画であったのです。このような芸術には将来の変化はないのかもしれません。ただし死滅という変化は別にあり、それがいまたしかに東洋の芸術に起こっています。他方で、西洋文明に属する、ますます性急になり意欲ばかり先に立ちながら感性に訴えない芸術は、さまざまな変化に耐えて、完全には死滅しないかもしれません。いや、当分はその知力のみを糧にして、醜くて慈悲もない時代の受難に耐えて、科学の狭量な衒学者も金権政治の贅沢な暴君をも同時に非難しながらも生き延びて、やがて変化がふたたび春をとりもどし、芸術をもう一度開花させてそれを喜びとするかもしれません。ぜひそうあってほしいものです。

ところで、色彩のためだけの色彩というのは、副次的な芸術の場合でも、われわれの文明の芸術で真に根づくことはけっしてないだろうと断言できます。模倣と気取りが人びとをあざむき、そのような衝動がわれわれのあいだでかきたてられていると誤解させているのですが、いつまでもだましとおせるものではありません。一定の意味があること、それを他人に感じさせ理解させることが、つねに西洋の芸術の大目的でなければならないのです。

模様の彩色というこの主題から離れる前に、背景に変化をつけるために点描や線影や線描、その他の機械的な仕掛けを用いる誤謬に対してみなさんに警告しておかねばなりません。こうしたやり方は創意工夫が足りないための窮余の策であり、細心の注意を払わないとじつに俗悪な模様になってしまいます。たとえば、前述のシチリア産など他の絹織物と、十七世紀末から十八世紀初頭にかけてのリヨンやヴェネツィアやジェノヴァの織機から産出された（どこにでもあるふつうの）紋織り（ブロケード）とを比較されるがよい。前者は織り方が至極単純であり、デザインの美しさと、自然に織られた生地の表面の光のゆらめきを全面的に頼みとしています。それに対して後者はけばけばしい弱さを斑点模様やうね模様や長い浮き糸でどうにか繕おうと補っており、ありとあるたぐいの無意味なもので織物を痛めるので、そこから学べるものはなにもなく、ただ戒めだけがあります。

装飾の秩序と意味

パターン・デザイニングの色彩についてはこれくらいにします。さて、しばらくそれに必要な他の諸問題について考えてみましょう。わたしはその道徳的性質と呼びたくなるのですが、結局それはふたつの問題に還元できます。すなわち秩序と意味です。

みなさんの仕事は、秩序なくしては存在すらできず、意味なくしては存在しないほうがましです。

さて、秩序は一定の制約をわれわれに課します。その制約は、ひとつには芸術そのものの本性から生じ、ひとつにはその仕事に必要な素材から生じます。ある流派であれ、個人であれ、いずれにせよ、こうした制約を受け入れることを拒み、さらには特別な役に立てるために喜んで受け入れるのを拒むのは、たんにおのれの無能さを示しているだけです。それは詩人が韻律や押韻を用いて書かなければならないからといって不平を言うのと大差ありません。

さて、われわれの工芸において、この芸術の本質から生じる主な制約とは、絵画芸術における制約以上に、装飾芸術には模倣が許されないのです。

みなさんはこれを何百回となく聞かされ、理屈としてはどこでも認められているので、多言を弄する必要はないでしょう。主たる点はこうです——装飾芸術であれば自然観察の不足や締まりのない素描でも許されると考える向きがあるが、それは許されないということです。それどころか、様式化しようとしている自然の形態についてみなさんが知悉していなければ、自身が頭に思い描いていることについて人びとに満足な印象を与えることが不可能だと知るだけでなく、みなさんもみずからの無知に妨げられて、様式化したい形態を装飾することはできないでしょう。空間を適切に埋めることも、簡潔鮮明にすることもかなわず、表現しようと努力される目的をはたすことはできないでしょう。

したがって、みなさんの用いる〔芸術の〕しきたり（コンヴェンション）とはみなさん自身のものであり、他の時代や別の民族からの借り物であってはならないということになります。あるいは、少なくとも対象である自然と芸術の双方をすっかり理解することによってそれを自家薬籠中のものとしなければなりません。この点に注意を払わないならば、むしろ花や鳥や獣といった自然の形態に目をむけてそれを丹念に描き、とにかくそれを壁に貼り付けるしかないのではないかと思います。たしかにそれでは装飾したことにはならないでしょう。しかし本人は骨を折ったことでなにがしかを学ぶのではないでしょうか。その一方で、場当たり的な目的と創意工夫を欠いた隠れ蓑として明らかに正しいとされる原理をあてはめることは、芸術を全面的に損なうことにしかならず、まさにその原理の真実から人びとの目を閉ざしてしまうことになるでしょう。

模倣を控えるように、また過剰にならないように制約することも、模様がはたすべき役目としてわれわれに課されているものです。小さな繰り返しの多い副次的な模様は、より自由な空間と重要な場所にある模様よりは自然主義の要素が少ないでしょう。そして模様の幾何学的な構造が明白であればあるほど、その部分は自然主義的な傾向が弱まるはずです。これは芸術の初期の時代からつい最近まで、すなわちパターン・デザインが健全な伝統と離れずにいた時代には十分に理解されていたことなのですが、現在では一般にかなり無視されています。

材料への対し方

仕事に使う材料から生じる制約について銘記しておくべきは、どんな材料にも克服すべき一定の困難がともない、また最大限に利用するべき一定の使いやすさが備わっているということです。ある程度まではは職人は材料の主人であるべきですが、いわば材料を不機嫌にしてしまうほどの主人であってはなりません。材料を奴隷にしてはいけません。さもないとそのうちに使う人間まで奴隷になってしまいます。材料から意味を引き出し、美への目標に仕える程度まで人は材料を使いこなさなければならないのです。自分の満足と楽しみのためになくてはならない段階を越えたとしても、依然として正しい道を踏みはずさずにいられることもあるでしょう。けれども、困難なものを扱う際の器用さを人に見せつけるためにだけそれを追いつづけるなら、材料の本質にふさわしい芸術を忘れ、芸術作品ではなくてただの慰み物を作ることになります。それではもはや芸術家ではなく曲芸師です。芸術の歴史を見ればこの問題についての実例と警告は枚挙にいとまがありません。最初に明白な確固たる原則、つぎに危険との戯れ、最後に罠におちいるという成り行きは、芸術の健全な時代から衰退期、そして最近の病気の時代をきわめて明確に示しているのです。

モザイク芸術の盛衰

高貴な芸術であるモザイクを例にしてみましょう。モザイクで克服すべき困難とは、ほぼ長方形のガラスや大理石の小片を用いて、すっきりとしてしなやかな本物の線を極太にせずに描くことです。モザイクの栄光がどこにあるかといえば、耐久力にすぐれていること、優美な色彩が得られること、輝く切子面の光の戯れ、清澄さと柔らかさが渾然一体となり、それによってその最盛期にはふんだんに使われた輝かしい金地の上で形態が引き立つ点にありました。さらに、どんなに輝かしい色彩が使われても、表面全体に広がるテッセラ〔モザイク用の角石やガラス〕の無数の継ぎ目のグレイによって気持ちのよい色合いに整えられていました。

さて、モザイク芸術の困難は、最初期にして最盛期であった時期には克服されており、その特別な性質を最大限利用するのにいかなる配慮や苦労も惜しまれることはありませんでした。また、たいへん長いあいだ、色の力や、濃淡の繊細さや、主題の複雑な処理法によって、その材料に無理強いさせて絵筆で描いた絵の性質を模倣させようとすることもありませんでした。さらに個々のテッセラのあいだの継ぎ目を極少にしようと思えばできたはずですが、そのような試みはまったくなされなかったのです。

しかし、時代が移りかわり人びとが芸術の荘厳な単純さに倦みはじめると、次第に複雑さの度を増してゆく絵画制作と足なみを揃えようとしたために、美しさはまだ残していたものの、色彩を失い、造形することもできなくなりました。その時点（一四六〇年頃としましょう）から事態はますますひどくなり、やがてそれは扱いにくいが油彩画を模倣できる素材だというだけの理由で用いられるようになりました。かつてモザイクは、いとも荘厳な建物を飾る無上の美として芸術の頂点にあったのに、この頃には、職人の忍耐力を試すたんなる重荷となり、もはや芸術など意に介さない人びとの慰み物に堕したのです。そしてまさしくこうした歴史は、特別な材料を扱うあらゆる芸術に当てはまるのでしょう。

模様

秩序というこの項目のもとに、さまざまな模様の構造についての問題がふくまれるべきですが、本日はこのような複雑な問題を扱う時間はとてもありません。ここではただつぎのことだけ言っておきます――繰り返し模様は幾何学的原理で構成されねばならないと言われてきたことから、ほかの方法によっては構成できないことは明らかです。ただ構造を目につかないようにすることもある程度できますが、デザイナーによっては隠すことに大いに骨を折る者もいます。

つねに隠すべきだとわたしが考えているわけではありません。模様が非常に小規模であまり注目されないようにしようとする場合には隠す必要があるかもしれません。しかし、大きくて重要な模様ではときにはその逆が望ましく、私見では、堂々としているすべての模様は、せめて大きく見えるようにすべきです。このような最高に美しくて楽しめる模様のなかには、その幾何学的構造を申し分なくはっきりと示しているものがあります。その線が強く、優雅に流れているならば、苦労して隠さなくても、その構造によってたしかに救われるのだと思います。

それと同時に、目を満足させ、心を充たすことを意図した模様にはすべて、ある神秘(ミステリー)が存在しているはずです。われわれが一目でその全部を読みとるのはとても無理だし、そう望むべきことでもありません。またどのように模様が構成されているかを知ろうとして、線の一本一本を辿りつづけようとする例の欲求に駆られるべきことでもありません。幾何学的な配列は、それが美しければ――当然美しくあるべきですが――それを際立たせることによってこの目的に近づくことができ、模様を見て気持ちが落ち着かなくなるのを抑えることができるとわたしは思います。

模様のなかのすべての線にはそれ相応の成長が感じられるべきで、その起点まで辿れるものであるべきだということは、もちろんこれまでにも耳にされたことでしょうが、それは最良の模様作品(パターン・ワーク)に疑いなく不可欠のものでしょう。おなじく必須なのは、葉柄をそのもとの茎から離しすぎてしまうと弱々しく、あるいは不安定に見えてしまうので、それは避けるべきです。たがいの支え合いと不断の増進こそが、真の自然の秩序をそのまねごとである衒学的な専制と区別するのです。

パターン・デザインにたずさわったことのある者なら、地を均等にしかもゆたかに覆う必要をだれもが知っています。じっさいこれは、先に言った満足感を与える神秘(ミステリー)の様相を大いに得る秘訣であり、まさにここでデザイナーの真価が試されます。

最後に、模様の曲線を描くには、どんなに精妙であっても精妙にすぎることはなく、主要な線を最初から適切に導くためには、どんなに注意してもしすぎることはありません。細部の美はこの点でのいかなる欠点もあとから修正できないからです。模様は正しいかまちがっているかのどちらかであることを肝に銘じてください。絵であれば、どこか手抜かりがあっても他に大いに見所があるというので許容されるかもしれませんが、模様の場合はそんなへまをしでかすことは許されません。もっとも弱い箇所でその強さが測られる要塞とおなじく、模様にもそのことは当てはまるのです。一箇所しくじるとそれが延々と繰り返され、それが見る者の目を非常に苦しめるので、暗示と意図に喜びを覚える余裕がまったくもてなくなるのです。

装飾模様の意味

デザインの第二の道徳性、すなわち意味について、わたしは独創力と想像力をそこにふくめます。このふたつの能力は、あらゆる他の芸術と同様に、この〔パターン・デザインの〕芸術の魂であり、秩序の制約に従うときには、肉体と目に見える実体を備えることとなります。

さて、これについては他の性質よりも言うべきことが少ないと思われても無理はありません。かたちは教えられても、かたちに息づいている精神は教えられないからです。そこでこれらの性質についてはつぎのように言うだけに留めておきます――デザイナーはあらゆるたぐいの不思議と驚きを模様のなかに盛り込んでも構わないが、その際に美しさを犠牲にしてはいけません。この種の作品では、醜く乱暴であるのはおしなべて独創性が欠けているゆえであって、創意工夫に富んでいるゆえではないとわかるでしょう。創造力に富み素質のある人間は創意について気に病む必要はなくて、美と表現の単純さだけを考えていればよいのです。その仕事は美しい樹木のごとく、おのずと枝を伸ばし育ってゆきます。ところが熱心に切り貼りをする者は奇異を求めてあれこれと工夫し、ここにひとつあそこにひとつと付け加えてゆき、それを陳腐なものと結びつけようと試みるのです。さて、すべてがなされると、奇異なところは陳腐なものと同様に創意が見あたらない。陳腐なところも奇異なものに劣らず優美さに欠けることになるのです。

いかなる模様であっても、なんらかの意味をもたずにはすまされません。なるほど、たしかにその意味は伝統としてわれわれにまで伝わってきたものであって、われわれ自身が編み出したものではないのかもしれません。それでもわれわれはその意味を心底から理解していなければなりません。さもなければ、それを受け入れることもできず、後世に伝えることもできないのです。それが変化もなければ生活の証もない奴隷的な丸写しであれば、もはや伝統ではありません。どんなに穏やかで美しい模様であっても、そのなかに成長の希望がまったくないことがわかったときには、その派をずっと称賛してきた人たちでさえうんざりしてしまうのはたしかでしょう。ご存知のとおり、すべての芸術は努力と失敗と希望を凝縮したものなのですから。そしてよい作品からは将来さらによい作品が生まれることを切に願いながら、この先どこかに完成があると考えずにはいられないのです。

さらに、その模様に一定の意味を与えるだけではなく、人びとにその意味を理解させることもできなければなりません。天才と狂人の差は、天才はひとりかふたりの人に信じてもらえるが、哀れな狂人の聴衆は、本人以外にいないのです。ということで、デザインというこの技術において人びとに理解せずにはおかないただひとつの道は、あくまで〈自然〉に忠実にしたがうことです。それ以外のいかなるやり方をもってすれば人びとに指し示すことができるでしょうか。またそれ以外にどうやってあらゆる人に理解してもらえるでしょうか。みなさんが訴えかけるに値するあらゆる人とは、感じることができ、考えることができるすべての人びとをふくむのです。

さて、この創造力と想像力の性質については、過去のデザイナーたちへの思い出と感謝のひと言でもって終わることにしましょう。過去の人びとが実践していた小さな芸術（レッサー・アーツ）にその性質がふんだんに示されていることが、きっとだれにでも見てとることができます。自分の王や有力者がかかわらぬかぎり身をかがめて美を見ることはないような高慢な知識層によって押しつぶされていたら、小さな芸術（レッサー・アーツ）の多くが失われてしまっていたはずです。さぞや残念な損失となっていたことでしょう。おそらくこのたぐいの芸術を作ってきた人びとの思想はたぶんこれ以上に壮大に、あるいは明確に表現することができなかったのでしょう。あるいは、そうする気はなかったのでしょう。それゆえ、そうした人びと――彼らの名前はとうの昔に忘れられたのに、その仕事をわれわれはいまなお驚嘆の目で見ているわけですが――の有益な生活を称えるときに、わたしが考えているのはわたし自身の喜びのことだけではなく、多くの人びとの喜びについてなのです。彼らはそれなりの方法で、花々が〔シリアの〕ダマスカスの園にどのように育ったか、また、狩りが〔ペルシアの〕ケルマンの平原でどのようにおこなわれたか、あるいはチューリップがペルシア中部の渓谷の草地でどのように輝いたか、そして彼らの魂はそのすべてにどんな喜びを感じたか、どんな嬉しさを彼らは生活のなかにもっていたか――それを彼らは、彼らなりの仕方で、われわれに伝えようとしました。そしてたしかにわれわれの一部にその意味ははっきりと伝わったのです。

はてさて、こうした問題とか他の問題で、その場しのぎの住宅と、装飾すべき部屋の問題から話が飛んでしまいました。まだ検討すべきものとして暖炉が残されています。

暖炉

家のなかで、建築のこの一片である暖炉ほど新旧の対照がいちじるしいものはほかにないと思います。昔の暖炉はその心地よい単純さで喜ばしいか、あるいは部屋のなかでもっとも高貴でもっとも意味深い芸術で装飾されているかのどちらかです。それに対して最近の暖炉は下品かつ貧相、また不愉快でけばけばしい。ひどい偽(にせ)の装飾や、鋳鉄やら真鍮やら磨き鋼板等々の無意味な代物で飾られていて、目障りなことこの上なく、掃除をするのにも支障がある。おまけにそこにろくでもない灰受けや炉格子や敷物(ラグ)が寄り集まっていて、しまいにはこれまでわれわれが守りなさいとよく言われてきた炉辺[13]〔の意味〕が(それが攻撃を受ける見込みがあるかどうかはともかく)、きっといまではたんなる言葉の綾となってしまっていて、早晩博学な言語学者でもその意味がわからなくなってしまうことでしょう。

こういうものは全部、あるいはできるだけ多くを取り除いてしまうように心底からお勧めします。そうしたところでみなさんの今後の生活の見込みが台無しになることはありません。暖炉を装飾する仕方をご存知でなくても、せめてこうすればよいのです——壁面に手頃な形状の穴を穿ち、火に耐えるのと同時に掃除もできる煉瓦もしくはタイルでそこを覆ってみる。つぎになにか鉄製の籠をそのなかに置いてみる。これで掃除が可能な煉瓦もしくはタイルでできた本物の炉辺の出来上がりです。これなら見ても恥ずかしいとは思わないだろうし、炉格子の邪魔になって危険だと思うこともほとんどなくなります。まずはそれで十分でしょう。その他の点については、暖炉のまわりに木細工があるなら――しばしばそれがあるほうがよいのですが――木とタイルをまぜあわせて使わないことです。木細工は壁面覆いの一部に見え、タイルは煙突の一部に見えるようにしたほうがよいのです。

〈芸術〉がいられる部屋

移動可能な家具については、時間の余裕があったとしても、大きな問題――あるいは非常に小さな問題――であるので、あまりたくさんはもたないこと、とだけ申しあげておきましょう。ただ華美を求めてとか、あるいは慣習上の要請を充たすために家具を置いてはいけません。これはわかりきったことかもしれません。ところが、現実にはこれを考えたこともないような人が見受けられます。なにしろある部屋には家具を詰め込みすぎて、人がほとんど身動きできないほどにし、別の部屋はがらんどうにしている、これがほぼどこにでも見られる習慣となっているからです。だがどの部屋も人がそのなかでくらしているように見えるべきだし、いわば、訪問者を歓待する備えができているようにすべきなのです。

ダイニングルームが歯医者の診察室のようでは困ります。治療を受けに入り、それが終わると出てくる――歯が抜かれるか、食事が腹に入るか――というように見えてはなりません。客間(ドローイングルーム)はなんらかの仕事を退屈せずにゆったりとできるように見えるべきです。書斎にはサッカリーが描く田舎の俗物紳士の屋敷のように長靴しか置いていないというのではなく[14]、本が置かれるべきであり、家のどの部屋も多少は本が備わっているべきです。また、どの部屋もこぎれいに見えなければならないのですが、いくらこぎれいにすべきとはいえ、度が過ぎてはいけません。

さらに、大金持ちのいかなる部屋も素朴な人をしりごみさせるほど壮大に見せてはいけないし、また思慮深い人を恥じ入らせるほど贅沢に見せてもいけません。その部屋に〈芸術〉がくつろいでいられるのなら、そうはならないでしょう。なにしろ〈芸術〉には横柄と浪費ほど致命的な敵はいないのですから。じっさい、現在では金持ちの家の装飾は、だいたいが大仰と贅沢のなすがままに施工されているので、芸術は恐れをなし恥辱を感じて、たいていはそこから出て行ってしまっているのではないかと不安になります。またこのことに思いを致すとき、わたしの嘆きは度が過ぎているわけではないでしょう。〈芸術〉は宮殿で生まれたのではありません。むしろそこでは病んでいたのであり、治癒のためには、金持ちの家の部屋では得られないような新鮮な空気をたっぷり吸うことが必要なのです。〈芸術〉がいつか人類をふたたび助けるほど強くなるには、〈芸術〉は質実な場所で力を蓄えなければなりません。そこは畑や山腹から帰ってきた家の主(あるじ)が雨風をしのぐ避難所です。職人が散らかった織機や鍛冶場や作業台から息抜きに来るきちんとした空間です。また書物の海のなかにある学者の島であり、画布の森のなかにいる画家の空き地なのです。まさしくそうした場所から〈芸術〉は現れるでしょう——〈芸術〉があの別種の建物のなかでいつかふたたび王座に就くとするならば。思うに、そうした建物は〈教会〉、〈理性の会館(ホール)〉といったなんらかの名のもとに、つねに必要とされるのでしょう。そのような建物のなかで人びとは、つかのま、個人的悩みや家族の厄介事を忘れ、同胞や来たるべき日々に願いを込めて集うのです。そしてその建物は都市住民が失った耕地や川や山の埋め合わせをある程度はするのです。

さて、これら二種類の建物、それに加うるに離れ家や作業場などなんであれ必要そうな建物――われわれが真に考えるべきはこれだけであるように思われます。たしかに、そのほかの建物は静かに砕け散ってしまっても構いません。かつて金持ち連中がいかに奇妙で醜く不愉快な家に住んでいたかを後世の人びとに示すために、大都市のそれぞれに一戸だけ遺しておくことが歴史のためには結構だというのであれば、まあ壊さないでおくのも手ではあります。

〈芸術〉をめぐる分断

ところで、現在お金持ちは芸術をもちたがらず、貧乏人にはもつことができないのですが、それでも無意識に芸術を切望する気持ちがどこかにあります。人びとの心のなかで、どこかでなにかが欠けているという、どこか落ち着かない気分があるのです。そのために心ある多くの人びとが安手の芸術の可能性を求めることになったのです。

これはなにを意味するのでしょうか。金持ちにひとつの芸術を与え、貧民のために別の芸術を与えるということなのでしょうか。いや、それではだめです。芸術は社会の正義や宗教のように融通がきくものではないのであって、そんなことを望んではいないのです。

ではどうするか。たしかに飢餓にある職人の犠牲のうえに安価な芸術が生み出されたときもありました。だがそれは人びとがそうしようと思って生み出せるものではありません。それを生み出したことがあったとしても、幸いなことに、以前とおなじようにそれを得る機会はもはやないでしょう。そうであれば、一度は幸運にもそれを得たとしても、おなじ機会は二度はありません。それでもなんらかの策を弄せば芸術が手に入ると人びとは信じています——いわばそう信じ込まされているのです。わたしはむしろこんなふうに考えています——才能に恵まれ念入りに教育された一人の人物に、ペックスニフ氏(15)のように、一枚の書類を一瞥させる。その一瞥の結果、栄養十分で満ち足りた大勢の職工(オペラティヴ)たち(彼らは労働者と呼ばれることを恥じています)に、一日十時間もクランクのハンドルを回す仕事をさせながら、持ち前の才能と教育を維持するために彼らの時間を使えと命じる——いまわたしは「彼らの余暇時間を」と言いかけたのですが、そう呼べるのかわかりません。わたしがもしうんざりするような仕事を一日十時間も強いられたならば、余暇を政治運動に使いたいとは願うものの、あいにく酒に走ってしまうのではないかという気がするからです。前述の職工は自己の夢を実現するために生来の才能と教育を維持しなければならないとしましょう。なるほど、この制度からは三つの恩恵が生じます——職工には衣食と粗末な住居、それに少々の余暇。雇い主の資本家には莫大な富、書類を一瞥した者にはほどほどの富。最後に、本当に最後ですが、職工、というかクランク回しが買う大量の安価な芸術がある——買うといっても、夢のなかでのことですが。

さて、ケーキをたいらげたあとでそのケーキをしまっておくとか、火打石の皮をむく〔「けちけちする」の意〕とか、一匹の蚤を茹でて油と糊を得るなどといった、情け深く経済的な計画がほかにもたくさんあったわけであり、安い芸術というこの計画もほかの計画とおなじなりゆきになるのでしょう。

しかしながら、私見では本当の芸術はそれなりの値段はしても安価なのです。その値段とは要するに、自分のこしらえる品物に知性と熱意を注ぎこむ手職人にくらしの糧を与えるためのものです。彼の労働は「分業」とはほど遠い。この「分業」とは、仕事の細かい一部分だけを常時おこない、それ以外のことを考えることがけっして許されないという意味の専門用語です。そんなものとはかけ離れたところで、自分が作っているものの全体について、またそれが同種の製品とどうかかわるかについても知っていなければならないのです。また自分の仕事をなすうえでの素質を強くもっているはずなので、いかなる教育をもってしてもその特別な性向を無理に棄てさせることはできません。また、いま自分がなにをしているかを考えることが許されるべきだし、状況次第で、また自分の気分次第で、作品に変化をつけることが許容されるべきです。最後に作った作品よりさらにすぐれた作品を作るためにたえず努力しなければならないのです。巷間でなにが求められていようが、あるいは求められていると思われようが、だれかの指図を受けて、悪い仕事とまでは言わずとも、気のない作品を作り出すことは拒まねばなりません。彼は声をもたねばならない。その問題全般にわたって傾聴に値する声を発するべきなのです。

労働者＝芸術家を求めて

このような人をわたしは当然職工（オペラティヴ）ではなく労働者（ワークマン）と呼びます。なんなら芸術家（アーティスト）と呼んでもいい。これまでわたしは自分の知るかぎりの芸術家の性質を語ってきたのですから。しかし、資本家はえてして彼を「厄介者」、極め付きの急進論者(ラディカル)と呼びたがります。たしかに厄介になるでしょう——貨幣製造機の歯車にはさまって摩擦を生じさせる砂粒にほかならないのですから。

そう、こうした人は機械を止めてしまうのかもしれません。だが、もしみなさんが本当に望むならば、芸術を、すなわち、損なわれていない文明をもてるのは、こうした人物によってでしかありません。だからたしかに望むならば、よく考えてその価格を支払い、労働者に当然の報いを与えるのがよいのです。

当然払うべき報酬とはなにか。すなわち、労働者がみなさんからなにを受けとり、みなさんの望む人間になれるでしょうか。自身と家族を欠乏や困窮の不安から守るのに十分なお金。パンを稼ぐ仕事(たとえそれが彼にとって楽しいものであっても)から離れ、読書と思索に費やす時間を与え、自分の生活と広い世界の生活とを結びつけるのに十分な余暇。いま述べたようなたぐいの十分な仕事とそれに対する称賛。そして、仲間たちを良き友人だと感じさせるのに十分な励まし。おしまいに(といっても取るに足らぬことではありません。これこそ真に取引の一部をなすのですから)、彼自身が芸術の正当な分け前を得ることです。その主たる部分となるのは、美を欠かさない住まいでしょう。住宅の美なるものは、われわれ自身の倒錯した行為で〈自然〉を外に追い出したりしなければ、〈自然〉が惜しみなく与えてくれるのです。

このような仕事にこのような賃金という具合に、これが結ぶべき取引の中身です。世間がそうした作品を望み、賃金を払う意志があるのならば、職人の不足も長くはつづかないだろうとわたしは信じています。

他方、世間が——すなわち、現代の文明社会が——このような職人をもはや求めていないことがたしかであれば、芸術が死に瀕しているということは、わたしがここに立って息をしているのとおなじくらいたしかだと思います。火はまだくすぶってはいるがまた燃え立ちそうにはなく、消える寸前ということになるのでしょう。じっさいによくわたしはそれを恐れてこう考えることがあります。「芸術に取って代わるものがなんであるか、ぜひ見たいものだ」と。なにしろ、現代の文明社会が前述のような取引ができるのかどうか、だれにもわからないからです。その困難が大であることはわたしにもよくわかります。これはだれにでも自明でしょう。

〈芸術〉の「大義」

世界は「生きる理由を生存のために放棄すること」[16]にあまりにも傾いてしまいました。生活条件が複雑になるにつれて、ますますその傾向が強まっていないでしょうか。破滅が常時迫っていて抗しがたいように見え、その破滅から逃げるための競争がますます速度を増してすさまじいものになっています。だが不安を捨て去り、このすべてにむきあい、一人ひとりみなが生きる理由［生きがい］をもつ権利があると強く主張するとどうなるでしょう。そうしたからといってわれわれの頭上に天が落ちてきたりすることはまさかないでしょう。

ともあれ、芸術か、芸術の不在か、そのどちらを望むかを決めて、芸術を望むなら多くのことがらを断念し、多くの仕方で生活条件を変える用意をしようではありませんか。わたしがつぎのように言ったとして、理解してくれる人びともおそらくあると思います。すなわち、それに必要な変化のために、金持ちの生活はより貧しくなり、洗練された人びとの生活はより粗野に、才能ある人びとの生活はより退屈なものとなるのかもしれません――しばらくのあいだであっても。その変化がどのようなかたちを取るかといえば、われわれのなかの最良の人びと、あるいはもっとも賢明な人びとですら、その変化をつねに好意的に受け取れるとはかぎらず、時にはそれを敵視して攻撃してくるかもしれません。それでも、いつか時が満ちて、芸術が興隆するしるしが日の出のごとくはっきりと目に見えるようになったら――芸術はもはや金持ち連中の、蔑まれてしかるべき気まぐれの対象ではなく、教養人なるものの道楽でもなく、労働が万人に必須なのとまさにおなじように、芸術も労働に必須のものとして切望するようになるのです――そんな時代にいたったら一切の苦労が忘れられ、一切の愚行が許されるにちがいありません――われわれ自身の愚行でさえも。

そこまでは徐々に進まねばならない道だと思います。忍耐と分別がなければなりません。ましてや勇気が欠けていては困るのです。われわれはギデオンの一隊となろうではありませんか。「だれにても懼(おそ)れ慄(おのの)くものはギレアデ山より帰り去るべし」[17]。そしてその一隊にあってはいかなる欺瞞も禁物です。気休めの嘘を吐いたり、食後の空世辞を言ったりするのは金輪際なしとしましょう。たしかに時代は暗澹としているように見えますが、人は奴隷であったときにも自由を希求していたのだということと、日ごと剣が血で赤く染まっていた時代においてこそ人は平和と秩序について思いを馳せ、それを勝ちとろうと奮闘しはじめたこと、これを肝に銘じようではありませんか。

ものを考え、〈自然〉が広げてくれた饗宴を楽しむことができるわれわれには、生の喜びを浪費するあの奴隷状態に反逆する権利と義務の両方があるのではないでしょうか。けっしてみずからのせいではないにせよ、ものを考えず、喜びももたない人びとが、世界をそうした奴隷状態のなかに包み込んでしまったのです。この反乱には勝利が望めるとわれわれは本心から言うことができます。われわれのくらしのなかには、それで満ち足りるのではなく、もっと多くをもちたいと希求させるのに十分な芸術が存在しているからです。その願いに促されてわれわれは芸術と、芸術への渇望を広めてゆこうと務めるのです。自分たちでそう願うなら、われわれが味方に引き入れる人びともおなじようになります。十分に望めることですが、少しずつその反逆は功を奏し、ついには大多数の人びとがある程度の芸術をもてるようになります。それを得て初めて彼らは、いかに自分たちには芸術が少ないかを思い知り、また万人が当然の権利として芸術を分かちあえたなら――つまり公平な機会が与えられて自分に要るだけの芸術を手にできたら――いかに自分たちのくらしを向上させてゆけるかを実感することになるでしょう。

これは本当に荒唐無稽な希望でしょうか。いままでに多くの大義がどのような経過をたどってきたかおわかりでしょう。最初はそれを主張しても注意を払う者はほとんどいない。つぎに大半がそれを非難する。だが最後には万人がそれを受け入れる――そうしてその大義は勝ち取られるのです。

（一八八〇年）

（1） ここでの格言とはおそらく“Jack of all trades, master of none.”（「あらゆる生業のジャック、なにも極めず」）を指している。「多芸は無芸」に相当する格言で、モリスは自身がステンドグラスや染色技法など、多方面の工芸をみずから習得したことを自嘲気味に言っている。ここでの自身の過小評価とは異なり、じっさいにはモリスは多くの技芸を驚異的なまでに「マスター」したと評価できるわけであるが。

（2） このくだりでモリスが念頭に置いているのは彼自身のロンドンの邸宅ではないかと推測できる。テムズ河畔（ハマスミス、アッパー・マル二十六番地）にある十八世紀ジョージ朝様式の家をモリスは、ケルムスコット・ハウス（Kelmscott House）と名づけ、モリス商会の内装をほどこし、一八七八年十月から没するまで十八年間住んだ。『ユートピアだより』（一八九〇年）の未来のロンドンではこの家は打ち壊してゴシック様式の建物に変えているところからしても、モリスの理想とはほど遠い建物だったにちがいないが、ここで言っているように「度が過ぎるほど醜いとか下品というのではなく、仕事や思索をするのにはそれほど支障なく住むことができる」ということで住みつづけたのであろう。

（3） 「風景式庭園」（landscape garden）は英国十八世紀に流行した、自然の景観を生かした庭園を指す。上流階級の邸宅（カントリー・ハウス）に多く用いられたこともあり、モリスはしばしばこれについて批判的に言及している。

（4） 「サヴォイキャベツ」（savoy cabbage）は皺があり渦巻き状になった葉で密に結球した寒さに強いキャベツ。

（5） コッツウォルド地方あるいはコッツウォルズ（the Cotswold Country; Cotswolds）はイングランド西部のグロースター州を中心に広がる丘陵地帯。地元でとれるグレイの石灰石は「コッツウォルド・ストーン」（Cotswold stone）と呼ばれ、伝統的に建築材に用いられ、この地方に独特な景観をもたらしている。モリスが愛用した別荘ケルムスコット・マナー（Kelmscott Manor）もこの地方にふくまれる。

（6） リチャードソン博士とはおそらく医学者のベンジャミン・ウォード・リチャードソン（Benjamin Ward

Richardson, 1828–96）のこと。衛生学において当時の英国の第一人者であり、『ヒュギエイア、健康の都市』（*Hygeia, A City of Health*, 1876）、『公衆衛生学の未来』（*The Future of Sanitary Science*, 1877）といった影響力のある書物を書いた。

（7）「ラピュータ島」（the island of Laputa）とはジョナサン・スウィフト（Jonathan Swift, 1667–1745）の『ガリヴァー旅行記』（*Gulliver's travels*, 1726）第三部に出てくる空飛ぶ島。空想家や夢想家が住む。

（8）プリニウス（Gaius Plinius Secundus, c. 23–79）は古代ローマの博物誌家。主著『博物誌』（*Historia naturalis*）全三十七巻は当時の芸術、科学、文明に関する情報の宝庫とされる。モリスは染色技法の研究に際してこの著作を参考書のひとつとして利用した。

（9）「葉っぱが大きくなる長く」（leaves grow large and long）は中世英国のバラッド「ロビン・フッドと修道士」（Robin Hood and the Monk）のなかに見られる句。あるヴァージョンの出だしは以下のようになっている。「夏に木々が輝き／葉が長く大きくなると／麗しき森のなか、いとも楽し／小鳥たちの歌を聞くのは」（In somer, when the shawes be sheyne,/ And leves be large and long,/ Hit is full mery in feyre foreste/ To here the foulys song）。

（10）ヤン・ファン・エイク（Jan van Eyck, c. 1395–1441）は初期フランドル派の画家。青年期からモリスにとってはメムリンクと並んで北ヨーロッパで最重要の画家であった。

（11）サウス・ケンジントン博物館については「民衆の芸術」の訳注（6）を参照。

（12）ここでモリスが言及しているサウス・ケンジントン博物館の図録はおそらく以下を指す。Daniel Rock, *Textile Fabrics: A Descriptive Catalogue of the Collections of Church-Vestments, Dresses, Silk Stuffs, Needle-Work and Tapestries, Forming That Section of the Museum, Published for the Science and Art Department of the Committee of the Department of Education* (London: Chapman & Hall, 1876). 著者のダニエル・ロック（Daniel Rock, 1799–1871）はローマ・カトリッ

クの司祭で晩年にサウス・ケンジントン博物館でテキスタイルの調査をおこない図録を執筆した。

(13) 「炉辺」(hearth) は、「暖炉前の石などを敷いた床の部分」という文字どおりの意味に加えて、「家庭の団欒」、あるいは「文化・文明の中心」という比喩的な意味を有している。

(14) 小説『虚栄の市』(*Vanity Fair*, 1847–48) で知られる作家サッカリー (William Makepace Thackeray, 1811–63) の『俗物の書』(*The Book of Snobs*, 1848) の第二十六章「何人かの田舎の俗物について」のなかに「ポントー氏の書斎は大半が長靴からなっている」という記述が見られる。

(15) ペックスニフ氏 (Mr. Pecksniff) とは、ディケンズ (Charles Dickens, 1812–70) の小説、『マーティン・チャズルウィット』(*Martin Chuzzlewit*, 1843–44) に登場する悪役。ディケンズの作品のなかでももっとも偽善的な人物であるので、偽善者全般を示す代名詞のようにもなった。ちなみにモリスはディケンズを愛読し、ここにかぎらず自身の著作のなかでしばしば言及している。

(16) 古代ローマ詩人ユウェナリスの『風刺詩集』からの引用。本書所収の講演「生活の美」ではこれのラテン語原文が冒頭のエピグラフとして用いられている。「生活の美」の訳注 (1) を参照。

(17) 旧約聖書「士師記」第六章第八節。ここは古代イスラエル人の軍事的指導者 (士師) の一人であるギデオンがミデアン人との闘いを指揮し勝利したエピソードをふまえている。

文明における建築の展望

「――この宇宙は〈俗物の悪夢(コックニー)〉だとする恐ろしい教説――それをいかなる者も一瞬たりとも信じたり耳を傾けたりすべきではない」

――トマス・カーライル(1)

〈建築〉という語は大方にとっては建物を気高くかつ装飾的に建てる術(アート)を意味していると思います。さて、この芸術(アート)の実践は人が手がけられるなかでいちばん大事な仕事のひとつであり、またそれを考えることは、真摯な人びとが注意を傾けるに値するものだと信じています。たった一時間だけのことではなく、人生のうちのかなりの時間を費やしてもいい。たとえ職業としてそれにかかわっていなくても、それは変わりません。

しかし建築じたいがいくら高貴な芸術なのであっても、またこれが格別に文明の芸術であっても、それだけで生き生きと進歩をとげる芸術として存在したことはかつて一度もなかった。そもそも単独では存在できないのです。建築という芸術(アート)はあらゆる工芸を慈しみ、また慈しまれなければなりません。そうすることによって、美しくしよう、日々いくらかでも長持ちさせようとひとはものを作るのです。

このようにさまざまな芸術が相互に助けあい、たがいに調和をはかりながら付き従いあう、この諸芸術の連合こそが、わたしが学び考えてきた〈建築〉です。それゆえ今晩この語を用いるときは、そのような意味であり、狭い意味では用いません。

これはまことに大きな主題です。なにしろ〈建築〉は、人のくらしの外部をとりまくすべてについての考察を包摂しているからです。われわれが文明の申し子であるかぎり、これを逃れようとしてもそれはできません。〈建築〉とは、人跡まれな荒野をのぞき、大地それじたいのまさに表面を人間の必要に応じてかたちづくり、変えることを意味しているからです。

それにまた、〈建築〉へのわれわれの関心を有識者の小集団にゆだねるわけにはいきません。そうした人たちに頼んで探求し発見しこしらえてもらい、最後に作業を傍観しつつ驚嘆し、全工程を少々学ぶ、というわけにはいかないのです。大地の美を注意して見守るべきなのはわれわれ自身、一人ひとりなのであり、各人が心と手をつくして各自の務めをはたし、父祖たちが遺してくれた宝物を子孫に手渡す際には、それが減っていないようにしなければなりません。

さらにまた、この問題を先送りにするとか、子孫にまかせておくとかいった時間の余裕はありません。人類はあまりにもせわしなく、願いごとが多すぎて、昨日の願いとそれがもたらした収穫を、今日の願いがもうすっかり忘れさせてしまうからです。何事を追求するにしても、完璧を期することをやめたとたん、つねに確実かつ速やかに生から死へと退廃してゆき、すぐに万事終了となって忘れ去られます。時間の余裕があることがらも多々あるかもしれません。たとえば未開の地に入植するとか、国家間の壁を取り払うとか、われわれの心身の様態、われわれが呼吸する空気、われわれが踏みしめている大地——これらにかかわる奥義の研究、一切の自然力をわれわれの物質的要求に従わせるためには、時間はたっぷりあるのかもしれません。しかしわれわれが大地の美しさに目をむけ熱意をいだくようにするためには、一刻の猶予もないのです。さもないと人間の要求の波が大地の美を一掃し、かつてのような希望にあふれた未開地ではなく、希望なき牢獄となってしまいます。ひとが苦労し、努力し、征服し、大地のあらゆるものを踏みにじったために、ついには自分も不幸な生活を送るだろうとそこで気づくはずです。

大地の表面のどの場所であれ、文明の軽率、あるいは不注意によって損なわれたとき、それを恢復する手立てを見出すのはじつにむずかしいのです。いや、ほとんど手の打ちようがないのはたしかです。自然がわれわれ人間に植えつけた、どんな条件でも生きようとする欲求と、その結果としての人類のひどく急激な増殖のために、そのほかの希望の一切が考えられなくなってしまい、われわれの前途が鉄壁を立てたかのようにさえぎられてしまうからです。損傷を与えたものに匹敵する力がなければ恢復させるのは無理であり、こうして荒廃させられた場所を希望と文明にとりもどすこともかないません。

したがって、みなさんに考えていただきたいのは〈建築〉の先行きについてです。すなわち人の住まうなかでの大地の美しさについて考えていただきたいのです。〈建築〉の将来についての希望と不安がわれわれにつきまとい、逃れようもないからです。それはわれわれみなにかかわり、あらゆる人びとの助けが必要です。その対応は急を要します。一日事を怠ればそれだけ見境のない力のために困難の山が堆（うずたか）くなります。それに目をむけないなら、しまいにはその困難を片づけるために、平和と繁栄にではなく、暴力と破壊に訴えざるをえなくなります。

これを主張するにあたり、わたしはこう考えています――ここにお集まりのみなさんは、いま現在大地の美に生じていることについて、言い換えるなら〈建築〉の進歩にむけてわれわれがおこなってきたことについて、文明の一員であるわれわれが後に生まれる人びとに対して責任を負っていることを認めない方々ではよもやあるまい、と。そんなこともわからぬ輩が教養ある人びとのなかにいるならば、わざわざ相手にする必要はわたしにはありません。わたしの話など聞かないだろうし、こちらからも言うべき言葉はありません。

その一方で、この問題で責任があるのをご存知だが、〈建築〉の現状にかなり満足されているので、それにかかわる義務を安易に考えている方も多少はここにいらっしゃるのではないでしょうか。そういう方も、かろうじてまだ美しさが残っている住まいが一部あるのに対して、醜悪な家が当たり前になっているという、その奇妙な対照に無自覚ではないはずです。だが、その方々にはそれが自然で不可避のことに思えるものだから、無関心ですませてしまっている。彼らはときには美しい場所を見物に行き、訪れた名所を偲ばせる記念品を買い集め、自身の家庭がうやうやしく収まっている醜い住宅をそれでもって飾ります。それで文明と芸術への義務をはたしているというわけです。あとはこう信じ込んで疑わない——古くからの街は、つまり概ね昔の家が建ち並ぶ町は、美しくロマンティックであるのに対して、現代の都市はどこも醜くて凡庸だが、それは至極当然のことではないのかと。この対照が文明にとって重要な問題であることが彼らにはわからないようです。あるいはそれがなにを表しているか、建物が古い町もあれば、今風（モダン）な町もあるというふうにしか思っていないようです。古くからの芸術と現代の芸術との対照を多少踏みこんで考察しても、その結果に不満をいだくことはない。ところどころに改善すべき状態を見出すかもしれないが、彼らはこう思い込んでいる、というか、わたしに言わせれば当然視しているのです——芸術は生き生きとして健全な状態にあり、正道を進んでいる、だからその道をそのまま進めば、いまと特段変わらずに永久に生きつづけていくだろう、と。

　この無気力な自己満足が教養ある人びとの芸術に対する一般的態度であると指摘するのは、あながち不当ではありません。もちろんこの問題を真剣に考えれば、現在の文明が避けがたい醜態をもたらしていることに愕然として不安になるでしょう。そう考えるならば、この態度は当然なことでも正しいことでもないという思いにきっといたるでしょう。これは文明が苦闘していた時代に目ざしていたものではないとわかるでしょう。しかし彼らが芸術について真剣に考えることがないのは、これまで彼らがひとつの自然法則によって守られてきたからです。その法則によって彼らは正すつもりのない害悪に目を閉ざすことを許されてきたのです。

これまではそうでした。しかし、いつかその庇護が成り立たなくなる兆候には事欠きません。すべての本物の芸術家にとって、また生は困難に満ち、死は安らぎに満ちているのであっても、死よりも生を愛するすべての人びとにとって、その庇護を突き破り、文明世界と非文明世界をともに不満と闘争にかりたてるように努めることが責務となっているのです。

したがって、過去の芸術と現在の芸術は対照的であり、かつて作られた人の住みかがおしなべて美しいのに対して、いま作られている住みかがおしなべて醜いのは、文明にとってきわめて由々しき問題であり、多くのことがらを表現しているのだと申せましょう。それが表すのはやみくもな蛮行にほかならず、なにが生き残るにせよ、少なくとも芸術は破壊されてしまうでしょう。いまの芸術は健全ではなく、ほとんど死にかけています。芸術は誤った道におちいっていて、その道をそのまま進めばすぐさま死に直面します。

芸術に無知な〈教養人〉

さて、みなさんはこうおっしゃるかもしれません——この不健康な現状への無気力な自己満足が教養ある人びとの芸術への一般的な態度であると断ずることで、教養ある人びと全般が芸術に無関心であり、それゆえ芸術の迫りくる死も、たとえその脅威が真実に立脚していても、彼らをさほど驚かせてはいないことをあなたは認めてしまっているではないか、それゆえ彼らを目覚めさせて不満と闘争にかりたてようとする者は無駄骨を折っているだけではないか、と。

ここでみなさんの気分を損なうことを承知であえて率直に申しますが、教養ある人間が一般に、芸術に関心がないことはまぎれもない事実だとわたしには思えます。とはいえ、この問題を彼らに考えさせる試みなどなんの役にもたたないのではないかと言われそうですが、それに対してはこう答えましょう——彼らが芸術に関心をもたないのは、芸術がなにを意味するのか知らないから、また芸術が欠けることによってなにを失うかを知らないからである、と。教養ある人間は、つまり金持ちですが、彼らもまた近頃の競争的商業が無慈悲にかりたてるきびしい必然に苦しめられているのです。それはいま完成の域に達しようとしている体制です——完成に近いということは、その死と変化も近いと期待できる体制ということになりますが。現在労働者として組織されている、文明のもとにある数百万もの人間は、日々のパンを得る手段のほかに真剣に考えることはほとんどできません。労働者は芸術を知らず、芸術は労働者のくらしにはまったくふれることがないのです。わずか数千人の教養ある人びとは、運命の女神——かならずしも見かけほど彼らにやさしくはないのですが——のおかげでこの苛酷な闘争のための物質的必要を免れているのですが、精神においてはその体制に縛られています。生きるために苦役に服すのが結局苦役のために生きることになっている労働者たちの苛酷な苦しみが、教養ある人間にもはねかえって重くのしかかり、彼らに芸術を重要な問題とみなすことを許さないのです。彼らは生きるうえで真底助けとなるものとしてではなく、ただの玩具としてしか芸術を知らないのです。彼らが知っている芸術では貧乏人の疲れをいやすこともできないように、金持ちの良心から重荷を取りのぞくこともできません。彼らは芸術の意味を知らないのです。これまで述べたように、労働者が現在組織されているように、芸術もいま組織されているままに、少数者のために少数者によって実践され、知的興味と洗練された精神をその生まれつきの権利とみなしている連中の生活にささやかな興味、わずかにお上品さを付け足しながら将来も存続できると信じているのです。

いや、それはありえません。一方の階級がすっかり洗練され、他方の階級がまったく野蛮であること、それが人類の永久の条件であるとすれば、芸術は道を閉ざし、そんな醜悪なものが存在することを許さないでしょう。そのような洗練なら〈芸術〉の助けがなくても済むでしょうし、またそれなしで間に合わせるべきです。芸術は死滅するかもしれませんが、金持ちの奴隷として、そして、貧乏人の永久につづく奴隷制のしるしとして生きるなどありえません。世界の生活が芸術の死によって野蛮になるなら、富者は貧者とともにその野蛮を分かちあわねばならないのです。

どの時代にもいたように、いまも善意の人びとがいて、芸術は贅沢と手をたずさえている、いや、贅沢とほぼおなじものだと考えていることは承知しています。だがそれは根本から誤った、芸術にとって有害この上ない考え方です。時間があれば実例を多く挙げて示せるのですが、その余裕がないのでひとつだけ例を挙げておきます。それで十分足りるでしょう。

われわれは世界でもっとも富める時代の、もっとも富める国の、もっとも富めるこの都市〔ロンドン〕にいます。過去のいかなる贅沢もわれわれのものとは比べものになりません。とはいえ、ふだん目を閉ざしているのが習い性になってしまっているみなさんが目を見開いてご覧になるなら、〔ロンドン東部地区の〕ベスナル・グリーンの今風の陋屋と、〔ロンドンで富裕層が多く住む〕ウェスト・エンドの今風のお屋敷とでは、双方とも芸術に対する犯罪、醜悪、俗悪さを申し分なく公平かつ平等に分かちあっていることを告白しなければならないでしょう。そうしてこの問題にじっくりと真剣に目をむけるなら、これを残念には思わずに喜び、いま述べた大邸宅のいくつかのあからさまな実例の前を通りすぎるときに、嬉々としてこう言われることでしょう。「瀟洒な家にしようと、贅沢三昧、金を湯水のように使っても、結局こんなありさまではないか」と。

その他については、近頃建築の展望における好ましい変化がなにか生じたのであれば――死んで無力な伝統の鎖を投げすてる努力と同時に、力強く有益な生ける伝統に取り巻かれていた往古の人びとの思想と切望を理解する努力がなされたのであれば――現代文明がみずからを悲惨なものにするために作りだしたひどい醜悪さの洪水に対する抵抗精神が広まっているなら――要するに、われわれのうちに〈芸術〉が死に瀕していることに不満を表明する覚悟をもち、芸術の新生を望む覚悟のある人びとがいるなら、それはわれわれ以外の人びとが芸術とはべつの諸問題について不満と希望をいだいてきたからです。つまり、わたしが心から信じているのは、下層階級という愚かしい言葉で呼ばざるをえない人びとが、物質的条件、政治状況、また社会状況において着実に前進を見せていて、助ける側も助けられる側もたいてい無自覚ですが、われわれが行動しうる、あるいは望みうるすべてにおいて彼らの進歩が真の助けになっていることです。

まさにこの確信、文明の有益な進歩を確信するからこそ、みなさんに面とむかってあえてお願いしたいのです。ぜひ芸術の本当の意味に取り組んでください、と。芸術とは、たしかに、自然に対する尊敬の念です。つまり自然への冠であり、この大地で人間が生きていることそのものなのです。

この意図を念頭に置き、わたしはみなさんを動かしたいと思います。わたしの主張のすべてに賛同をとは言いませんが、少なくとも一考の価値はあると考えていただきたい。一度でもそうしてもらえれば、みなさんを説得できたものと思います。わたしが美しいと思うさまざまなものをみなさんはささいなことと思われるかもしれません。わたしが下品で醜いと思うものもみなさんは目障りと思わず、いらだちも覚えないでしょう。しかし大地の自然の美しさに無理解だという非難だけはだれも受けたくない——これだけはわたしにもわかります。そして芸術はその美しさを守りうる唯一の庇護者なのです。

芸術をかえりみないことによって人類にとってのこの大いなる宝物がどうなってしまったか、だれにでも見てとれます。人間が住む以前に美しかった大地、人間の数が増え、力を増すなかで長い時をかけて美しくなった大地、その大地がいまは日を追うごとに醜くなり、文明がもっとも強大なところでは急速に醜くなっています。これは火を見るよりも明らかで、だれにも否定できません。こんなことになってみなさんは満足なのでしょうか。

われわれのなかでこの屈辱的な変化を骨身に染みて感じていない人はほとんどいないはずです。かつてわれわれが格別に親しみを覚えた田舎のどこかをふたたび訪れたとき、失望落胆した覚えがないかと言えば、たいていの方にはわたしの言うことが十二分におわかりでしょう。苦労したあとで元気を恢復させてくれたり、悩んだあとで心を静めてくれたりした場所だったのに、いまは道の角を曲がったり丘を上りきったりしたときに、まず目に入るのはきまって新築の建物の青いスレート屋根、つぎに汚い泥色の化粧漆喰、あるいは粗製煉瓦でできた粗悪な壁です。さらにそばに寄れば、目に入るのは味気ないこれ見よがしの狭い庭、鋳鉄製のぶざまな柵、あるいはみすぼらしい納屋が昔ながらの静謐な村の美しい牧草地や緑ゆたかな生垣に割って入っています。こんなありさまを見て、心は沈み、鬱屈（うっくつ）した思いにとらわれる。その気持ちは必ずしも手前勝手なものではありません。ほんのわずかな不注意によって、喜びと楽しみの世界が台無しにされてしまうこと、そうなってしまうと、もうなにがあっても取り返しがつかないことを思い知るのです。

われわれがこのように困惑し心を痛めるのも無理からぬことです。気をつけないと、いつか世界全体が幻滅を感じてそのような気持ちになることでしょう。これは文明がめざしてきたものではないからです。本来なら古い村に新しい家が一軒加わるのになんの害もないはずです。損失ではなく利益となるはずでしょう。それは成長と繁栄のしるしであり、古い友人の目の保養となるはずでしょう。健康で希望に満ちた新しい家族がやってきて、われわれが愛した場所のつつましい喜びと労働を分かちあってくれるわけであり、それは嘆かわしいことではなく、われわれに新鮮な喜びをもたらすはずではありませんか。

たしかに、昔はそうだったのでしょう。新しい家を建てれば青々とした草地を少々、緑ゆたかな生垣の列をほんの数ヤード取り去ってしまうこともたしかにありました。しかしそれは新たな秩序、新たな美が古いものに代わっただけのことでした。野の花が人間の手と心が生み出す花に代わっただけです。生垣をなすオークの木は棟木や楣（まぐさ）〔入口、窓などの上の横木〕や門柱となって新たな美として開花したでしょう。新しい家はもっと古い家や古色を帯びた教会――その頃でも教会は古かった――のかたわらにあって若くこぎれいに見えたでしょう、それはやがて歴史の一片となり、その愛おしく優美なクリーム色の壁は、無数の環からなる長い鎖のなかのひとつの純然たる環となったでしょう。その鎖がどこから始まったのかわれわれにはわかりませんが、その脈々とつながる連鎖のなかで、パラスの列柱に囲まれた庭や、〈永遠の叡智〉の壮麗な丸天井[2]は、壮麗な建物であるにしても、ひとつの環をなすものにすぎないのです。

コッツウォルズの小さな家

新しい家はそのようなものになりうると言いたいのです。これまでがそうだったのです。というのも、わたしが考えているのは、べつだん理想的な家ではないし、よほどよい時代と国でなければ見られない稀有な芸術品というわけでもありません。宮殿ではなく、荘園領主のお屋敷（マナー・ハウス）でさえなく、せいぜい自由農民（ヨーマン）の農家（ステッディング）か、あるいはその羊飼いの小屋（コテッジ）です。それは今日でもまだ何十箇所も英国のところどころに残されています。そのような建物が、それもごくつつましいものが、コッツウォルズの西側の斜面の路傍に建っている風景が、こうして話しているわたしの眼前に浮かんできます。[3] その近くの大木の梢からはウェールズとの境界の山並みをはるかにながめることができます。そして大丘陵地帯に波うつ森林地帯、また牧草地や平原のなかに、われらの屈強な父祖たちの名高い古戦場がいくつも隠されています。その右手に青くたなびいているのはウスターの町の煙ですが、その近くのイヴシャムの煙は小さすぎて見えません。それからようやくたどって見ることができる長い霞の流れが、エイヴォン川がセヴァーン川に合流するまでの川筋を示しています。やがてブリードン・ヒルがそのふたつの川とテュークスベリーの煙を隠します。すぐ下、ブロードウェイ村の本通りの両側にはグレイの家が立ち並んでいて、その端には十四世紀の美しい家が一軒建っている。その上のほう、急斜面の曲がりくねった道を登り切ると、頂上は西方が望め、わたしがいま話している絶景が眼前に広がり、東はオクスフォードシャーまでなんとか見渡せる。そこから水流はすべてテムズ川にむかって流れています。その周辺一帯は日当たりのよい丘陵で、美しい輪郭を描き、花が咲き、草はかぐわしく、よく育ったじつに優美な樹木が点在しています。気品がありロマンスに富み、たいそう親しみのもてる、じつに美しい田園風景です。

そこには小さな家、コッツウォルド・ライムストーン〔石灰石〕で建てられた労働者の小住宅（コテッジ）があります。新築当時は乳白色だった壁と屋根は、いまでは美しく暖かいグレイになっています。その外観のどこをとってみてもコッツウォルズの美を損ねることはありません。すべて堅牢でていねいな仕事です。それは巧みに設計されていて、調和がとれているのです。アーチ形の戸口にはかなり鋭く織細な彫刻がほどこされており、どの部分も手入れが行き届いています。それはじっさいに美しく、芸術作品であり自然のひとこまといっても差し支えありません。その用途と場所を考えるなら、これ以上の仕事はだれにもできません。

では、だれがそれを建てたのでしょう。べつだん見知らぬ種族ではなく、ブロードウェイ村の一介の石工です。ちょうどいまあちらで、われわれがよくよく知っている粗末な家屋を三、四軒作るのに忙しい、あの職人と大差ないのです。その石工はそれを設計してもらうのに建築家をロンドンから、あるいはそれこそウスターからも呼んだりなどしていません。それはほんの二百年前のことだと思います。当時は小作農の家にもまだ美しさが残っていましたが、学識ある建築家たちはといえば、上流の紳士階級のために、頑丈でりっぱな造りであっても、ひどく醜い家を建てていました。その石工が使った材料は遠方から運んだのではなく、壁の石材は近くの野辺から採ったものでした。丘の頂上では昔とおなじようにいまでも細工しやすい石が切りだされています。

そう、いまはその建物の美しさに驚嘆するとしても、それが建てられたときには努力の賜物でも驚くべきものでもべつだんなかったのです。

このすべてを失ってもみなさんは満足していられるのでしょうか。この単純で害のない美しさは、だれの邪魔にもならず困らせることもなく、大地を傷つけることもなく、自然の美をいや増すものであるというのに。

満足でいられるはずがありません。せいぜいそれを忘れてしまおうとして、こう言うのが関の山です――こうしたことは文明に必然で不可避な結果である、と。しかし本当にそうでしょうか。そのような美を失うことは間違いなく不幸なことです。しかし、文明とは本来人類のために不幸をもたらすものではないはずです。それゆえこのような損失は文明にたまたまふりかかったもので、悪意ではなく不注意によってもたらされた事態にちがいありません。われわれが機械ではなく人間であれば、それを改めなければならない。さもないと文明そのものが破滅します。

引き倒される樹木

さて、ここで過去の夢にふけってばかりいないで、コッツウォルズの日の光に恵まれた丘陵と、その小さなグレイの家並みを離れ、ロンドンの郊外について考えてみましょう。そこはかつては淀んではおらず、不快でもありませんでしたが、いまはそこをどうにかするためになんらかの力をつくさねばなりません。われわれの住む近所にあるどこかの大邸宅、豪商の住宅、学校、病院など、数多の栄枯盛衰を経てきた大邸宅が、ついに現金に変えられるとき大地の美がどうなってしまうかを考えていただきたいのです。その土地はまずはAに売られ、AはBにそれを貸し付け、Bはそこに数軒の家を建て、それをCに売り、CはDにそれを貸し付け、というふうに延々とつづきます。さて、古い家が取り壊されるのは予想できたことで、みなさんはそう気にしないのではありませんか。信頼のできる造りで、これ見よがしのところがないのであっても、芸術作品というわけではなく、間が抜けていて想像力にも欠けている建物でした。だがそれが引き倒されているあいだにも、ゆたかな庭の樹木に斧が振りおろされる音が聞こえてきます。その庭は通るだけでも楽しい場所でした。そこでは人間と自然とが相携えて、かくも長きにわたって根気よく働き、隣人たちに恵みを与えてきたのです。ところが男の子たちが花のついたサンザシの大枝を引きずりながら道を歩いているのを見て、察しがつきます。翌朝起きて、晴れているのか風雨なのかにかかわらず久しくみなの友であったあのプラタナスの大樹のほうを眺めてみます。それは出来事と美しさにあふれた世界そのものともいえる木でした。ところがいまやプラタナスの木は影もかたちもありません。そしてつぎの朝はヒマラヤスギの老木の番です。その木立はそれまであたり一面を覆って影をつくり、まさに美とロマンスの至宝でしたが、それも消えてなくなっている。せめてわが家のそばに群生するライラックぐらいは残されるのではないか、新しい入居者はライラックが好みかもしれない、とかすかな望みがあるかもしれません。だがそれも午後にはなくなり、翌日傷心のまま目をむけると、もとは美しい大庭園だったところが小さく分割されて土を踏みかためたみじめな更地に変わっています。かくしてヴィクトリア朝の建築の最新開発にむけて準備万端整ったことになります。この破壊のあとからその建物が程なくして（二ヵ月後には）立ち上がるのです。

あなたはこれがお気に召すでしょうか。ここで「あなた」というのは、芸術を学んだことがなく、芸術など関心がないと思っている人を指しています。

いろいろな家をご覧になるのがよいでしょう（たっぷりあるので選ぶのに不自由しません）。それらが美しいかどうかは聞かずにおきましょう。どうでもいいと言われるでしょうから。だがちょっと見てもらいたいのです。みなさんにあてがわれた材料と設備と装飾のお粗末なことといったらありません。もしもそこに心の広やかさや偽りのない自尊心、また楽しみを与えようという気持ちがほんの少しでもあったなら、わたしはそれをまるごと許しもしましょう。だがそれが一切ない、皆無です。

こんなもののためにみなさんは、あのヒマラヤスギやプラタナスやサンザシを犠牲にしたわけです。みなさんが本当にお好きであった樹木だと思うのですが、それで満足していられるのでしょうか。

たしかに満足でいられるはずがありません。みなさんにできることは仕事にむかい、家族と語らい、食べかつ飲み、眠って、それをなんとか忘れることぐらいのものですが、この問題に思い当たるたびに、取り返しのつかない損失が自身と隣人たちの身に生じたことを認めることになるでしょう。

これもまた芸術をないがしろにしたためなのです。近隣の緑地（オープンスペース）が消えることはどんな場合でも損失と考えられますが、ある町の新しい地区の建物が周辺住民に対するまぎれもない災厄であってはならないのです。昔はちがいました。第一に、いま建築業者が樹木を殺（あや）めるのは、その亡骸でもって端金（はしたがね）を得るためではなく（少しはそれもありましょうが）、樹木を家の間取りに合わせるのがじつに面倒だからです。だからそもそもみなさんの樹木をもっと多く救えたはずなのです。あえてみなさんの樹木と言ったのは、それを愛おしんで救おうとしたみなさんのもの——それをないがしろにして殺めた輩のものであるのと少なくともおなじ程度に——でもあったからです。そしてつぎに、たとえある空間を失っても、自然の成長がやむなく壊されたとしても、これが芸術の時代であったなら、その埋め合わせとして秩序だった美が与えられ、人間の創意のしるしが示され、自然の造作と自身の手が作り出すもの双方における人間の喜びが代償としてあったでしょう。

そう、たしかに、小さな島々がつぎつぎに築かれていた初期のヴェネツィアに住んでいたならば、商人や金持ちも、ギリシアの円柱建築やロンバルディアの彫刻がこちらにどんどん迫ってきたせいで、エウガネイ丘陵(4)や北部山嶺が少々見えにくくなったといって不平を唱えることはまずなかったでしょう。いや、もっと身近な自国の例を挙げるなら、テムズ川とチャーウェル川(5)のあいだを網の目のようにめぐる水路のあいだの柳の茂る牧草地をわたしは当然愛していたことでしょうが、オクスフォードがそのもともとの地であるオーズニー、ルーリー、そして［オクスフォード］城の北のほうに発展し、市民の住宅と、学徒のホール、また壮大な〈コレッジ〉と堂々たる〈教会〉が、年を追うごとにオクスフォードシャーの草や花をどんどん隠していったことにも、わたしは不満をいだくことはなかったでしょう。*

昔であればそれは自然の成り行きでした。人が家を建てれば世界になにか美の贈り物を与えずにはいられなかったのです。それがいまでは全部ひっくり返ってしまい、家を建てれば、美の贈り物、つまり自然あるいは彼らの父祖が世界に与えた美の贈り物を奪い去ることしかできません。

文明が完成にむかう途上でこのような事態をもたらすとは、まったくわけがわかりません。不可解すぎて、まるで文明が自分自身の子どもを、なによりもまず芸術をむさぼり食らっているかのように

* ［原注］［オクスフォードは］じつはいまや新世界となっている。カウリー［オクスフォード東部地区］に新たに建てられたお粗末な家々がモードリン橋を殺してしまうにちがいない。——一八八一年十一月。

ひとによっては思えるのです。

わたしはそうは言いません。時間の流れにはたくさんの変化があります。なんらかの治療法がきっとあるはずです。その有無にかかわらず、なにもしないで放っておくより、ともかく治療法を探しもとめてから死ぬほうがいい。

「火の川」の試練と伝統の鎖

みなさんはこれで満足でしょうか、とわたしは言いましたが、少なくともなすすべがないと多くの人に思えるとしても、満足されてはいないと思います。みなさんが不満をもっているにちがいないと推測するのには、それなりの然るべき理由があります。五十年前、三十年前、いや、ことによると二十年前でさえも、このような問いを発するのは無益で、返ってくる答えはただひとつ「われわれは満ち足りている」というものだったでしょう。ところがいまではあれこれの対策が求められるまでに不満が広がっている、という希望がまがりなりにもあるでしょう。

そしてもし対策が求められているならば、少なくとも英国においては、それはすでに見出され、実行に移されているに等しいのではないでしょうか。これは当然だとすぐわかります。否定される恐れはないと思いますが、われわれ英国の中流階級はこれまで世界に見たこともない、心に決めたものはすべて手に入れてしまう、最強の人間集団です。しかし、この問題に直面するとき、新しい芸術を誕生させるのはわれわれがいかに力をつくしても至難のわざであることを思い知らされます。われわれと、あるべき新しい芸術とのあいだには、芸術があとかたもなく滅び去らないとしても、生気を帯びて喰いつくそうとするなにものかがそこにいるのです。それはいわば火の川であり、それは泳いで渡ろうとする者すべてにまことにきびしい試練を課し、真実を希求し彼方にある幸福な日々を洞察することによってなにものをも恐れなくなった者でなければ、その川に飛び込むことにみな二の足を踏んでしまうのです。

その火とは、競争的な商業がしだいに完成にむかうにつれて嵩じた生活の慌ただしさです。これはわれわれ英国の中流階級が政治的自由を勝ちとったときに、歴史上かつてない精力と熱意とひたむきな態度で推進したものです。だれにも邪魔立てされない、だれの助けも借りない、一意専心、他事は一切忘却し、かくして大願成就となり、人類のもっとも強靭なる者の心臓からこんな恐ろしいものを生み出してしまったのです。

前述したわれわれ自身が生み出したものをかすかに不満に思ったからといって、これほど力のあるものに太刀打ちできるとはじつはわたしには思えません。その不満が嵩じて非常に強い不満となるまでは、まだ無理でしょう。とはいえ、われわれにはその不満の破壊的な力は見えず、その正体さえもまだ本当にはなにも知られていないのではないか。また、そこに潜在している建設的な力もよく見えてはいないのではないか。だから、それがいつかふたたび太刀打ちできる機会を与えてくれ、新しくいっそう価値のある願いの達成にむかわせてくれるかもしれません。われわれの欲求のなんたるかがついにわかったときには、まさしく恐れることなく懸命に働こうではありませんか。不満を解消するのではなく、かつて不満をかきたて、持続させてきたように、不満の炎を燃え尽くすように努めようではありませんか。

一方、芸術のこうした問題に古くからつきまとう偏見と錯覚を投げすて準備を整えることさえできれば、それだけ速く不満は頂点に達し、われわれを行動にかりたてるでしょう。そうした偏見、錯覚とは、先に述べたような、贅沢が芸術を育てる、とりわけ〈建築〉芸術を育むという誤謬です。あるいはそれにともなう誤りとして、芸術は富裕な国、すなわち貧富の差が最大の国でこそもっとも繁栄するという見方、あるいは、これはいちばんもっともらしいがゆえにいちばんたちの悪い見方ですが、諸芸術のなかに知性の階層制があるという主張です。これは新参者に見えますがじつは古くからの敵です。政治的社会的な各階層制に致命的な打撃を与えた時代にそれは生まれ、これら階層制が衰退するにつれて勢いを強め、少数者が神聖であり多数者は服従すべきだという見方をある新しい側面から宣言し、大きな声で、かつてこれら階層制が果したように、ひとりの人間が民衆のために死ぬのではなく、民衆がひとりの人間のために死ぬほうが好都合だと主張したのです。

さて、以上の三つの見方は、それぞれかたちは異なってはいても、じつはひとつのこと、すなわち専制であって、それらがなんであれ、つきあたる答えはひとつです。つまり、現に病んでいる芸術を殺すのではなく生かすとすれば、未来における芸術は、民衆の、民衆による、民衆のための芸術でなければなりません。それは万人を理解し、万人から理解されなければならない、専制に対して平等を掲げなければならない、それが達成できなければ芸術は死にいたります。

古典古代の諸民族の衰退期以来の、文明化されたヨーロッパ世界における過去の芸術は、連綿たる伝統の鎖にもとづいた内なる衝動の働きの所産でした。これを養ったのは知識ではなく希望でした。数多の奇妙で途方もない幻想がその希望に混じっていましたが、しかしいつもそれには人間らしく実りのゆたかさがありました。それによってなんとも多くの人が慰められ、肉体的には奴隷である数多の人間が精神においては自由になったのです。芸術はその作り手にも、それを用いる者にも、無限の喜びを与えました。その希望の灯は手から手へと伝わりながら、長いあいだ生きつづけましたが、その最高位のもの、もっとも高貴なるものの記録を後世にほんのわずかしか残しませんでした。芸術はみずから王や専制君主を作ることにはとりわけ我慢がならなかったからです。もっとも高き者ももっとも低き者も、すべての人の手と魂を芸術のために等しく働かせ、少なくとも芸術の懐のなかでは万人が自由でした。芸術はみずからの仕事をはたしました。芸術それ自身をさらに完璧なものに創造するのではなく、むしろ芸術以外のもの、すなわち、思想と言論の自由、光明と知識への切望、そしてやがてその芸術に死をもたらすべく、来たるべき時代を生み出したのです。そうして最後にその希望が絶頂に達した瞬間、すなわち、そのときに現れた〔ルネサンスの〕巨匠たちが世界から消え去るころに芸術は死んでしまった。いまも死んだままです。どんなに強く願ってもわれわれのところにはもどらない。かつて芸術によって幸福を得ていた諸民族には、その余韻すら残っていません。

来たるべき芸術とは

来たるべき芸術についてだれが予言できましょう。しかし、われわれがいまもがき苦しんでいる混迷と、それをとおしてかすかに見える光明を過去と比べてみることで、少なくともわかることはあります。すなわち、来たるべき芸術とはもはや内なる衝動や無知の芸術ではないもの、つまり、ものを学ぶ希望のある無知、ものを見ようとつとめる無知ではありません。無知はいまではもはや望みがないものだからです。この点で、また他の多くの点で、来たるべき芸術は過去〔中世〕の芸術とは異なりますが、一点ではおなじであることが求められます。それは、卓越した人びとの小集団による秘儀であってはならないことです。過去の芸術と同様に階層性ではなく、おなじように民衆による民衆への贈り物に、だれもが理解できて、みんなが愛をもって取り囲む芸術となるのです。それは万人の生活の一部であり、なにものにも邪魔にならないのです。

これこそが、芸術の本質であり、たとえほかのすべてが一時的、偶発的なものであっても、芸術にとって永遠不朽のものなのです。

おわかりのように、この点で今日の芸術はまったく正道から外れています。これまでは正道から外れていたと言えたらいいのですが、いままさにそうなのです。芸術が病んでいたのは、このように専制を相手にして商売をしてきたためです。いまや芸術は残っている命のかぎりをつくして反撃に転じ、平等をとりもどすべく闘わねばなりません。

まさしくそこにわれわれの困難な仕事があります。すなわち、すべての素朴な人びとに芸術に関心をいだいてもらうこと、芸術が彼らのくらしの一部となるように強く要求させること、これです。そのために商取引と労働力を組織する現体制がどうなろうとも構いません――その体制を完璧なものとみなしている人がなかにはいるわけですが。

これが今後長期にわたり芸術の本当の仕事となります。そして私見を述べるなら、それはまた文明の本当の仕事ともなるのです。しかしどのようにその仕事にとりかかるか。芸術の伝統をもたない民衆に、彼らのこころを動かすわれわれの仕事を理解するための目を贈るにはどうしたらよいか。どうすれば苦役に服する民衆に余暇を贈り、心配事から逃れさせて、美への切望を育む時間が生み出せるようになるか。肝心なのは――これによってほかのひとたちも迅速かつ確実に育まれるでしょう――どうすれば民衆の日々の仕事に希望と喜びを与えられるかです。美への切望は、たとえロンドンの街中で生まれたとしても、やはり人に生来備わっているものだからです。

この芸術の精神をどのようにして人びとに分け与えたらいいのでしょうか――この精神がなかったら、ひとは野蛮人にも劣ってしまいます。彼らのほうからそれを与えよとわれわれに迫ってくれたらよいのに。しかし、彼らをそのように仕向ける力とはなんであり、それはどこにあるのでしょうか。梃子とその支点はどこにあるのでしょうか。

これは大変な難問です。だがそれらに対する答えを求める用意ができていなければ、われわれの芸術はたんなる玩具であって、つかのまの慰めにはなっても、いざというときにわれわれの支えにはなってくれないでしょう。いわゆる教養階級は、足元から芸術がすり抜けてゆくのを感じて、しまいにはそれをなんの価値もないものとただあざ笑う人も出てくるでしょう。また、見物するのは楽しいが、出来上がっても役に立たないので、知力の奇妙な働かせ方として傍観している人がいるでしょう。こんな状態で芸術はどれほど生き永らえることができるでしょうか。とはいえ、わたしがここでみなさんに説明しているあの希望、民衆の魂を表現する芸術への希望がなかったら、芸術はいまでもこうしたありさまだったのです。

それゆえ、言ってみれば、こうした時代にわれわれ文明の人間は、芸術を捨てるかどうかを選択しなければならないのです。捨てるほうを選ぶならば、わたしにはもうなにも言うことはありません。ただ人類の慰めと喜びのために芸術に代わるなにかが見つかるかもしれないと言うぐらいのものです。しかし捨てたりなどしないと言うなら、先に述べた難問の答えを探さねばなりません。その最初の問いはこうです。

芸術の伝統のない民衆に芸術作品を見るための目を贈るにはどうすればよいか。この問いに満足に答えるには、おそらく長い歳月をかけた努力と成功が必要でしょう。この点でわれわれが責務をはたす努力をすれば、その問いがすべて十分に答えられる前に、ある種の民衆芸術がすでにわれわれのなかに存在していることでしょう。しかしそれはそれとして、また芸術家であればだれでも答えるべきその問いはさておき、当然なすべきひとつの責務がわれわれすべてにあります。その責務とは、われわれ一人ひとりが大地の自然美を守るために全力をつくすべきだということです。万人の共有財であるる自然の美を損なうことは、たんなる無知であれば無理もないとしても、それはひとつの犯罪であり、同胞に対する加害とみなさねばなりません。この無知をもはや擁護しえないのであれば、他人がそれを傷つけているのに手をこまねいて見ているのも犯罪と大差ないのです。

さて、この責務は、われわれには自明の理であり、民衆がものを見る目をとりもどす手立てとしてはいちばん手っ取り早く、とりかかるのにも幸いいちばん簡単です。公共の利益に好意をもつ人すべてをある程度までは味方にできます。それだけではなく、始まりはささやかですが、じっさいにこの方面で始められていることがあります。二十年前にはまったく希望が見えなかったことを考えれば、まったく、われわれから見れば信じられないことだと言ってもいいでしょう。とはいえ、われわれがいまおちいっている苦境からいつか抜けだすことができたなら、後世の人びとから見て次のことはさらに信じられないと思われるのではないでしょうか。すなわち、ある小さくてつつましく、あまり知られていない、それでもわたしに言わせれば慈悲深い団体のメンバーたちが、途方もない害悪に気づいたものの、自分たちの貧弱な手立てをもってそれを攻撃するのは望み薄だとみて、これに目を閉ざすのを自分たちの責務だと感じてしまっている——そんなありさまを世界一富裕な都市の住民がむしろ誇りに思っていた時代がかつてあったということを知って、後世の人びとは驚くでしょう。その気になればそのひとたちは、そうした害悪に対する当然の感覚を一般公衆に目覚めさせる方向へと、ささやかな歩みを踏み出せたかもしれないというのに。

大地自然の美の恢復

よろしいでしょうか、わたしはみなさんにカール協会と共有地保存協会[6]のような団体への熱い支援をお願いします。神々も政府もみずから助けざる者を助くることなどしないのだから、彼らが始めた目的は正しいのだと確信しています。またわが大都会、とりわけロンドンのすさまじい醜悪と不潔――ロンドンについては国全体に責任があるのですが――に対処するには、われわれ自身でなんとかするしかなく、ほかにだれの援助もあてにできないのはたしかです。しかしそうは言っても、前途に立ちふさがっている困難があまりにも巨大で広範にわたっているために、個人の努力、あるいは半ば個人的な努力だけではお手上げなのを認めないのも怠慢というものでしょう。

この方向でわれわれがなしうるすべてを、耐えがたい状況を一時的に緩和するものとしてではなく、われわれが欲していることの徴とみなさなければなりません。要するに、大地自然の美をわが国土に恢復することです。その美を奪い去ったことをわれわれは非常に恥じています。この点でのわれわれの主たる義務は、この恥辱感とこれに由来する苦痛を同胞の心に強くかきたてることです。これは教養人と称する権利のあるすべての者たちの主たる責務のひとつです。わたしの信じるところでは、これに忠実であれば、美への強い衝動をさらにわれわれのなかでうながすことに資するでしょう。その衝動はあまりにも抗いがたいがために、おのずからある国内組織が形成され、われわれが品位あるくらしを送ることを妨げているあらゆる困難がそれによって一掃されることでしょう。もっともそのときには困難のほうが千倍にも増してしまっているということになりそうですが。

その光明はきっと現れます――われわれもわれわれの子らの子どもたちもそれを見ることがなくとも、そのあいだに文明は暗闇のなかに沈みこまなければならなくとも。いつの日かきっと、ものを作ることは破壊することよりも立派であり、威風堂々たる大国民にいっそうふさわしいと考えられるようになるでしょう。

文明を機関でなく人間集団として考えてみるなら、まことに奇妙で、嘆かわしく、ほとんど理解できないことですが、文明がこうした進歩のすべてをとげたあとで、わずかな公式声明、一片の紙切れに書かれた数行で、いとも簡単に恐るべき兵器を動員し、われわれにはなんの面倒もなく、われわれのために一万もの人間を殺し、何千もの家族を破滅に追いやる。そういうことをして、われわれすべての良心はまるでとがめないのです。ところが、われわれ自身の戸口にある目にあまる圧倒的な害悪のもろもろに一撃を加えようという問題となると、それは分別のある人ならだれしもが痛感し嘆いている害悪であり、それらを生み出したのはひとえにわれわれの責任であり、対処する国の機関がないばかりか、年を追ってますますひどくなっているのに、そういった機関を作れるのではないかとほのめかすだけで、一笑に付せられるか恐れられるか、あるいは手厳しい非難を浴びせられることになるのです。財産権、道義の必要、宗教のため――臆病者が後生大事に使うこうした決まり文句が、われわれを黙らせてしまう！

以上、こうしたさまざまな害悪に気づいている思慮深い人びとのことを語ってきました。しかし、われわれの文明が育ててきた、思考力に欠け、その力をもつ機会もなかった数百万の人間すべてについて考えてください。そうすれば、〈大地〉の美しさを守る義務をどうして認めないでおれましょうか。われわれを臆病に育てるのが文明なら、文明がなんの役に立つというのでしょう。絶望から来るこうした弱々しい忠告に対してはこう答えましょう――われわれにも財産があるが、それは暴虐な卑劣によってかすめ取られてしまう。われわれにも道徳があるが、暴虐な卑賤さによって砕かれてしまう。われわれにも宗教があるが、暴虐な不正によって嘲笑されてしまう、と。

さて、われわれが民衆から奪った眼を民衆にもどそうとする努力に対して、いかなるささやかな援助があるにしても、当面はそれを放っておくのがよいでしょう。そうした援助が役立つのは主として視力を恢復しはじめた人びとに対してだからです。芸術の伝統はもちあわせないが、かつて諸国民と諸民族を導いたあの強力な衝動を学ぶことができる人びとに、なによりもそうした援助は役立つのです。博物館と芸術教育が奉仕できる相手はそうした人びとです。だがこれでは明らかに大多数の民衆に届けられません。このままでは彼らは訳もわからず驚きながらただ眺めているだけでしょう。

街路が品よくきちんとしたものとなり、都会のいたるところでレンガとモルタルの建物が壊され庭園となって、それがすべての人びとに開放され、都市近郊であっても牧草地がうるわしく甘美なものとなり、醜悪な地面であちこち汚されることがなくなり、頭上の空は澄み、足もとの草地は青々とし、労働者たちが冬の悲惨と夏の疲弊を感じずに四季の織りなす雄大な劇に心を動かすことができるようになる――このすべてが実現するまでは、博物館や芸術学校は金持ちのたんなる慰みの場でしかありません。金持ちたちにとっても、美しい〈大地〉をとりもどすために最善をつくそうと決意しなければば、そうしたものはなんの役にも立たないのです。

芸術家と労働者の連帯

いま述べたこの最後の点に、教養ある人間としてのわれわれの特別な義務があると考えてきました。しかし、どんなことでもそうですが、これをめざして尽力する場合も教養ある者だけが単独で進むことはできません。民衆が民衆自身の目を開かせるようにとわれわれに要求するまでは、われわれが進んでそうすることはできないのです。ところで今日の都市生活の不潔な環境を非難し克服したいという願いが、われわれとおなじく、労働者の心にもまだあると思いますが、いまのように余暇というものをほとんどもてず、ひどい状態に置かれている労働者には、そんな願いは漠然としたもので、道しるべも欠いたものでしかありません。そこで第二の問いが出てきます。一般民衆は美への渇望を生まれながらにもっているのですが、そうした希い(ねがい)を彼らが存分にめぐらせるのに十分な余暇を労苦のなかからいかに得るか、またいかに心労から解き放たれるか、という問いです。

さて、この問いのなかで、つぎの問い、いかにして人びとが働くにふさわしい仕事につくか、という問いにふくまれない部分については、簡単に答えられると思います。

競争的商業の成功が世界にもたらした一大変化は、さまざまなものを破壊してきましたが、少なくとも意図しないひとつのものを作り出しました——そこから労働者階級の勢力増大がもたらされたのです。この勢力は自身の階級をひとつの階級として高める決意を内に備え、われわれの好意をもって、あるいは好意とは関わりなく、かならず前進し栄えることでしょう。しかし労働者階級と、とくにわれわれ自身の双方に大事だと思えるのは、彼らの決意にわれわれが真摯に心を寄せることです。また他の点でわれわれがなしうるあらゆる援助をおこなうことです。労働者を公平に扱おうという決意をもってわれわれはそれをなすのです——たとえそのように正義を貫くことでわれわれ自身が損失をこうむるように見えるとしてもです。〈労働組合〉を理不尽かつむやみに非難するような時代は幸いにも過ぎ去り、代わりに希望の時代がおとずれました。重々承知していることですが、いまやこれらの大いなる〈組合(アソシエイション)〉が十分に組織され、十分に役目を果たし、また熱心に支持されているのであり、彼らは組合員の一時的な支援やその技能に対する適正賃金の調整にとどまらない仕事を見出すでしょう。その希望が実現されはじめ、教養ある階級がいくつもの単位として分散しているわれわれの支援を活用しうることが労働者階級にわかれば、そのときにはわれわれも彼らも芸術という語の意味を理解しているでしょうから、芸術を求めることが彼らに無視されはしないと確信します。

その一方で、芸術家(アーティスト)と呼ばれるわれわれ——まことに不幸なことに、この語は昨今では職人(アーティザン)と別のことを意味しています——みずからの手で芸術を実践しているか、あるいは実作者の内奥の心情に入りこめるほど芸術を真底愛している、そんなわれわれが取り組むべき最後の問題が、他のひとたちを刺激し考え答えてもらいたい問いが、これです——来たるべき日に芸術という語が正しく理解されるように、一般民衆の日常の仕事に希望と喜びを与えるにはわれわれはどうしたらよいか、と。

申し上げるべきことで、わたしにはつぎのことがもっとも重要であるように思われます。われわれの日々必要な労働は、逃れようにも逃れられず、なしですまそうとしてもすまされないものですが、それは人間らしく真剣にかつ喜びをもってなされるべきものであって、機械のように味気ない労苦であってはならないということです。〈建築〉という語のすべての意味において、これは〈建築〉の土台そのものであるばかりか、生活のあらゆる条件における幸福の基礎でもあるとわたしは見なします。

ラスキンの教え

先に進む前に申し上げたいことがあります。時代と洞察力の両方の点でわたしの先を行っている人びとの言葉を繰り返すのは少しも恥とは思いませんが、わたしの仕事の基礎を作ってくれた先人の仕事を忘れていると思われてしまっては面目ありません。この主題についてわたしがいま述べていることの核心部分はすでに何十年も前にラスキン氏によって語られています。『ヴェネツィアの石』の「ゴシックの本質について」と題される章のなかで、いまどきの世人にはだれにも真似できないような明晰かつ雄弁な言葉で説明されています。そこに述べられている論点はきわめて重要とわたしには思えるので、国じゅうのすべての芸術学校に掲示されてしかるべきものだったと思います。いや、英語圏においてなんらかの方途で人類文化の促進を主張している団体すべてが掲げるべきものです。しかし、こう言わざるをえないのは残念ですが、ラスキン氏の言葉を繰り返すしかない理由は、これは氏の大半の発言と比べて従来あまり注目されてこなかったからです。それは人びとがこの発言を恐れているためではないかとわたしは踏んでいます。氏の言葉が表現する真実が胸に深く刻まれて、行動を起こすようにかりたてられるか、あるいは自分が怠惰で臆病であることを白状するか、二者択一を迫られてしまうのが怖いのです。

それを不思議がるふりはわたしにもできません。すべての人の仕事になんらかの希望や喜びがつねに備わっているはずだということをいったん真理と認めるならば、そうした変化をもたらす努力をせざるをえなくなります。そして歴史のすべてが告げるところによれば、人のくらしのなかでこれほどの大変革はありませんでした。

それにもかかわらず、いかなる大変革であろうとも、その変革が生じないかぎりは文明における〈建築〉の展望はありません。わたしの今日の仕事は、その点をここにおられるみなさんに確信させることだとまでは申しません。そうではなく、この会場のどなたかを、それは真実かもしれないという不安な気持ちにさせて送り出すことです。それがうまくいけば、いくらかは目的をはたしたことになります。

とはいえ、われわれが無駄なことをしているだけだと思われるといけないので、くらしというものを真剣に考えていないわけではない教養ある人びとが、いかなる観点からこの問題に注意をむけているのか、それをみておきます。こうした考え方のひとつの例を示すことで、みなさんのなかから不安と不満を覚え、革命的になる人が出るのではないかと期待して、精一杯答えてみます。

数ヶ月前に読んだ新聞記事のなかに、製造業者(マニュファクチャラーズ)(と呼ばれる者たち)が経営する、とある有名な工場で働く人びとにむけられた講演のことが伝えられていました。講師は現代の思想的指導者のひとりで、人間味と思慮にあふれた講演でした。講演がおこなわれた工場は、いまも昔も商業的な成功で有名なだけではなく、工場で働く人びとへの男女を問わない配慮と理解のある待遇でも名高い。それゆえ、その講演を楽しく読むことができたのも不思議はありません。なにしろ彼の話しぶりは腹蔵なく話ができるなじみの友にむけるような語り口なのです。ところが結びのあたりでぶつかった一文に考え込まされてしまい、わたしはそれまでの内容をすっかり忘れてしまいました。おおよそこういうことを言っていたかと思います——「働いて余暇を得る希望がなかったら、働こうなどと思う者はひとりもいないでしょうから」と。話の流れからいって、これが自明の理であるとされていたのです。

さて、わたしはといえば、長年金科玉条としていることがあります。言葉で言い表すならこうでしょうか——「働く喜びのない仕事はする価値がない」。それでご想像のとおり、わたしは大いに動揺しました。なにしろ教養のある真面目な人物が、わたしと正反対の見解をかくも穏やかに確信をもって表明したのですから。ラスキンの炎のごとき雄弁をもってしても、かくも偉大な真理、かくもゆたかな帰結をもたらす真理を人びとにたたき込むことがなんと困難であることか。それをわたしは痛感したのでした。

それからその気がかりな一文について再度思いをめぐらせました。「働いて余暇を得る希望がなかったら、働こうなどと思う者はひとりもいない」。これを別の言葉で言い換えるならこうなると考えました。第一に、この世のすべての仕事は嫌々させられるものである。第二に、「余暇」におこなうのは仕事ではない。

なんとお粗末な釣り餌でしょうか。人は餓死の恐怖にかられて労苦にむかうのだと思いますが、そんな動機に加えてかくのごとき余暇の希望で釣るとは。お粗末な餌です。大半の人びとは、あのヨークシャーの織工や紡績工（また彼らよりずっとひどい境遇の人びとのほうが多いのですが）のように、わずかばかりの余暇を得んがために働いているのですが、余暇だけが唯一の希望だとしても、その希望をだまし取られてしまう可能性が大だと言わねばなりません。

それでわたしはつぎにこう考えました。働いて余暇を得る希望がなければだれも働きはしないというのが本当に真実で変えようがないことなら、神学者がとなえる地獄などほとんど無用になるだろう。なにしろ人口の稠密な文明国では、ご存知のとおり結局人は、なんらかの仕事をせねばならないのであり、地獄の代わりを十分に務めることができるのですから。しかしわたしにもわかったことがあります。だれもがどうしても仕事を厭うという見方は通説となっていて、あらゆる種類の人びとがこれを信じています。それなのに彼らは、無神経な怪物でもないのに、太って陽気にしていられる。

そこでこの謎を解くために、わたしが多少は知っているくらし――つまりこのわたし自身のくらし――について考えてみることにしました。するとその説は根底からくつがえったのです。

というのは、わたしが日常の仕事を禁止されたらどうなるかを考えてみたのです。すると、ほかのなにかにとりかかってそれを自分の日々の仕事にしないかぎりは、絶望と退屈で死んでしまうと確信しました。わたしには明白なことですが、自分が働くのは余暇が目当てではけっしてなく、飢えや面目を失うのを恐れてということもありますが、なによりも仕事そのものが大好きだからです。また余暇について白状するならば、ときには犬のように、いわばじっと物思いにふけって過ごすこともあります。まあそれも嫌いではありません。しかし余暇の時間を仕事に費やすこともあるのです。その仕事はパンを稼ぐ仕事と寸分違わぬ喜びを与えてくれます。だから余暇はわたしには、本業の仕事のための釣り餌とか希望とかにはなりえないのです。

それからつぎに、自分の考察を友人たちにあてはめてみました。純然たる芸術家で、それゆえ、そうです、怠ける特権を付与された人びとです。するとわかったのは、彼らは自分の仕事こそが楽しみであり、彼らの考える幸せな余暇とは別の仕事のことにほかならず、世間にとってはそれも、彼らのふだんの仕事とまさにおなじくらい貴重だということでした。わたしと唯一ちがうのは、犬のような余暇を彼らはわたしほどには好まず、人間らしい労働を好んでいるという点です。

純然たる芸術家から要職にある公人に目を転じてみたところで、それ以上のなにかがあるわけではなく、そうした人たちについても余暇のためだけに働いているという証しはやはり見つかりませんでした。彼らはすべて仕事のため、そうするためだけに働いているのです。金持ちの紳士は余暇が欲しいがために下院の議場に徹夜で座っているのでしょうか。そうであれば労働の悲しむべき浪費です。あるいはグラッドストン氏(7)はどうでしょうか。激務で十分な余暇をうまくとっているようには見えません。氏が得られた程度の余暇だったら、もっと楽なとりかたがあったはずです。

そうなると、日々の仕事を免れることはできないが、その仕事をもっぱら喜びとしている階級の人間がいる一方で、日々の仕事がひたすら厭わしく、一日が終わればつかのまの余暇が得られる希望があるのでなんとか我慢するという別の階級の人間がいると、そういうことになるのでしょうか。

これがすべて本当なら、この二種類の生活の差は、最高に優雅な生活と極度に苦痛な生活、あるいはきわめて平穏な生活と困難に満ちた生活との差よりも大きいでしょう。その差は文字どおり計り知れません。

しかし、わたしは悪を叩くようにみなさんにお願いしているのであっても、こんなに深刻な問題でその悪を大げさに言い募ることは、やれたとしても、あえていたしません。階級間で人間のくらしにこのような計り知れない差があるというのはかならずしも正しくありません。そんなものがあったら、世界は今世紀の半ばまでもたず、悲惨、怨恨、暴虐がわれわれすべてを滅ぼしていたことでしょう。

この不平等は最悪の場合でも、じっさいはそれほど重大ではありません。やり方によって出来不出来が生じるような作業はなんであれ、その作業にもそれなりの喜びがあります。人はだれでも自分のできることを上手にこなすことを多少なりとも好むからです。機械的な労働でも、機械的になりすぎなければそれを楽しめる人だっています（わたしもそのひとりです）。

しかし、日常の仕事を純然たる喜びとする人とまったくの苦痛だという人に大別されることは、かならずしも正しくないにせよ、当たらずとも遠からずだということはたしかです。手遅れにならないうちにこれに目をむけなければ事態は急速に悪化するにちがいありません。職人（アーティザン）が作った作品にはあまりにも機械的なものがあります。いや、ほとんどがそうだといってもいい。そこで作業にかかっている職人はきっと考えるということを放棄しているにちがいありません。そうなったら、仕事中はたんなる機械になりさがります。そうでなかったら、考えるのが堪えがたいほどの恐ろしい退屈さに苦しみながら仕事をしなければならないでしょう。われわれの生来の望みはせめて生きることですが、そんな悲惨な状況におちいってしまうのは、やはり、本意ではないでしょう。たんなる機械的な仕事をする労働者はその仕事に関するかぎり、概して純然たる機械と化します。さて、芸術は、いかに脆弱で粗雑な芸術、あるいは知性の欠けた芸術であっても、そのような仕事から生まれるはずはないとわたしは確信しています。また、このような仕事は労働者を人間以下にして悲惨かつ不当に貶めるものであり、なにをもってしても彼やわれわれに、そんな堕落の埋め合わせをしようなどできないとも確信しています。そしてみなさんにとくに注目していただきたいのは、産業芸術（インダストリアル・アート）と呼ばれるものの最初期にこれが本能的に感じ取られていたということです。ひとりの人間が轆轤（ろくろ）をまわしたり、織機の杼（ひ）を通したり、あるいは鉄を槌で打っていたときは、水差しや織物、あるいはナイフにとどまらないなにかを作ることを期待されていました。芸術作品を作ることも期待されていたのです。その期待にそむくことはめったになく、すばらしく美しい作品を作り出す域にいたっていました。これは作り手と使い手の双方の心の平安にとって必須のことと感じられました。これこそわたしが〈建築〉と呼ぶものです。すなわち、日常で使用する必需品を芸術作品へと転じることです。

たしかにこう考えてみると、いま述べたそうした仕事と機械的な仕事のあいだの計り知れない落差とほとんどおなじような隔たりが、そこにあるように見えます。日用品を作る工芸はいまでも、昔のファラオの時代のように、この幸福の光に照らされることが必要であるとわたしは確信しています。それなのにわれわれはこの必要を忘れ、その結果、手仕事をかくも堕落させてしまったものだから、学識があり思慮深く人情味ある人までが、余暇を得るため以外にはだれも働かない、などという格言を出してこられるのです。

〈建築〉にかかわる労働の三類型

だがいまは、日常生活の品々を生産する労働についての紋切り型の見方は忘れましょう。そうした見方は、ひとつには現代の芸術の惨状によるのであり、もうひとつにはどの時代にもありそうですが、一部の人の心につきまとう手仕事への嫌悪によるのだと思います。この見方を忘れて、手仕事におけるさまざまな労働の方法がじっさいにどうなっているかを考えてみましょう。

私見では、〈建築〉にかかわる労働は三つに分類できます。第一は純然たる機械的労働。これにあたる人間はたんなる機械です。ちゃんと訓練を受けているなら、自分のしている作業について極力考えずにいれば、それだけいっそう目的にかなうというわけです。率直に言って、この手の労働の目的は、なにかものを作ることではなく、一方で雇われ労働、他方で金儲けと呼ばれるものです。すなわち、機械的労働者という種族を増殖させること、そして労働者を使役する人間、言葉の奇妙な歪曲によって現代の用語で製造業者（マニュファクチャラー）と呼ばれる連中の富を増やすことです。* この種の仕事を〈機械的労苦〉と名づけましょう。

第二の種類は、場合によっては多少機械的です。しかし、それにはつねに仕事の良し悪しがともなっています。よいものになりうるなら、職人がやる気になって当然の仕事で、そこに彼は個性のしるしを残すはずです。その仕事には多少なりとも美的価値（アート）があり、この職人はともかくもある程度はそれを自在に操ります。彼がその仕事にむかうのは、ひとつにはパンを稼ぐためですが、その仕事がつらいとか嫌だとかはあまり感じず、働く時間を楽しく思いながら過ごせます。そしてもうひとつには、できあがったときにたしかに世の中のためになるもの、人びとに称賛され喜ばれるものを作るために働くのです。この仕事を〈知的労働〉と呼びましょう。

第三種の労働は、機械的なところがあったとしてもほんのわずかしかありません。それはまったく個性的なものです。すなわち、その仕事はだれが手がけるにしても、ほかの人にはけっしてまねができないものです。正確に言えば、この仕事はすべてが喜びです。たしかに、苦労もあれば戸惑うこともある、疲れることもあります。しかしそれは美しい生活に生じる厄介事のようなものです。暗い場所が明るい場所をいっそう明るく引き立てるのと同様です。それは労働のロマンスであり、働く者を貶めず、高めることしかしません。これを〈想像的労働〉と呼びましょう。

＊［原注］あるいは、さらにわかりやすくすれば、機械的労働者を**人間**としてではなく、**機械的労働者**としてかぎりなく増殖させることである。

さて、一見すると、〈知的労働〉と〈機械的労苦〉の差よりも、この最後の〈想像的労働〉と〈知的労働〉との差のほうが大きく見えるのではないか。だがそうではありません。両者［〈知的労働〉と〈機械的労苦〉］は光と闇、最高神（オフルマズド）と悪の邪神（アーリマン）ほどにもかけ離れています。それに対して、〈知的労働〉と、適切な言葉がないのでわたしが〈想像的労働〉と呼ぶものとの差は程度の問題にすぎません。芸術があふれて気高いものである時代には、最下層の者から最上層の者まで断絶がないのです。鮮やかな色が織りあがるたびに笑い声を立てる貧しい織工から、世間にみずからの思想を余すところなく伝えられるか、それとも九割しか伝えられていないのか、不安と懐疑をかかえた大画家にいたるまで、すべてが芸術家――すなわち人間なのです。ところが機械的な労働者は、自分の手がけている色が鮮やかかそれとも冴えないかなどに関心がなく、数でしか見分けられないのであり、働いているあいだ、人間ではなく機械に成り下がっているのです。じつは〈知的労働〉が〈想像的労働〉と共存しているときには、両者は画然とは区別できません。芸術が最良の状態でもっとも幸福である時代には、〈知的労働〉であればそれが同時に〈想像的労働〉でないことなどほとんどないのです。〈想像的労働〉の最高の部類でも、努力や懐疑はほとんど見られず、言い表せぬ欲求のしるしもほとんどありません。〈平等〉の恵みが小芸術（レッサー・アート）を高め、大きな芸術（グレイター・アート）を落ち着かせるのです。

　話をすすめましょう、〈機械的労苦〉は文明のあの性急さと無思慮によって養われています。先に述べたように、この国の中流階級がこの文明を強力に推し進めてきました。一見したところでは、〈機械的労苦〉は文明に敵対します。それは、文明がみずからのために作った呪い、もはや破棄することも制御することも考えられなくなった呪いです。まあそのように見えるのです。しかし〈機械的労苦〉は変化を、それもすさまじい変化をともなうので、そこにはたんなる喪失ではすまされないものがあることは十分考えられます。新しく生まれる芸術が〈機械的労苦〉を破壊しなければ、それがわれわれの知る芸術を破壊し尽くしてしまうのは確実でしょう。しかし、おそらく最悪の場合でも、〈機械的労苦〉は芸術の毒となる他のものを破壊し、長期的には自滅してしまい、かくして新しい芸術のために道を開くことでしょう。その新しい芸術がどのようなものとなるか、われわれにはなにもわからないのです。

〈知的労働〉は奮闘する希望にみちた進歩的な文明の申し子です。その役割は単調で平凡な生活に新鮮な興味を加え、無垢の喜び——その喜びが人類に益する多くの功績をもたらします——でもって不満の心をなだめることです。またたいそう骨の折れる仕事をしている数百万もの人びとを日々めぐる希望で祝福し、けっして失望させないことです。

〈想像的労働〉は勝利と希望にあふれるまさに文明の花です。それは人が完全なものを求めるほうに進んで導くでしょう。ひとつの希望がかなえばまた別の希望を生み出します。人生の価値と意義、またなにごとをもつとめて理解する——なにも恐れずなにも憎まない——分別をその胸のうちに蔵しています。要するに、それは〈勇気ある世界〉の象徴であり秘蹟なのです。

かくして今日ではこの三種類の仕事が併存しています。〈機械的労苦〉は〈知的労働〉を飲み込んでしまった。〈想像的労働〉の下部にあるすべても飲み込んだ。いまでは膨大な量の最悪の労働が、少ないながらいまも輝いている最善の労働と対決しています。芸術の残党は最高の知的芸術の砦に立てこもり、追い詰められているのです。

〈芸術〉は〈芸術〉を育む

一見、芸術が勝利する見込みはたしかに薄そうです。しかし、美への憧れが人の心からすべて消え去ったわけではないようにいま生きているわれわれには見えます。いや、まだそれが消えていないことを願うほかはないのです。その希望が裏切られず、十八世紀と呼ばれる絶望の淵から今日の芸術が本当によみがえったのだとすれば、それはかならず成長し、力をたくわえ、いまは芸術のことをほとんど知らぬ別のかたちの知性と希望を引き寄せるでしょう。そうであれば、芸術がどんな変化を経験するにしても、ついには勝利を得て、人類に実りゆたかな満足をもたらすでしょう。他方、もしそれが一部の人びとが考えるように〈中世〉の力強い芸術のよき時代の終りを告げる、あの輝かしい秋の反映であり弱々しい亡霊にすぎないのであれば、それを殺すのは造作ないことです。〈機械的労苦〉が人間のあらゆる手仕事を一掃し、芸術は消え去るでしょう。

わたし自身はあまりにも多忙な人間であるため、そのあとどうなるかについて悩んでいる暇はありません。言えることはただこうです——芸術をほとんど知らなくても、あるいは関心がなくても、芸術が消えた無味乾燥の状態を好ましくないと思うなら、それについて考えることをやめないで、繰り返し考えてみて、どんな面倒な事態がそこから出来(しゅったい)するかを思いめぐらせれば、そんな未来はしまいには耐えがたいと思えてくるはずです。そうしたら、そんなことに我慢はしないと心に決めればよいのです。たとえいまいる芸術家たちを信じられないとしても、来たるべき芸術家たちのために道を切り開く仕事に取り組んでいただきたいのです。そうすればみなさんからどんなに邪険に扱われても、われわれはみなさんを敵とはみなさないでしょう。

わたしはその課題のなかで、きわめて重要な部分について述べてきました。わたしのお願いは、残されたものを保護すること、〈大地の自然美〉から失われたものを恢復することに熱心にとりかかっていただきたいということでした。同様に、機械的労苦の大洪水のなかでなにか確たる基盤を築き、みなさんとお仲間のために人間らしい希望のある労働を勝ちとれるように、できるだけのことをしていただきたいとお願いします。

しかし〈大地〉の美を護ろうというわれわれの第一の課題がむずかしかったとしても、こちらのほうがはるかにむずかしいことです。それにまた、われわれの敵を直接攻撃できるなどとはとても思えません。それでも間接的にはきっとなにかできるし、少なくともなんらかの基礎を築くことはできそうです。

というのも〈芸術〉は〈芸術〉を育むからです。そして作り手と使い手がともに楽しみながら作った価値のあるあらゆる作品は、さらにそれを望む心を生むからです。芸術は機械的労苦では生みだすことはできないから、本当の芸術への需要は知的労働への需要を意味するだろうし、それをたえず望みつづければ、やがてはそれにふさわしい供給を生みだすでしょう。少なくともわたしはそう願っています。

いま話していることは本当に芸術のことを思っている人びとにはよく理解していただけると思います。しかし率直に言って、そういう人は教養ある階級にもめったにいないことも承知しています。認識すべきは、われわれの文明において中流階級は芸術の代わりに贅沢をかかえこんでしまい、ものが見えなくなり下等になったことです。みずから贅沢を後生大事にするあまり、昔の勇気ある人びとの思い出を侮辱し、彼らを嘲っています。なぜ嘲るかというと、われわれが愚かな習慣によって生活必需品だとみなしているけれども、じつは邪魔でしかない代物に、昔の人たちが煩わされたりしなかったからです。いいでしょうか、来たるべき芸術をもたらす準備にとりかかるには、そうした悪弊を一掃し、あらゆる無用の贅沢品（それを慰みと呼ぶ人もいます）を片づける仕事にまずかからなければなりません。そうした贅沢品のせいでわれわれの家はがらくたで一杯になって芸術は息もつまらんばかりになり、〔南アフリカの〕ズールー族の掘っ立て小屋（クラール）や東グリーンランド人の雪の小屋（スノー・ハット）よりも本当にもっと野蛮なものに成り下がっています。

わたしの実感では、多くの人が、思い切れるものならこれにとりかかりたいと切望しています。また芸術には鈍感だと思っているが、華美ながらくたの品々にひたすら当惑しうんざりしている、そんな素朴な人たちがいるはずです。来たるべき芸術を築き上げる端緒は、こうした人びとでないとすれば、せめてその子どもたちからです。

当面は、新しい建設の始まりが明らかになるまでは、せめて偽の芸術の破壊に専念しましょう。民衆が本当に欲しいものを見わける時間も目もない、あるいは買う金もないとすれば、どうしても機械製の代用品にするほかないとは、まったく現代生活の呪いのひとつであることはたしかです。このような怠惰で臆病な習慣によって、機械的労苦と、それがもたらす心身両面のあらゆる奴隷制がはびこります。このような愚鈍さから生まれるのが、取引相手の商人を出し抜きたくてたまらない世人であり、世人を出し抜いてやるぞという商人の決意です（こちらのほうがたいてい成功するのです）。そして近頃イギリスの商人とイギリスの労働者にむけられた（理由がなくはない）数々の嘲笑と軽蔑もそこから生まれるのです。だが商人たちにしても、われわれからだまし取り、そうすることで利益をもたらすような所業を彼らに強いてさせなければ、われわれ自身と同様に正直な人間たちなのです。

偽の芸術を拒む

さて、世人が芸術、すなわち人間がこしらえたものの美点についてなにがしかを知っていたら、その偽物には我慢できないでしょう。そしてもし本物が手に入らないなら、それなしですますことを覚えるだろうし、なしで我慢するのは世間体が悪いなどとも思わないでしょう。

質素な生活は、最低限のものであっても、みじめなものではなく、まさに洗練の基礎です。よく磨いた床と白漆喰を塗った壁、外に出れば緑の木々と花咲く牧草地とさらさらと流れるせせらぎ。それとも煤煙のただなかにある汚らしいお屋敷か――そこでは大勢のメイドが汚れを気づかれないようにと、力を合わせて汚れを塗りたくるのに余念がありません。このふたつの住まいのどちらがもっとも洗練されていて、紳士（ジェントルマン）にいちばんふさわしいか、お考えください。

それゆえ、よろしいでしょうか、本当の芸術を愛することを学べなくても、少なくとも偽の芸術を憎みそれを拒むことを学んでください。お粗末な偽物を捨てることをわたしがお願いするのは、それがひどく醜くて愚かしく、無用だからという理由よりもむしろ、それらのなかにふくまれている毒がうわべに象徴的に表れているからです。そうした偽物を吟味して、それが作り出された一部始終を確認すれば、どんなに虚しい労働と悲嘆と屈辱が最初からそれに付きまとっていたかがわかるでしょう。しかもこのすべてが、だれも本当には必要としないつまらないもののためになされたのです！

なしですますことを学びたまえ——この言葉には効力があります。この力を正しく用いるならば、〈機械的労苦〉の需要と供給の両方の息の根をとめるでしょう。〈機械的労苦〉には本来の仕事、すなわち機械製造だけをさせることになるでしょう。

そうしてつぎに質素な生活から美への憧憬が生じるでしょう。その感情が人間の魂のなかで消え去ることなどありえません。その要求を満たすには、〈知的労働〉が徐々に高まり、〈想像的労働〉となるしかすべがないということをわたしたちは知っています。そうなればすべての「職工（オペラティヴ）」は職人に、芸術家に、人間になるでしょう。

さて、これまで示してきたように、慌ただしい現代〈文明〉は、〈競争的商業〉の十全な発展に欠かせぬ専制的な労働組織をともなって、上下を問わず民衆全体から民衆芸術を見分ける目とそれを作る手を奪ってしまいました——かつてはこの世の最上の慰安となり喜びとなっていた民衆芸術をです。

みなさんにはこれを些末な問題ではなく、悲しむべき不幸と考えていただくようにお願いしました。またこの害悪を矯正する努力をされるようにもお願いしました。それにはまず、〈大地の美〉のうちで、残されているものを細心の注意で保護し、失われたものは奪還すべく精一杯努めること。つぎに贅沢を拒否して、できれば芸術を喜んで受け入れること。あるいは、短い生涯では芸術の意味を本当に学ぶことができないなら、少なくとも人間らしく簡素なくらしを営むこと。それが肝要です。

〈大地における人の営み〉と建築

わたしがお話ししたなかで本当にみなさんに力説してきたのは、〈大地における人の営み〉への〈崇敬〉の念をもっていただきたいということです。過去を過ぎ去ったままにあらしめよ、われわれのなかにいまはもう生きていない過去はことごとく。死者をしてその死者を葬らせよ。だがわれわれをして生者に目をむけさせ、かぎりない勇気と、もちうるかぎりの希望によって、来るべき日々に〈大地〉が喜びなきものとなるのを拒もうではありませんか。

そのためにどのような希望や不安がわれわれの前途に控えているのでしょうか。そう、思い出していただきたいのですが、昔は非常に価値のある芸術が生み出されていたにもかかわらず、〈大地における人の営み〉が当然受けとるべきものの多くを返し忘れてしまいました。われわれが手にした芸術が損なわれているのは、おそらく、このようにおろそかにしたがために復讐されたのでしょう。われわれはといえば、われらの父祖たちが目もくれなかったものを熱心に追い求め、また急ぎの途上で現れ出たように思える他のもろもろを追い求め、そのためにものを見る目がなくなってしまったわけですが、そんなわれわれにとっては、損なわれた芸術であっても往々にして気を紛らすものになるのかもしれません。

そしてわれわれには見えなくなったもののすべてが無価値というわけではありませんでした。むしろそのほとんどは人間の精神に深く根ざしていたものであり、〈大地における人の営み〉の必要な要素なのでした。いまもわれわれにはそれに敬意を払うことが求められています。そして、この知識を他のわれわれが知る知識に加えましょう。そうすればまだ芸術に未来はあります。これを銘記し、質素なくらしのなかで、万人が分かちあえる本当の美に目をむけましょう。そうしてのち、時代は悪くなり、過去の芸術がわれわれに一片の教えも残さなくとも、いつの日か新しい芸術がわれわれのなかから現れます。そしてたとえその芸術が子どもの手になるようなもので、しかも困惑した心をともなっていたとしても、〈大地における人の営み〉へのわれわれの尊敬の念のしるしを、よりよき時代に、われわれのために伝えてくれるかもしれません。愚かな習慣とくだらない贅沢の束縛から本当に自由になれば、やがては真にものを見る目がもてるはずです。そしてわれわれをとりまくくらしの喜びについて多くのことをたがいに語りあえるようになるでしょう。道行く人びとの顔は喜びや悲しみ、希望の表情をうかべ、生きることのすべてを物語るのです。どんなに忙しい人も自然の一端にふれるでしょう。小鳥や獣、それが住む小さな世界。町のなかであっても、頭上の空と行きかう雲の流れ。細い木々をなでる風の手、枝のあいだを抜ける風の声、永遠(とわ)に繰り返される自然の営みのすべて。また家々の近くを通る道路やくねくねと流れる川も、田園の物語を、草原や丘陵に住む人びとの生業（なりわい）を語らずにはいないのです。そうして、自然のあらゆる営みがすべての人間にとってまったくの驚異であった時代にきっと思いをめぐらせます。それでも人は、自然をかくも愛していたので、自然の営みを人の名前で呼び、それに人間のおこないをあてがったのでした。過去の時代の偉業の記憶、そしてあの強力な諸民族の切望の記憶を想起することも幾たびとなくあるでしょう。彼らの死がわれわれの生をもたらし、彼らの悲しみがわれわれの喜びをもたらしたのですから。

どうしたらこうしたものすべてに沈黙していられましょうか。〈芸術〉の声のほかに、いかなる声がそれを語れるのでしょうか。そうした物語を聞いてもらう相手として、〈大地〉で生きるすべての人間のほかに、われわれを満足させる者がいるでしょうか。

これこそが〈建築〉がそうなろうと希（こいねが）うものです。〈建築〉はこのようにして生きていくか、さもなければ死あるのみです。そして〈建築〉を生かすも殺すも、過去と現在のあいだでいま生きているわれわれ次第なのです。

（一八八一年）

（1）このエピグラフ（題字）の出典は十九世紀イギリスの批評家トマス・カーライル（Thomas Carlyle, 1795–1881）のパンフレット『ハドソンの像』（*Hudson's Statue*, 1858）より。

（2）「パラスの列柱に囲まれた庭」はギリシアのパルテノン神殿のこと。また「〈永遠の叡智〉」とあるのはコンスタンティノープルの聖ソフィア大聖堂を指す。後者については「小さな芸術」の訳注（4）を参照。

（3）コッツウォルズ（the Cotswolds）については「最善をつくすこと」の訳注（5）を参照。このあとで言及されているように、モリスはここでコッツウォルズ丘陵の北部、ウスターシャーのブロードウェイ村（Broadway）とそこから見渡せる景色を描写している。

（4）エウガネイ丘陵（Euganean Hills）はイタリア北東部ヴェネト州南西部パドヴァの西に位置する丘陵地帯。

（5）チャーウェル川（the Cherwell）はイングランド中部ノーサンプトンシャーから南のオクスフォードシャーに流れ、オクスフォードでテムズ川に合流する。なお、一八八〇年代半ばにモリス商会で製作されたプリンティッド・テキスタイル（捺染織物）に川のように蛇行する一連の模様があり、それぞれテムズ川の支流の名が取られているが、そのなかに「チャーウェル」もふくまれている（ヘンリー・ダールのデザイン、一八八七年）。

（6）「カール協会」（the Kyrle Society）は、公園やオープン・スペースを獲得し、学習の場を作る目的で、ミランダ・ヒル（Miranda Hill, 1836-1910）とその妹オクタヴィア・ヒル（Octavia Hill, 1838-1912）が一八七〇年代半ばに設立した協会。イギリスのナショナル・トラスト（一八九五年設立）の母体となった。この名称は慈善家のジョン・カール（John Kyrle, 1637-1724）にちなむ。「共有地保存協会」（the Commons Preservation Society）は一八六五年に設立されたイギリス最初の環境保護団体。モリスは一八八一年一月二十七日に開催されたカール協会の最初の公開の会合（於ロンドン、ケンジントン・ヴェストリー・ホール）に出席しスピーチをおこなっている。

（7）グラッドストン（William Ewart Gladstone, 1808–1898）はイギリスの政治家。四度にわたって首相を務めた。六七年に自由党の最高指導者となり、以後保守党のディズレイリ、ソールズベリーと交互に政権を担当する典型的な二大政党政治を展開した。モリスがこの講演をおこなったときは第二次グラッドストン内閣（一八八〇—八五年）であった。

生活の小芸術（レッサー・アーツ）

〈生活の小芸術（レッサー・アーツ）〉のことなどたとえ一時間でも考えるに値しない――そう考える方がこのなかにもいらっしゃるかもしれません。あわただしい時代にあるこの世界の、この高度な文明の真っ只中に置かれたわれわれは、性急で忙しすぎて、深い感銘を与えるわけでもなく、精神のもっとも知的な部分の集中力を働かせるわけでもない芸術形式を考察する余裕などないのかもしれません。

さて、この小芸術（レッサー・アーツ）への拒否反応に対しては、あるやり方といくつかの目的を考慮してなされていると仮定すれば、それなりに一理あるのかもしれません。そうであっても、小芸術（レッサー・アーツ）を拒否する十分な理由はないし、これを拒否するのは社会にとって有害だと思います。それゆえわたしは、小芸術（レッサー・アーツ）の弁護人にして擁護者であると公言してみなさんの前に立つことを、なんら恥ずべきこととは思いません。わたしは小芸術（レッサー・アーツ）をとおして社会に奉仕する者であり、また大いに楽しみつつそれでくらしを立てている身なのですから。

そこで〈生活の小芸術（レッサー・アーツ）〉をどう考えればよいのか、という問題になります。これには賛否両論があると思いますが、わざわざこの点を議論するのは時間と労力の無駄でしょう。そうは言っても、この小芸術はじつは〈生活の大芸術〉の一部であるという持説に同意していただきたいのです。〈生活の大芸術〉については、本音がどうであれ、人前でこれを軽蔑しているなどと言える人は（教養のある人びとのなかでは）あまりいないでしょう。では〈生活の大芸術〉とはいったいなにか。芸術という語の意味はこれを用いる人によって千差万別なので、あえて明確な定義はせずに、人が五感を用いて感情と知性に訴えかけるものを生み出す、その産物こそがわたしの意味する芸術だと言っておきます。あらゆる大芸術は直観的知覚、感情、経験、記憶の複雑な組み合わせ、すなわち想像力と呼ばれるものに直接訴えます。大芸術を扱うすべての芸術家はこうした特質をふんだんに備え、絶妙なかたちでそれらを調和させて創造に用いることができるのです。とはいえ、けっして忘れてならないのは、生まれつき欠けているというのでなく、また不完全な教育、あるいは誤った教育によって損なわれてしまってもいないすべての人間には、ある程度の想像力があり、さらに想像力を適切に働かせる道理もほどほどにわきまえているということです。したがって、彼らもまたこの大芸術の共有者であり、そしてその芸術を極めた巨匠たちも、選ばれた一握りの人間にだけ小声で話しかけるわけではありません。むしろ、彼らが語りかけるにふさわしい聴衆とは、正しく健全に発達したすべての人間です。だがご承知のように人間という種族には、あまり文明化されていない場合であっても、共同体の組織された労働によって満たさねばならない数多の必要物があります。父から息子へ、世代から世代へと、ほとんど神秘的ともいえる熟練の技をもつ集団が成長し、生業をつづけるための道具を作ることでその技を磨いてきました。だから、大芸術の巨匠たち［の作品］を受容する人びとの大部分も、おなじようにものづくりに努めてきたのです。ただし、より高い技術の人びとだけが、人間の精神的な欲求を完全に満足させるためにものを作っており、技術がより低い人びとはと言えば、肉体的な要求を満足させることをまず意図してものを作っていたのです。これらの肉体的要求はすべて、理屈のうえでは、想像力の発現や芸術の働きなしに満たせるのかもしれませんが、しかし容易に推測できるように、それではすまなかったことを歴史が語っています。ものを作ることに熟練した手をもつ人間は、作っているあいだも考えざるをえず、その器用な手先が自分たちのもつれた思考のいくばくかを表現することができること、またこの新たな喜びは日常の仕事を妨げはしないことを、すぐに察知しました。なぜなら、彼らの思考を体現しうる素材はくらしを立てる労働そのもののなかにあるからであり、かくして彼らは働いたけれども、強いられてではなく、多少は自身の喜びのために働き、労苦の呪いを克服したからです。彼らが人間であったからこそです。

したがって、ここでわれわれには二種類の芸術があることになります。ひとつは、本質的に精神的なもの以外に必要とせず、物質的あるいは身体的な必要は副次的でしかない芸術。もう一種は、物質的必要によって生み出されるのだが、魂が切望することをも同様に承認せざるをえず、完成にむけての努力の刻印を受ける芸術です。

もし事実がわたしの述べたとおりであれば、それらは小芸術(レッサー・アーツ)であっても、分別ある人たちが注目するのに十分値するものなのです。そして小芸術(レッサー・アーツ)を見下す連中がそのように見下すのは、その芸術の内実について無知だからか、あるいは彼ら自身がなんらかの点で文明の敵だからです。文明の法(ア)の外にいる者か、さもなければ文明を腐敗させる者であるか、そのどちらかなのです。

芸術を拒む者たち

文明の法の外にいる者とは、わたしが最初に述べた人のことです。生活の芸術を拒絶する連中がいまも昔もいます。これらの拒絶者たちに共感はできませんが、その拒否の根拠については少なくとも理解はできるでしょう。文明のいつの時代にも、つぎのような言葉で表現できる原則にもとづいて行動する人、あるいは行動しがちな人がいました。すなわち、「世界は苦痛である労働に満ちており、貧乏人は金持ちのためにあくせく働き、ずっと貧乏から抜け出せない。この状態に対しては、とにかくなすすべがない。われわれはそれを改めることはない。しかしわれわれも、そのことによってゆたかになることはかなわないのであり、最悪の境遇にいる同胞よりましだということはない」というものです。

そう、キリスト教の修道士であれ、仏教の苦行者であれ、古代の哲学者であれ、これは芸術を拒む僧侶のお決まりの言いぐさでしょう。そうした人はまちがっていると思いますが、敵とは呼べません。しばしばわたしはこんな思いにとらわれます。「芸術の沃野にはびこる雑草の実体を明らかにし、最後にそれを焼き尽くしてしまうために、そこをしばらく休閑地とせざるをえない――全世界がしばらくの間そうなってしまうのかもしれないが」と。

ディオゲネスの樽に住む人びとを、わたしは少なくとも尊敬はします[1]。じっさい、なんだかんだいって樽というのは住みかとしてそう悪くないでしょう。そばにプラタナスの木と澄んだ小川があり、日々のパンとタマネギにありつけるのなら、十分に生きていけます。なにしろ、それよりひどい家で、家賃が年に七百ポンド〔いまの二千万円ほど〕もする代物をわたしは見てきたのです。いや、本当にそうなのです。ディオゲネスの樽に詰め綿入りのくすんだビロードを張り、ガスの照明をつけ、人を使ってその樽をぴかぴかに磨かせ、毎朝決まって牛乳屋、パン屋、肉屋、魚屋を配達や御用聞きに来させる——これはまことに皮肉（シニカル）[2]な住まいというべきで、褒められたものではありません。もしも〔その手の〕芸術を拒むことに言い訳が立つとするなら、それはわれわれが人間以下であることに満足しているからではなく、人間以上の者になることを望むからにちがいないのです。

　というのも、すでに述べたように、芸術を拒む者たちのなかには文明を腐敗させる連中がいるからです。じつは、彼らは芸術の一切を拒絶しているわけではありません。彼らは芸術を食い、飲み、身につけ、おのが威光をいや増すための従僕として、そして金をつかまえる網として使うのですが、芸術を学ぶことも芸術に関心をもつこともまったくないのです。彼らは、自分の物質的欲求を満たすかぎりでは芸術を最大限利用し、物質的満足を生み出すための労働をかぎりなく増大させますが、労働を我慢できるものにするために救いの手をさしのべはしません。そして彼ら自身も、無目的にあくせく働く群衆の一部にすぎないのです。なにしろ彼ら自身も人類の増殖のために無尽蔵の精力で働き、そうして大勢の人びとを不幸にしているからです。だから生来粗野で乱暴、かつ不誠実で、人間味を欠いた彼らを憐れむことにしましょう。だが、憐れむにしても、彼らに抗おうではありませんか。

というのも、じつは無自覚にそうした害をなしているのであっても、彼らは迫害者だからです。芸術の迫害者であり、それゆえ民衆の迫害者でもあります。芸術だけが素朴な人びとの生活に慰安をもたらせるのであり、民衆にはその慰安を得る権利があるのですから。さて、こうした連中は個々人として、あるいは集団として、この世界では金持ちで力があります。連中は目下文明を支配しています。だから、彼らの誤りが無知によるものでないとするならば、この過ちを目の当たりにして嘆く者たちには、禁欲主義者とともに文明をすべて拒否するほかに選択の余地はないでしょう。しかし、連中は知らず知らずのうちに道を誤ったのだから、彼らの迫害に抵抗するには、たんなる文明の拒否よりももっとましな方法がおそらくあるはずです。現代の俗語で〈俗物（フィリスティン）〉[3]と呼ばれる、民衆の迫害者に抵抗するのに、修道士や苦行者の方法以外になかったとしたら、悪に対して目が開かれている誠実な人はみな、その方法を選ぶしかすべがなかったでしょう。だが抵抗の方法はほかにもあるのです。これを市民の方法と呼ぶことをお許しいただきたい。文明人が必要だとみなすようになったもの、概してそれなしでは困るものを供給するためには、大量の労働が費やされる。その労働の多くは苦痛で抑圧的なものです。しかし、良識ある人が目をむけさえすればすぐわかるように、現在の世界の苦痛である労働が以前よりずっと多くなっているがゆえに、現在そのような労働は本来必要とされている以上に多く、そして将来はもっと増えるということは明らかです。そこで、望ましい時間を増やし、苦痛である労働を減らすようにするために、われわれになにができるでしょう。それにはふたつあります。第一に、物質的な欲望を不必要に増大させないように慎むこと、第二に、われわれにかかわるすべての労働に、希望と喜びの要素を導入するように最善をつくすこと、これであります。思うにこのふたつは、〈俗物(フィリスティン)〉からの抑圧に対する市民の抵抗の基礎とすべき原則なのです。なるべく少しのものですますこと。そして、それらのものが、できうるかぎり奴隷ではなく自由人の手になるものとすること。このふたつが、自由かつ品位のあるくらし、他者に役立ち、自身にも喜ばしいくらしを送りたいと願う人びとがはたすべき主たる義務であると思います。

さて、明らかなことですが、これらの義務をはたすためには、人間の物質的必要を満たす生活の芸術に積極的に興味をもち、それについてある程度知る必要があります。そうすることで奴隷の仕事と自由人の仕事が区別でき、またくらしを快適にする必需品だとして供される品物のなかで許容できるものと拒むべきものを見定めることができるのです。わたしが〈生活の小芸術(レッサー・アーツ)〉という言葉を演題にしてみなさんの前にいるのは、この必要な知識の小さな断片をお示しして、みなさんのお役に立てていただきたいからです。話すことができるのはむろんわずかですが、ひとりの職人として、あるいは深く興味をいだいている観察者として、ある程度は知っているはずのことを話すつもりです。そのために本当に率直に、気づかいも愛想もなく話すことをお許しください。

おわかりのように、日常生活に必要な品物を芸術作品とすることが可能であるばかりではなく、そうしていない文明にはなにか誤りがあるということ――これがわれわれの立脚点です。われわれの住宅、衣類、家具や台所用品が芸術作品でないとすれば、それは粗末な間に合わせの品物か、もっと悪いことに、比較的ましな品物のひどい擬(まが)い物であるかのどちらかです。

さらに言うならば、こうした品物が芸術作品だとみなされるようになるためには、仕事の性質上どうしても必要なこと以外には機械を介在させず、人間の頭脳によって直接導かれた手わざの明らかな痕跡を示すものでなければなりません。

また、日用に供されるこれらの品々を作るために使われる技法（アート）は、どのようなものであれ、扱う素材から自然で無理のない方法で導き出されたものでなければなりません。そうすることで他のいかなる素材からも生みだせない結果が得られるでしょう。もしこの法則を破れば、作り出すのは芸術作品ではなく、取るに足らぬ玩具にすぎません。

最後に、自然をそのあらゆるかたちで愛することが、いまわれわれが考えているような芸術作品の主導的な精神でなければなりません。手を導く頭脳は健康で希望にあふれ、われわれ自身の日常の環境に鋭敏でなければならないのです。また過去の芸術に影響を受けるのであっても、生気を帯びて成長しつつある芸術、未来に目をむけた芸術を実践する人にとってふさわしい程度に留めるべきです。

これらの原則を心に留めておくようみなさんにお願いしながら、ここでわたし自身の専門である〈小芸術（レッサー・アーツ）〉について概略を述べることをお許しください。

建築芸術

ただし、最初に述べておくべき芸術の一部門があります。それは人の物質的必要に仕えるものであり、そしてそれゆえに、純粋に精神的な芸術と、物質的な部分もある芸術との前述の区分に従って

〈小芸術（レッサー・アーツ）〉のひとつと考えるべきなのですが、その語源から察するに昔はそのようにはみなされていなかったものです。というのも、それは〈建築（アーキテクチャー）〉と呼ばれてきたからです。ですが、それは、より地位の低い（レッサー）芸術、すなわちより物質的な芸術を蔑む人びとからじっさいに非難を受けてきた部門なので、それを〈小芸術（レッサー・アーツ）〉のひとつとみなすことをお許し願いたいのです。

さて、世界全体とあらゆる時代について述べるならば、他の諸芸術が建築なしでは存在しえないというのは正しくありません。なぜなら、規模が大きい重要な民族のなかでも、家に住まずに天幕に住んでいるので厳密にいえば建築をもたないが、けっして芸術を欠いているわけではない民族が昔もいまもいるからです。

それにもかかわらず、こうした非建築的な民族（中国人をその典型としましょう[4]）は芸術に関する一般的な熟練した技術をもたず、精神を芸術に注ぐよりはむしろそれを弄（もてあそ）んでいるように思えます。ヨーロッパ、あるいはアーリア系の職人の（良き時代の、と限定しておきますが）仕事はトゥラン人〔＝アジア人〕の職人のものと比べるならば不器用なものでしたが、彼らの作品には真摯さとゆたかな意味があり、芸術作品としてそれは中国や日本の器用さをはるかにしのぎます[5]。そしてこの真摯さと感情の深さこそがまさに、われわれの日常生活のことがらに関わってくるとき、その身体（からだ）の部分がなんであれ、じつは建築の魂となるのです。だから、われわれ現代ヨーロッパ人自身のあいだにおいては、他の諸芸術の存在は〈建築〉という芸術と固く結びついているということをなおも主張したいのです。念を押すと、今日わたしがほかになにを言うにしても、われわれは見事な建築群を有していて、それをわれわれの小芸術（レッサー・アーツ）で装飾せねばならないということをわたしは前提としている、そう考えていただきたいのです。というのは、この建築芸術は真の民主的な芸術であり、人間がくらす大地の申し子であり、そこでの人間のくらしの表現だからです。わたしが〈社会〉に対して要求するのは、つぎのような立場にほかなりません。すなわち、見事な建造物の実例に敬意を払うこと、その歴史の継続性を理解して保護することをみなさんに呼びかけることで、あらゆる芸術の、あらゆる陶冶（とうや）の源泉そのものを守ることです。

さて、建築というこの高貴な芸術について、その詳細をひとつの主題のほんの一部分として話すような無礼なまねは避けたいと思います。建物を建てる技法（アート）という狭い意味でもそのように論じたくはないのです。広義の建築とは、品位のある幸福な生活を営むのにふさわしい設備をすべて備えた建物を生み出す芸術を意味するものと考えます。わたしがもっと詳しく語らねばならない芸術は、その観点において考えられる〈建築〉の一部、それも比較的小さな部分です。しかし、そうした芸術〔小芸術（レッサー・アーツ）〕が注目に値するのだと結論づけたいま、これらについても語るべきことが数多あるので、今晩のわたしの話は、当該の主題にみなさんの注意を引きよせるための、たんなる手がかりでしかないのだと理解してください。

そこで、これらの芸術（アーツ）あるいは技術（クラフツ）にかんするいくつかのヒントを示してみましょう。陶芸とガラス工芸、織物とそれを支えるのに欠かせない染色。布地あるいは紙に模様をプリントする技術。家具製作。そしてまた、被服芸術についても――これについては怖々（こわごわ）とではありますが――ひと言述べたいと思います。これらのうちのいくつかはまさしく小芸術(レッサー・アーツ)です。ご存知のとおり、これらの芸術についてたまたまわたしは実践面でいくばくかの知識を有しておるものですから、それでこれらについていまからあえてお話しする次第です。

陶芸

まずは陶芸から。小芸術(レッサー・アーツ)のなかでも最古のもので、世界じゅうにあり、(住宅建築は別として)最重要の工芸であるのかもしれません。そしてまた、多少なりとも歴史的見地からの考察を推奨できるような工芸でもあります。というのは、焼き物は表面に耐久性があるので、家庭用芸術としては古代や古典時代からのあらゆる実例が残っている数少ない工芸のひとつだからです。

さて、すべての民族は、たとえ野蛮な民族であっても、焼き物を作ってきました。ときにそのかたちはだれの目から見ても優雅であり、ときに優雅さのうちに荒々しいグロテスクさが混じっています。とはいえ、だれもがそれを過(あやま)たずに正しい原則にもとづいて作っていたのであり、かたちを醜くしたり下品にしたりはしませんでした。ただし近代に入ると話は別です。醜い陶器の製造は、われわれの文明の極め付きの発明のひとつだと言わねばなりません。

あらゆる民族は、芸術へのなんらかの才能をもっており、つぎのことを素早く見てとりました——すなわち、ごくありふれた土製の器を作るのにも美しいかたちを生みだしうること、そうした器に手早くそう苦労せずにゆたかな装飾をほどこす余地が豊富にあること、そしてなにものにも妨げられることなく、装飾のかたちに歴史や伝説を表現させることができること、これであります。この芸術を好んだ古典古代の民族は、建築作品の場合であれば芸術的基準を厳格にして形状描写を完璧にするように強く要求したのでしたが、こちらのほうではその厳格さをゆるめました。大量に残された第一級の壺絵からは、ギリシア芸術の全盛時代には素描の才にすぐれ熟練した人間が驚くほど多くいたことが、ある程度推測できます。そうした壺は、暴力と無関心の二十数世紀ののち、大半は墓から掘り出されて、博物館にいまも保存されています。

このギリシア人の科学的で熟達した仕事と並び立つものとして、そうした仕事の最初期のものよりももっと昔の時代に、エジプトとユーフラテス川流域で、これとは異なる形式の芸術の営みが始まっていました。それはデザインの質では最高の完成度とは言えませんが、技術においてはさらに精巧であり、その精巧さはおそらく、多様で深みのある色彩とゆたかな装飾への切望に迫られて実現したのでしょう。古典古代文明の諸民族〔古代ギリシア人やローマ人など〕の場合はこうした切望に強く動かされることはありませんでした。なにしろ彼らは形態に精通していたので、色彩を洗練させることにはほとんど無頓着だったのです。この〔エジプトとユーフラテス川流域の〕芸術にはもうひとつ興味深い点があります。東洋で花開いた陶芸のあらゆる偉大な流派がそこから生じたという事実です――特別で独特な中国の仕事は別ですが。

この中国の製陶術は、これまで考察してきたものよりも時期的にはるかに遅れて発展したものではありますが、第三種の陶芸としてここで注目しておきましょう。(6) おそらくこの独特さは、その土地独自の材料を利用したことに加えて、繊細な手わざとかぎりない忍耐力を有する中国人職人特有の性向に由来するのでしょう。

英国もふくめて中世の北方ヨーロッパも、他の素朴な民族と同様に、土着の陶芸なしにすますことはできませんでした。しかしその出来栄えはとても荒削りで、平凡極まる家庭用の目的に使われるものであり（ある種のタイル作品はつねに例外としますが）、迷信のおかげで保存されたギリシア陶器とはちがって、保存されることはなく、ごくわずかの品しか残っていません。わがゴート人の父祖たちは、轆轤を使う喜びと、粘土を風変わりで楽しいかたちにする能力と、奇抜な創造性を共有していたはずですが、それを示す証拠がそのためにほとんどないのです。だがそうした力は、ほとんどどの時代のどの場所でも共有されていたものであり、この荒削りの工芸はわれわれの祖父の時代くらいまでは村の芸術として生きつづけてきました。芸術の古くからの真の原則にもとづいて、自意識など微塵もなく素朴な仕事ぶりだったのです。いわゆる教養人がたんなる流行でつかまされた気まぐれで空虚な製品と並べてみれば、その良さがわかるはずです。

ほかの多くの芸術も同様なのですが、ここで語る余裕はありません。これらの芸術の様式のどれひとつをとっても、それじたいすぐれたものでした。その一般原則を説明するならおおむねつぎのようになるでしょう。

一、器はその目的にかなう有用なかたちでなければならない。

二、そのかたちは、粘土の可塑性と加工のしやすさをいちばんの強みとして示すものでなければならない。つまり輪郭線は流麗であるべきだが、優雅さを求めすぎて弱々しい倦怠感が表れないように注意しなければならない。

三、表面全体が陶工の腕前を表すようにし、それを粗悪な道具で仕上げてはならない。

四、表面のなめらかさと高度な仕上げは、軽んじてはならぬ性質であるとはいえ、それを自己目的とすべきではなく、装飾特有の気品を得る手段として求めなければならない。

五、並の原料を用いれば装飾もそれだけ肌理（きめ）が粗くなるが、だからといって装飾を減らしてはならない。反対に良質の原料を使った器のほうには装飾を控えめにするのがよい。というのは、良質の原料の場合、装飾のすべての部分が細密なものとなってしまうためであり、またそれは総じていっそう注意が必要だからだ。

六、容器を作るときと同様に、表面を飾るときにも工人の手わざがつねに見てとれなければならない。必要な道具と必要な顔料を敬うべきであり、それにはすばやく迷いのない手際を要する。優美さを出しうるのであれば、どんな困難にぶつかろうとも、それを得るために努めなければならない。そうした困難があるからこそ、もっと楽な芸術――いわば仕上げの工程でもっと多くの手間と根気が望まれる芸術――に比べて優美さがいっそう霊妙で喜ばしいものとなる。

以上が、進取の気性に富んだ時代の陶芸の主導原理であったとわたしが考えるものです。これが文明国でそうでなくなってきたのは、いわゆるルネサンスがもたらした胴枯れ病（ブライト）〔破壊の要因〕の時代の後期のことでした。説明の都合上、周知の歴史についてもう少々述べたいと思います。

われわれ北ヨーロッパの陶器は、おそらく古典古代の作例をまったく参照せずに作られた非常に素朴なものであったことは、先に述べたとおりです。自然のままの粘土で成形され、必要に応じて塩や鉛などの透明な釉薬（ゆうやく）がかけられました。表面の装飾は別の淡色の粘土を使い、ときには釉薬をかける前に金属酸化物でさらに彩色されました。十四世紀から十五世紀のあいだに、前述のようにエジプトとユーフラテス川流域を起源とするより完成度の高い作品が、ムーア人支配下というかアラブ人支配下にあったスペインなどの西欧と東洋との交流地を通じて南欧に輸入されました。現在マジョリカ焼(7)として知られるこの焼き物は、陶器本体に不透明な乳白色の釉薬をかけ、酸化物の顔料で彩色されています。奇抜な工程で金属状にして、不思議で美しい光沢のある色彩をもたらしているものもあります。

この技法（アート）は急速にイタリア全土に広がり、短い期間その地で制作されて大成功を収めましたが、北方ヨーロッパ諸国にはあまり採用されませんでした。北方のほとんどの地域では、昔ながらの鉛と塩の釉薬の焼き物が作りつづけられていました。これはケルン焼(8)として知られており、フランスとドイツの境界地域に粗い製法として現存してはいるものの、あまり長続きはしないのではないかと思います。せいぜい亜鉛鍍金（めっき）をほどこして古陶器を装った現代の製品として生きながらえるのが関の山でしょう。

イタリアがマジョリカ焼ですぐれた作品をなおも生産していたとき、ルネサンスはまだ大いに光輝を放っていました。しかし、もうひとつの東洋の芸術の形態がヨーロッパの陶芸に侵入したときまでには、その栄光の最後の光は消えていたのです。その愚かしい時代は、われわれの陶芸に残されていた純正な芸術をことごとく破壊してしまうために、中国製品が手近になかったとしてもおそらく別の手立てを見出したことでありましょうが、結局これが手立てとなって、この工芸をまるごと台無しにしてしまったのです。輸入された中国製品〔磁器〕は、概ねペルシア産やダマスカス産、あるいはグラナダ産にずっと劣るものだったとはいえ、大半がそれなりに純正な芸術作品であったのはたしかです。とはいえ、じっさいにわれわれの父祖をとりこにしたのはその芸術性ではなく、もっと通俗的で物質的な性質でした。中国製品の素地の白さ、釉薬の硬さ、絵付けの巧妙さ、その結果として得られる繊細さというかむしろ贅沢さといった特徴をこそ、十八世紀の〔西欧の〕陶工は躍起になって模倣しようと努めたのです。たしかに中国人が手がけたそれらの特徴は価値あるものではありました。仕上げは巧みだし、デザインもゆたかで、想像力には欠けるものの奇想が凝らされています。要するに、小ぎれいな玩具を作ることにかけては天性の才がある。だがそのような可憐さは、わが民族の良き職人にはほとんど資するところはありませんでした。なにしろわれわれの職人たちは熱意にあふれ、せっかちで、想像力がゆたかであり、ふざけるときでさえいくぶん憂鬱気味というか、むっつりしたところがあり、口にする冗談ですら裏の意をふくみ辛辣なところがあります。雇い主にそれがわかっていたら、玩具作りなどさせずに別の仕事にむかわせるべきでした。

そう、しかしいま述べているその時代には、職人は便利な機械としかみなされていなかったのであり、この機械はその時代のでたらめな気まぐれにかりたてられて、マイセン、セーブル、チェルシー、ダービー、そしてスタフォードシャーといった土地でまことに情けない一連の芸術作品を生産したのでした。そのなかでもセーブル産は、醜悪でもっともひどいものではあるまいか。マイセン産は（その最悪のものは）野蛮極まりなく、英国産は、それほど醜くはないかもしれないが、もっとも愚かしい産物です。

以上、様式なき無秩序状態が蔓延する現代にいたるまでの陶芸の歴史をかいつまんで述べました。現状は前世紀〔十八世紀〕ほど絶望的なものではありません。というのも、現状は自分たちのしていることが正しいのかまちがっているのか、いささかおぼつかない様子を示していて、それは生命のきざしであるかもしれないからです。一方で、芸術の問題について言うならば、陶芸はそのすべてが芸術作品であるべきなのに、おびただしい量の商業製品を製造してはいても、本当の意味ではほとんどなにも生みだしていません。事態のこの気の滅入る側面については詳しくは述べませんが、その改善策をどう講じるかについては、ともに考えていただきたい。それは、製陶場の指導的地位にある多くの優秀で公共心に富む人びとが知恵をしぼるべき問題だと思うのです。

さて、最初から明らかなことですが、このような人びとが率先して実行するわけがありません。芸術を大事に思っているわれわれみなが、陶芸を生業（なりわい）としている彼らに対してまっとうなものを要求することによって、そしてわれわれの要求をはっきりとわからせることによって、彼らを手助けしなければならないのです。それは、私見では以下のようにすることですが、これは先に述べた芸術の諸原則を別の言葉で言い換えたものにすぎません。

第一に、どんな器でも、轆轤（ろくろ）成形、もしくは手びねりでやれるなら、鋳型成形を用いてはならない。

第二に、いまの習わしでは仕上げは旋盤でおこなわれるが、そうではなく、すべての器は轆轤で仕上げること。陶工の手が入った器の表面が機械によって削り取られるのがわかっていたら、良質の職人に働いてもらうことなど望めるはずがない。

第三に、第二の原則に付随することとして、陶器には極度の精密さを求めてはならない。とりわけ安価な焼き物にこれが当てはまる。職人としてそれなりの仕上げは必要であるにせよ、その仕上げ方は器の性質に釣り合うものでなければならない。現在われわれが陶器から得られるのは機械的な仕上げであって、職人の仕上げとは言えない。機械的な仕上げは安直に得られますが、職人の仕上げを得るのはむずかしい。一方は経営体制の問題であり、他方は働く人びとの不断の思考と努力によるものです。後者の場合には、彼らはまさしく芸術家となっているのです。

第四に、陶器の表面装飾については、転写絵付（プリント）は禁物である。陶器の絵付の他の問題に立ち入ると、簡略に述べても優に一時間以上かかってしまうのですが、指針となる原則がひとつあります。この原則を守れば万事うまくいくが、従わないと確実に道を誤るでしょう。これはすべての小芸術（レッサー・アーツ）に共通します。すなわち、自分の用いる素材を考えよ、という原則です。絵付に用いるものは陶芸用以外のものを使ってはなりません。これを守らなければ、どんなに優秀な図案家であっても、その特別な芸術を大事にしていないことになります。古代ギリシアの壁画と陶器の絵付をおなじとみなすことはできません。おなじではないことを示す証拠がたくさんあります。あるいはペルシアの芸術から別の例を挙げるなら、それに精通している者ならデザインの輪郭線をトレースすることで、それが陶器の絵付けに使われたのか、ほかの製品用なのか簡単に見分けがつきます。

第五に、これが最後のポイントですが、みなさんが陶工にこのような品質を求める場合、あるいは良かれと思ってそれが得られるまでしばらく買い控えをするのであっても、その陶器を購入するためにいまよりもずっと大きな金額を支払う心構えが当然できていなければならない。たとえ荒削りの作品しか得られないのであってもそうです。それでみなさんが大して損をすることにはならないはずです。みなさんが所有する陶器の数は減るにせよ、そのぶん割ってしまう数も減るわけです。作り手の収入もいまと変わらないでしょう。

ガラス芸術

さて、つぎは同類の芸術たるガラス器の製造についてです。これは土台が陶芸とかなり近い。われわれの時代にいたるまでは、ガラス器で醜いものや愚かしいものが作られたことはありませんでした。この芸術の可能性を考えれば、それも不思議ではないのです。すぐれた職人が扱えば、溶解ガラス（メタル）はまさに生命を帯び、言ってみるならば、彼にきれいなものを作らせるよう誘いかけるのです。不運な人間をつかまえて、彼に鋳型をもたせてガラス製造をさせるのは、金目当ての業者だけです（大体その鋳型にしても、風景式庭園の技師[9]がデザインしたものの二番煎じにちがいありません）。醜いガラス器ができあがるのは、こんなやり方をするからにほかなりません。このような愚行を改めるには、大量生産による寸分の狂いもない規格品を要求するのをやめるしかありません。まじめな話、わたしが良質のガラス器を作ってもらうなら、腕のいい職人を何人か集めて、望みの容器の高さと容量を伝えます。形状については大まかに希望を述べるでしょうか。あとは彼らにまかせて最善をつくしてもらう。それから徐冷炉（じょれいろ）から出てきたガラス器を選り分けて（さぞや楽しいことでしょう）、いちばん出来のよいものに高値をつけます。それだけの値打ちがあるからです。いちばん不出来のものであっても悪い品物ではないはずです。

ガラス製品を語るにあたってわたしが考えているのは、当然ながら手作りの吹きガラスのことだけです。鋳込みガラスと切子ガラスは商業的な価値があるかもしれませんが、芸術的価値はもちえません。

ガラス器の原料というのが肝心な点です。現代の経営者はガラスを無色にすることに腐心してきましたが、それをうまくやりおおせたとは思えません。冷たく青みがかった色合いになってしまっている。しかし、いずれにせよ目的がまちがっているのです。かすかな色合いが溶解ガラスの強みなのです。かすかな斑点や縞が出るのも同様に強みとなります。こうした特徴があるおかげで、かたちがはっきり見えるからです。現代の経営者は躍起になって、ガラスからすべての色彩を取り除こうとしてきました。容器用に斑点や縞がまったく見えないようなガラスを得ようとしてきたのです。じっさい、彼らは溶解ガラスからその特性をすべて取り除こうと努め、それをやりおおせたのです。十七世紀のヴェネツィアのガラスは斑点も縞もあるし、目に見える色もついているにもかかわらず、世界中で称賛を得ています。それなのに連中はそんなことをしたのです。このヴェネツィアのガラス、ムラーノのガラスはきわめて繊細な形状で、飾られることと使われることとが同時に意図されていたのはたしかです。職人たちが溶解ガラスのさらなる機械的な完成度を上げる必要があると考えていたとしたら、それを試みて成功していたことでしょう。だが彼らは本物の芸術家の例に漏れず、自身の特殊な工芸の目的にかなう原料が確保できればそれで満足し、望みもしないものをあえて求めたりはしませんでした。そして、もし低価格で買える日常の食卓用のガラス器を彼らが作っていたとしたならば、そういう品は破損の危険が増すので、容器を厚めにせねばならず、優美さが減じるのであっても、いつもより質の劣る溶解ガラスを使うことで満足したにちがいありません。このようなものづくり（マニュファクチャー）はいまだ再開されないままにとどまっていますが、それがなされるのをわたしは心から望んでいます。ただし、あくまでそれはマニュファクチャーであるべきです。[10] つまり手によってなされるべきであり、機械によってなされるものであってはなりません。その機械が人間のことであろうが、そうでなかろうがです。

ごく簡単ではありましたが、〈小芸術（レッサー・アーツ）〉にふくまれるふたつの重要な芸術についてはこのくらいにしておきます。お茶というものが導入されて以来、ディオゲネスにとってさえ、これらは有用なものであると認めてもらわねばなりません。わたし自身の経験ですが、急場しのぎで錫（すず）製のマグでお茶を飲んでみたところ、じつに不便であることがわかりました。角（つの）製の容器はもっとひどいものでした。だから陶器とガラス器は必要なものであり、教養ある識者が知恵を絞ることによってのみ醜い製品が出来上がるわけなので、わざわざその方向に進んだりはしないように願います。同時にわたしにはよく理解できることですが、陶器もガラス器もこのようにまともな作り方をするのであれば、消費者が払うべき代価はいまよりもずっと高くなります。しかし資本家にとっては、製造所の維持運営の経費が多くかかるのでその分儲けが減ることになります。このどちらも、社会にとっては益するところが大であるとわたしには思えます。

織物芸術

つぎに語るべき工芸は〈織物〉です。ただこれは平織（ひらおり）の生地を織るということにかかわる機械的な作業が多くを占めるので、陶芸やガラス工芸に並ぶほどの芸術とは言えません。この平織について言うべきことは、われわれは便利さに流されて粗末な生地を多く織物業者に作らせているのが現状ですが、それはなるべく減らしたほうがよいということ、それゆえに良い素材を使ってしっかりと織られた良質の織物を要求すること、これに尽きます。この工芸のもうひとつの側面は、模様を織り出す紋織（もんおり）にかかわります。これは機械的に織られるものと、すべて手作業で織られるものとに下位区分されます。

このうち前者の機械による紋織については、その面白味は機械的であるという事実によって限定されます。その織り方はわずかな例外をのぞいて何百年ものあいだほとんど変化しなかったからです。ジャカード機[11]を使って縦糸を上げるとか、蒸気力により杼（ひ）〔シャトル〕を投入するとかのわずかな変更は、影響がなかったとまでは言えませんが、この工芸にそれほど大きな変化をもたらさなかったはずです。他方で、機械的ではあってもそこで生み出された美しい織物は、芸術家が無視できないものであり、人間の創意工夫の才と美に対する愛とがそこに歴然と織り出されています。また、わたしは、紋織職人が織るに値する織物にとりかかっているのであれば、この機械的な作業を退屈な仕事だとは言いません。まるで魔法のように日々成長する織物を見守り、それが織機から外されて、周到に織りなされた美しい模様を表側から見られるようになるときを心待ちにすること、数組の絹のようなウール糸から長持ちする美しい織物を作り出すことは、不愉快ではない生業(なりわい)であるようにわたしには思えます——心地よい場所でくらしながら働き、労働時間も長すぎず、本の一、二冊が手にできるという条件が満たされさえするのであれば。

とはいえ、これは明らかに機械的な仕事ではあるので、わたしに語れることはあまりありません。今宵は、これを作り出す際のデザインの問題には立ち入らないからです。つぎのことぐらいまでは言っておいてもよいでしょう——すなわち、近年織物のデザインの質が低下しており、デザイナーはつまらない目新しさ、変化のための変化をもてあそぶようになりました。花模様を織るのに、絵筆で描いたかのように、あるいは場合によっては版画家がビュランで彫ったかのように見せようと腐心しているのです。このことは、デザイナーたちに数多くの厄介なことをもたらしました。点や縞や畝模様等々で織布を痛めつけるために彼らの創意を費やすように強いただけでなく、この工芸の肝心な点を台無しにしてしまいました。その存在理由(レゾンデートル)まで破壊したのです。陶器の絵付けとおなじことが紋織についても言えます。つまり織るという作業だけで模様をつけるべきであって、それ以外のことをしてはならないのです。そして、この目的にかなうように、みずからのデザインを輪郭だけで、みずからの望むがままに丹念に、だが単純に織るべきです。デザイナーは杼で自由に線を引くのではなく、精密な直線のモザイク状に模様を組み立てるのです。このことをデザイナーが肝に銘じて、自分の扱う素材を無理強いして袋小路に押し込めるようなまねをしなければ、織手は織物を作り出すことにたっぷりと喜びを得られることでしょう。そして、他のいかなるものよりもこの織物という工芸において、デザイナーは（色彩感覚が優れているならば）誤りを犯す可能性が低いのではないでしょうか。さらに言えば、経糸（たていと）と緯糸（よこいと）の釣り合いを正しくとるように注意すべきです。経糸はいわば織物の身体です。その経糸がまとう衣裳にあたるのが緯糸というわけですが、その緯糸の見栄えをよくするために経糸を飢えさせてはなりません。近頃では小利口なデザイナーがこれをやり過ぎてしまう。織物を機械織ではないように見せかけたり、あるいは粗悪な織物に腰があるように見せかけたりします。そんなまねは言語道断です。よくおちいりやすいおなじような誤りがもうひとつあります。それは今日の小芸術（レッサー・アーツ）全般に共通して見られる過誤であり、機械が発達しすぎて経営者が気を緩めてしまったことで大いに助長されてきたことだと思われます。わたしの念頭にあるのは、粗末な材料を用いて、見かけだけは繊細で上等の布地を作ろうとする流儀のことです。職人としての真の天分を備えた者であったら、そうした所業に手を染めるのは禁物です。これは商売上の不正直になるのではないかと思えることもありますが、それにはあたらないのであっても、芸術としてはたしかに不正直になってしまうのです。他のすべての工芸と同様に、織物工芸においても、質の劣る材料は目の粗い布地にだけ使うべきです。それであれば、上等な材料であるふりをせずに用いることができるのです。この点をただちに同意してもらわねばなりません。さもなければこれらの工芸において、芸術がすべて（いわゆる）商売に堕してしまうことになります。

機械による紋織についてはこのくらいにします。その存在理由（レゾンデートル）は、厚手か薄物か、目が詰んでいるか粗いか、高価か安価かにかかわらず、いかなる織布であっても、想像力を働かせて美しいものにしうるという点にあります。どんな織布でもなんらかのやり方で模様を織り込むことができるのです。しかし、ある種の厚手で目の詰んだ、非常に高価な布地に限定されると、機械と明確に呼べるようなものはもはや不要となります。せいぜい経糸をぴんと張るための重い緒巻き（ビーム）を支える枠があればよい。その工程は純然たる手仕事になります。経糸の織度（せんど）［太さ］にしたがってやりたいことを進めればよいのです。これらが絨毯織とタペストリー織の条件となります。ここでいう絨毯とは、太古の昔から東洋で作られてきたたぐいの本物の製品のことであって、ジャカード機などの機械で作られた間に合わせの模造品のことではありません。

絨毯織の芸術

絨毯織という芸術も、歴史的には東洋のものであると言わねばなりません。十四世紀の勅令に出てくる「サラセンの綴れ織（タピスリー・サラスノワーズ）」と呼ばれる織物は、事実上パイル織の絨毯だとみなしている論者もいますが、厳密な意味での中世期にヨーロッパでパイル織[12]の絨毯が織られたという証明はなされていないようです。しかし十七世紀には、イギリスでもある程度これが作られていたことは確実です。いろいろ実例があるなかで、オクスフォードシャーのジャコビアン様式の家でわたしが見た何枚かの絨毯は、一六二〇年頃の財産目録にはたいへん奇妙にも「アイルランド編み」と記載されています。しかしわが国の絨毯織の歴史の起源がいつであれ、残念ながら十七世紀でそれは終わってしまったと言ってほぼまちがいないでしょう。手織絨毯が織られているところも多少は残っているものの、独自のものはほとんどありません。レバント絨毯の粗悪な模造品だとか、あるいは伝統的に貴族の田舎の邸宅（カントリー・ハウス）のわびしく荒涼とした室内にふさわしいとみなされてきた、ルイ十五世時代〔十八世紀〕の愚かしく下品な製品に由来するような代物だとか——いま製造されているのはせいぜいそのくらいです。そうであっても、絨毯は東洋でしかできないなどと言われると、それには同意できません。かの地でこの百年ほどのあいだに作られてきた絨毯は、ほぼ無定型な色の製品が主であるとはいえ、西洋の芸術が満足のゆくように自発的に作れるものでないのはたしかです。しかしながら、この手の絨毯は、魅力的なものではありますが、それじたいが衰退しつつある芸術の産物です。その祖型は、ひとつにはビザンティン芸術の精巧な敷石のモザイクにもとづく、単純ではあるが科学的にデザインされた布地であり、もうひとつには、よく調べれば跡をたどれるのですが、ペルシアの精巧な花模様の細工が退化したものです。前者のたぐいの原型は、イタリアとフランドルの芸術の全盛期の多数の絵画に正確に描かれているのが見られます。そして、先に述べたように、それらは科学的な原則にもとづいてデザインされており、その原則を使えばすぐれたデザイナーならだれでも、剽窃しているという後ろめたさを覚えることなく現代の作品に応用することができます。他方、もうひとつのペルシアの花模様のデザインについては、現存しているものは多少あるものの、わたしは古い絵画に描かれているのを見たことがないので、中世に多くのものがヨーロッパへ渡ったようには思えません。これらは色合いが美しく、デザインにおいても形態に欠けることはほとんどありません。想像力に富み、描線も優美です。これらを模倣すると、例によってみじめな結果になるでしょうが、これらはそのような製品のデザインにとりかかる道筋を示してくれるでしょう。そして、天賦の色彩感覚というのはある種の民族に残される最後の贈り物なのですが、純然たるその手の本能に頼らずとも絨毯を首尾よく製作できるということも、それらは示してくれています。さらに、ひとつ確実だと思えるのは、われわれがみずからの絨毯を作りださなければ、東洋も当てにできなくなるということです。なにしろあの最後の贈り物、調和のある色彩についての感覚という贈り物は、ヨーロッパ人の銃と金袋による征服を前にして、東洋では急速に滅びつつあるからです。

タペストリー織の芸術

もうひとつの機械によらない織布（おりぬの）の製造（マニュファクチャー）であるタペストリー織の芸術は、その最盛期においてはヨーロッパの芸術というにとどまらず、北ヨーロッパの芸術でもありました。絨毯織にもましてこれは過去形で語らねばなりません。その技法という主題に興味があれば、パリのゴブラン織工場[13]で昔と同様に、いわば現実に生きながらえているのが見られるでしょう。しかしそれは気が塞ぐ光景です。職人たちはフランス人だけしかこのような仕事につけないと思えるほど器用であり、聞くところではその技は代々継承されたものでもあるといいます。なにしろ彼らはタペストリー織職人の息子であり孫であり曾孫だからです。さて、器用な職人たちではあるけれども、彼らはたいへんな苦労をしているわりには得られる成果はきわめて乏しいのです。彼らが作るものを無価値だと言うのでは生ぬるいでしょう。そんな表現ではすみません。それはフランスのすべての〈小芸術(レッサー・アーツ)〉を腐敗させ死にいたらしめる悪影響をもっています。というのも、〈小芸術(レッサー・アーツ)〉がなしうる極致であり規範とすべきものとしてこのゴブラン織がもちだされるのがつねだからです。人間の労働と技能のかくも愚かしい浪費はほかに例がないのではあるまいか。技法の点で若干異なりますが、同様の愚劣さのもうひとつの支部がボーヴェにあります[14]。そして中部フランスの小都市オービュソンという小さな町には、おなじようなくずを生産する営利本位の堕落した産業があります。イギリスでも、タペストリー織を促進しようという試みは王室の庇護のもと、ウィンザーにおいて過去数年にわたってなされてきました[15]。おそらくよかれと思ってやっていたことでしょうが、きわめて不運なことにそこではゴブラン工場の線に沿って生産がなされてきたのです。そのやり方を根本から変えないかぎりは、商売の点でいかなる成功を収めようとも、芸術的には失敗に終わるのが必定である、と残念ながら言わざるをえません。

以上、タペストリー織の芸術の貧相な遺物について言うべきことはこれぐらいです。それにしても、かつてそれはなんという高貴な芸術であったことでしょうか。われわれの部屋の壁を、小鳥や獣に満ちた六月の葉の茂る緑濃い森に、泉のほとりで男女が戯れる夏の庭に、あるいは古（いにしえ）の神話の戦士たちや英雄たちの厳粛な行進の情景に変容させること。それはたしかに骨折り甲斐があり、また、そのために金を費やす価値もある。それは内装業者（アプホルスタラー）の流儀に唯々諾々（いいだくだく）と従うことではないのです。

わたしは子どもの頃、エピングの森のチングフォード・ハッチのそばにあるエリザベス女王のロッジで、色あせた草木模様のタペストリーが掛かった部屋に初めて接して、強烈なロマンスの感覚に打たれたことをよく覚えています（あそこはいまはどうなっているのでしょう）[16]。そのときの感覚は、わたしがよく読み返すウォルター・スコットの小説『好古家』をひもとき、この小説家が絶妙な技をもって夏の詩人チョーサーの新鮮で輝きに満ちた詩句をちりばめてモンクバーンズの緑の部屋を描写したくだりに行き当たるたびに、わたしの心によみがえってくる感覚です[17]。そう、それはたんなる室内装飾品の域を超えるようなものであったのです。

また、忘れてならないことは、タペストリー織の芸術が全盛期にあったとき、一面ではそれは家庭用の技芸であって、あらゆる種類の素朴な空想がそこに具現されており、北方ヨーロッパではこれはイタリアのフレスコ画に取って代わるものだったのです。十五世紀のフランドル派の現存するイーゼル絵画には、タペストリーに用いられていた着想と雄大な処理法にかなうような意匠は皆無です。北方の最上級の画家のなかには、このタペストリー芸術に多くの時間を割いた者もいたのだと、わたしは思います。この方面で多くを手がけた画家としてケルン派のロヒール・ファン・デル・ウェイデン[18]が挙げられます。ハンプトン・コート宮殿の大広間のギャラリー〔大広間西側の上部にある「ミンストレルのギャラリー」〕の下に掛かっているタペストリー一枚は彼の作ではないかとわたしは踏んでいます。いずれにせよ、ひっくるめて考えるならば、それはわたしがいままでに見たなかでももっとも美しい作品です。ちなみにその場所には一群のタペストリーがあります。広間の端にある応接間というか休憩室（ソーラー）に掛かっているタペストリーは、上述のものにほとんど引けを取りません。その製作年代は多少後のものかもしれません。しかし、あいにく先のものとはちがって何世紀もの汚れが堆積してよく見えません（汚れているだけで色褪せてはいません）。他方、大広間の中央の壁面じたいには後代の、一五八〇年頃のタペストリーが掛かっています。みなさんはこうした後代の作（それなりにたいへん見事な作です）とそれより前の作を比較して、どちらがいちばんよいか、ご自身の鑑識眼を試してごらんになるとよろしい[19]。この問題ではみなさんに影響を与えようとは思いませんが、この後代のタペストリーの縁飾り（ボーダー）は、熟練の技を発揮して見事な出来栄えであるとだけ言っておきます。

事実上滅び去った芸術について語りすぎていると思われるかもしれません。しかしわれわれがその気になりさえすれば、タペストリーの技法はごく簡単なものなので、その復興を妨げるものはまったくありません。同様に、芸術のよりよき時代には、ある工芸のいくつかの部分が高められて高級芸術の領域に入ったことは、その工芸総体が卓越していたことの必然的結果であり、そしてひるがえってそれらが範を示すことによってその卓越性をしかるべき水準に保ったのだとわたしには思えます。十五、十六世紀のすばらしい織物の絵画〔タペストリー〕は、どの村やどの農家でもなされていた織りの芸術の喜びと熟練の自然な結果なのでした。同時にそれらの比類なき織物は、この工芸よりも地位が低い兄弟に対して、最善をつくすべく努力せよという励ましともなったのです。

染色芸術

つぎにわたしが述べるべき工芸は、まさに小さな芸術（レッサー・アート）だとみなす方がみなさんのなかにいらっしゃるにちがいないと思うのですが、そもそも織りの芸術にかかわって尽力しようというのであれば、これを考慮せずにはすまされません。それは染色工芸のことです。偽の商業の俗物根性（フィリスティニズム）によって、あるいは本物の欲求についての大衆の無知によって、これほどまでに迫害されてきた工芸は他に例を見ないと言っても過言ではありません。そんな迫害を受けるようになったのはごく最近のことであり、ほぼすべてが現代に属するものです。

この古くから伝わる工芸をここで詳らかに語ることができたら嬉しいところですが、その時間はないのでかいつまんでお話しするにとどめます。

古代エジプト人は染色技法の詳細を知悉していました。わたし自身、預言者モーゼの染色職人たちが用いたのとおなじ工程で、ウールを赤く染めてみたことがあります。またインドでは、太古の昔から染色技法はすべてしっかりと理解されていました。もし今日わたしが自分用に上述の赤色染料を欲しいということになると、アルゴリスかアカルナニア[20]まで人をやって取ってきてもらわねばなりません。プリニウスがティントレットの父親や親方の染色小屋に現れたとしたら、古代ローマにいるのと変わらずくつろげたことでしょう[21]。東洋でもヨーロッパでも染色技法は長らくまったく変わっていなかったのですが、アメリカが発見されたあとで変化が生じました。アメリカは染色家にふたつの新しい原料を与えました。ひとつはそれじたい結構なもの、もうひとつは怪しげな悪しきものです。良いほうの材料というのはコチニールという虫から採取した新たな染料です。[22] これは当初は深紅色（クリムゾン）や青みがかった赤（ブルイッシュ・レッド）にのみ用いられました。これが使われるようになってからは、古典古代の諸民族からコクス、アラブ人からアルケルメスと呼ばれていた、先に言及した古くからあったカイガラムシ原料の赤色染料は影が薄くなりました。悪しき新原料とはログウッド[23]です。これは（初めは使われていましたが）褪色しやすくて染料としてはまったく価値がなく、ほかにもほとんど役立たないと思います。アメリカでは新たな染料で重要なものは、ほかには見つかりませんでした。もっとも、大陸の発見者たちが赤色染料の原料となる木材がそこに豊富に生えているのを見出し、南アメリカにあるひとつの広大な国が、その木の名前にちなんでブラジルという名になっています。[24]

つぎの変化が起きたのは一六三〇年頃で、ひとりのドイツ人が錫（すず）を媒色剤にしたコチニールによる緋色（スカーレット）の染色法を偶然発見し、そのため古くからのケルメス染料は商業用にはほとんど使われなくなりました。つぎは十八世紀末につまらない青色染料が考案されました（この概略では混乱を避けるためその名前は言いません）。ほとんどおなじ時期にかなり価値のある黄色染料（クエルシトロンの樹皮[25]）がアメリカからもたらされました。つぎに一八一〇年に、この時期までにかなり興隆していた化学が染色技術に活発にかかわるようになり、それより八十年ほど前の発明品であるプルシャンブルーという人工顔料を使う染色法が発見されました。私見ではこれはどちらかといえば有害でしたが、重要な発見だったのはたしかです。というのも、それ以前には、一週間日光にさらされても退色しない青色染料はただひとつしかなかったからです。すなわちインディゴです。このインディゴ染料は、熱帯産もしくは亜熱帯産の植物を原料とするものと、北方の大青（ウォード）という植物を原料とするものとがあります。

以上のような新たな染料は、併せてみても微々たるものであって、つい最近までは〔古代エジプトの〕ラムセス大王時代とこのヴィクトリア女王時代の染色法のちがいはといえば、せいぜいその程度のものでした。ところが二十年ほど前に、化学者によって一連の驚異的な発見がなされました。それは学問研究にむかう彼らの比類ない技量、忍耐力、そして能力の高さを証すものであり、いわゆる商業的観点からすればきわめて重要な発見でした。なにしろそれは俗な言い方をすれば染色技法に革命を起こしたからです。化学者たちが持ち前の粘り強さを発揮して発明した染料とは、だれもがその名を耳にしたことのあるアニリン染料です。それはコールタールから精製されたものであり、古い染料よりも色が鮮やかで色のもちがよく、値段も安い（相当に安い）。そして染色家にとっては当然最重要のことですが、はるかに使いやすい。それゆえ、少数の例外をのぞけば、これが古い染料に取って代わったのも不思議ではないのです。すばらしい発明に見えるというのは、たしかにそのとおり。

ところが、アニリン染料はただひとつの事実によって価値が損なわれています。すなわち、この染料は、美しいものを生み出すことに存在意義がある染色という一芸術のために発明されたものでありながら、この芸術における美を台無しにしてしまう方向にむかっている、しかもはるかにそちらに進んでしまっているという事実です。じっさい、アニリン染料を使った染め物は本来的にすべて色がひどい。それに対して、昔ながらの染料は本来的に美しい色あいで、これを醜い色に染めてしまえるのはよほど根性がねじ曲がった輩でしかないでしょう。こうした状態では、古くからの染料に耐久性があるのに対して新染料が褪色しやすいのは、感心はしないがひとつの取り柄だと見なさざるをえません。しかしそう考えるにしても、ある一点において新染料は結局だめなのです。この点にご注意ください。すなわち、どんな染料でも多かれ少なかれ色褪せるものなのですが、古くからの〔天然〕染料が褪せる場合には、すべての色が単純におなじ色合いで徐々に薄くなっていくので見苦しくないのに対して、新染料が褪色すると、あらゆるたぐいの目も当てられぬ薄汚い色になりはててしまうことです。わたしがこれを問題にするのは、こんなふうにひどい褪色をしないのであれば、芸術的な色彩感覚を有する人間が、ひどい色だが鮮明なアニリン染料をうまく調合して、まあ許容できるぐらいの染め物をこしらえる、ということも考えられるからです。じっさい、こうした試みは現在めずらしくないのですが、大してうまくいっていません。ひとつにはいま述べた理由があります。もうひとつには、言ってみれば「いじくりまわす」ことで作りだされる色合いには、それよりも単純な染料が自然にもたらす質や特徴が皆無だからです。芸術家ならだれでもわたしの言わんとすることがおわかりいただけるでしょう。

要するに、現在ほぼ失われた染色技法を復興できないのなら、繊維の自然の色のまま布を織って満足するか、あるいはわれわれよりも文明度の低い民族が染色したものを買うほうがましだということになります。

さて、じつのところ、たとえみなさんがプリニウスと同様に染色芸術を軽蔑すべきものとお考えであっても、これが奇妙な事態であること、哲学者が出てきて考えてみてもよさそうな事態だということを認めねばなりません。たしかに現代の化学者たちは、想像を絶するような不思議な発見をしました。彼らが作り出した一連の色彩は、染色工芸に新機軸をもたらしました。営利企業はこの贈り物に熱心に飛びつきました。しかしながら、われわれは織物から芸術が消え果ててしまわないように、新染料には背をむけて、断固としてこれを拒絶しなければなりません。この手の新染料は科学の珍品を展示する博物館に移すこととし、われわれの実践のためには、古代エジプトのファラオの時代とはいわずとも、せめてティントレットの時代まで立ちもどらねばならないのです。

これを考えていただきたいとわたしが言うのは、このようなたぐいの圧迫こそが、今日小芸術(レッサー・アーツ)がこうむっているものだからです。

捺染芸術

染色芸術の話題から、慎ましやかだけれども有用な芸術である布地の捺染(プリンティング)に自然につながります。これはじつは古くからある芸術です。布地に模様をプリントするのが必須の芸術ではなく、手で描くのでも構わないからです。さて、本物の染料で布地に絵を描くことは、インドでは最初期からおこなわれていました。プリニウス時代のエジプト人がその技法を知悉していたのだから、あの悠久の地でも非常に古いことは十分ありそうです。じっさいわたしはエジプトの人物像の衣服に描かれた多くの細緻な模様を目にして、麻布の染め付けとなるようなものを自然に再現しているという強い印象を受けました。

　われわれ自身の技術についていえば、当然ながら染色の質の低下の深刻なあおりを受けています。これは色合いの美しさが悪化し褪色しやすくなったことだけではなく、もっと込み入った原因にもよるのです。先に述べたように、古い染料は現代のものより使い方がずっとむずかしい。綿布に多色の模様をのせる作業工程は、わたしの子どもの頃のようなほんの少し前の時代であっても、手間がかかり厄介でした。概して現在では、この作業にあの頃ほどの時間をかけていません。これを望ましい変化と思う向きもあるかもしれませんが、安価にする手立てということ以外では、その考えには賛成できません。古い作業工程にある自然で健全な困難は、染めた色に耐久性をもたせるための努力ともちろんすべて関連があります。この困難こそが心あるデザイナーをかりたてて、自分の模様（パターン）をこの工芸の総体にとくにふさわしいものにし、ひとつの特徴をそれに与えたのでした。その特徴は、インド更紗（パランプール）や、われわれの祖母の時代の褪色したカーテンなどに容易に見られます。後者は、多年にわたり夏の日光を浴び、数知れず手荒く洗濯されてきたにもかかわらず、少なくとも赤や青の色をいまなお残しています。こうした製品は凝り過ぎで粗野なところもあったとはいえ、われわれはつねにそれらに惹き付けられてきました。その主たる理由は、それらのデザインにこの〔捺染という〕工芸ならではの特徴があること、この工芸の流儀によってのみ作りうるデザインであること――それが即座に感じとれる点にあります。繰り返さねばなりませんが、これは小芸術(レッサー・アーツ)のあらゆるデザインに不可欠な性質なのです。ところが当今布地にプリントする比較的簡単な方法では、デザイナーの創意を刺激する特別な困難は皆無です。どんなデザインでも布地にプリントできてしまう。捺染業者は模様(パターン)が自社のローラーのサイズに収まり、色の数が限度を超えなければ、なにも文句は言いません。その結果としてもたらされてしまうのが、綿布の装飾なのに、紙にプリントしたり描いたりしたものと代わり映えせず、デザインが優美であったり巧みであったりしても、貧相で平板かつ生硬に見える製品です。昔の布のためにかつて特別にデザインされた創意に富む模様があって、だれかがそのどれかを模倣しようなどという気になったときに、はっきりとそれが見てとれることでしょう。そんなことをしたら台無しになります。生気がなく、生硬で、共感がもてません。

そもそも布地のプリントになんらかの美を求めようとするなら、昔の技術の面倒さと単純さのほかにはなにも要らないのです。そもそも美を求めないのであれば、わざわざ苦労して綿布になんらかの模様をプリントする必要などあるでしょうか。模様が本当に美しいものだというのでなければ、わたし自身はこれには断固反対です。美しいものでないなら、それはまったく無価値です。

壁紙芸術

これまで木綿地の捺染(プリンティング)について述べてきたので、きわめて現代的で慎ましいものではありますが、現状では有用な芸術、すなわち壁紙用に紙に模様を印刷する芸術について述べねばなりません。だがこれについては、その模様の配置と構成について考えるというのでなければ、言うべきことはあまりないのです。もっと込み入った工芸であればもろもろの困難があって、それに対処して乗り越えていくことで特色が生まれるのですが、壁紙の場合はそうした困難からはかなり自由だからです。壁紙のデザインをうまく扱う現実的な方法は、その機械的な性質を率直に受け入れて、まるで手描きであるかのように見せようとする罠に落ちないようにすることです。点と線と線影づけ（ハッチング）のための場所があるとすればそれはここにあります。機械的に豊富にすることが、そこでまず必要なことです。そのあとは模様を存分に複雑で手の込んだものにしてよい。いやむしろ、枝や茎を絡みあわせた模様が神秘的なものになればなるほど、それだけいっそうデザイナーの目的にかなうものとなります。なにしろその模様の全体を壁面に平たく糊付けしなければならないからです。またこうした複雑さを生むのに必要なのはデザイナーの頭と手のみです。その他については、この工芸の場合は美しく変化に富む素材の助けはほとんど得られないわけなので、デザインに格別に注意を払わねばなりません。デザインの一つひとつに独特の着想が必須です。自然のなかの美しいひとこまに強い印象を受けて満ち足りた気分になるようにするべきです。そして芸術の規則に従うことによって、われわれの喜びを他者に伝え、自身が感じた歓喜の念のいくばくかを分け与えることができる。ある程度までこれができなければ、その壁紙デザインは大したものではなく、壁を覆うのに役立つだけのなにかしらの急場しのぎにしかなりません。本当に芸術を気にかけているのであれば、「なにかしら」で我慢するのでなく、むしろごまかさずに白漆喰を塗っておくだけにすればよいのです。部屋がかたちよくうまく設計されてさえいれば、白い壁面に陽光と影が心地よく戯れ、われわれをやさしく見守ってくれます。

家具

まさしく、そうされてさえいれば、です。ここからわたしの話題はただちに小芸術(レッサー・アーツ)のつぎの部門に立ち入ってしまいます。適切な語が見当たらないので家具設備と呼んでおきましょう。そこに立ち入ってしまうとわたしが言うのは、家の造りがちゃんとしてさえいれば家具はあまり要らないし、家具が少ないことを嬉しいと思うだろうからです。いまのままでも、われわれはとにかく「少なければ少ないほどよい」という格言を採り入れるべきです。家具がありすぎるとゆったりとしている人間の安らぎが損なわれるし、働いている人間の邪魔にもなる。加えて、芸術に本当に関心があるなら、余計なものには出費しないように心掛けるものなので、芸術作品に費やすための金を蓄えることができるでしょう。

質素であることは、家具造作の備え付けに必要だとわたしは確信します。ここでの質素とは、第一にその数量について、第二にデザインの性質と様式についてです。家のなかの配置は、そこでどんな生活を送っているか、あるいは送りたいのかをしっかり表現しているべきです。今日の英国の中流階級は相当に悪評が高いのですが、私見として彼らを擁護するようなことをなにか言えるとすれば、いかにも狭量な人であって、その点を非難されているのがおおむね当然であっても、彼らは一種の秩序だった知性を備えていて、その点はそれなりに価値がなくもないということです。中流階級は住居に意を払うべきだと思います。もし彼らがこれに心を砕くのであれば、そのような知性を反映させた家にするべきです。住居が品位のある市民――みずからのなすことについてありきたりでも正当な理由を示す備えができている市民――の生活の一部をなすものと見えるようにすべきなのです。ボルジア家の二流の悪徳、あるいは歓楽に遊び飽きて破綻したルイ十五世時代のフランス貴族の下劣で悪夢のような気まぐれを模倣する仕事にわれわれがとりかかるなど、愚の骨頂だと思います。だから繰り返しますが、われわれの家具はよき市民の家具であるべきです。それは堅牢で上等な造りで、そのデザインはすべてたやすく擁護できるもので、美的な面でも奇怪なところや突飛な点が見えてうんざりしてしまうことがないようにしたいのです。家具の組み立て方は、選り抜きの職人の特殊技能だとか彼が使う極上の接着剤とかに頼るのではなく、指物師の技に本来存する原則にもとづいて作られるべきです。また椅子のようなすぐに動かせる家具は別にして、軽すぎて手ごたえのないようなものであってはなりません。材木から作るべきであり、ステッキから作るのでは困ります。さらに、家具にはふたつの種類があると考えざるをえません。まずは椅子、食卓、作業台など、要するに、必需品としての日常家具（ワーカデイ・ファニチャー）があります。これはもちろんすべて造りがよいのと同時に均整がとれているべきですが、徹底して単純なものでなければなりません。荒削りなものが悪いということはなく、むしろそのほうが好ましいのです。こうした日常家具で得られる恩恵がいろいろあるなかでも、体をぶつけて怪我をしないような家具にするべきです。その手の災難が毎週お決まりのように繰り返されて、ついびくびくしてしまうものなので。

しかし、この種の家具のほかにもう一種類あります。わたしはこれを豪華な家具（ステイト・ファニチャー）と呼びます。これは市民のためにもふさわしい家具だと思っています。それは食器棚（サイドボード）、飾り棚（キャビネット）のたぐいで、使用するためのみならず部屋を美しく飾るためにも置かれるものです。こちらのほうは装飾を惜しむ必要はなく、彫刻や象嵌（ぞうがん）や絵でもって極力優雅で手の込んだものにしてよいのです。絵柄のタペストリーが織物芸術の花であるのとおなじように、これらは家具芸術の花なのです。しかしこれらはまた、でたらめに住居のあちこちに置くのではなく、住居内の重要な部屋や大切な場所の格調を高めるために建築的に用いるべきです。

また繰り返しますが、部屋になにがあろうと、まずは壁面を考慮することです。壁こそが住宅と家庭を作るものなのですから。壁面を優先し、他のどこかを犠牲にせざるをえないのであって、それをしなかったら、家具家財がいかに豪華で見栄えがしても、その部屋は一種の間に合わせの下宿屋の様相を帯びてしまいます。

被服芸術

〈小芸術（レッサー・アーツ）〉でお話しすべき最後の項目に至りました。これについては多少不安があります。それでも、文明国の人間の半数にあたる男性にとってもたいへん大事なことなので、あえてお話をしたい。じっさい、わたしは被服芸術についてお話しするのにいっそう恐れを感じるのですが、それは紳士服に芸術の入る余地はないということ、またこの問題では女性のほうが男性よりも立場が上であるのに、女性の服の批評家という無愛想な地位を占めねばならぬこと——文明がわれわれ男性に対してそんなふうに決めつけてしまったからです。わたしは反逆者ではありますが、この決定には従います。ただし、丈の高いシルクハット（チムニーポット・ハット）や燕尾服（テイルコート）が衣装哲学における知恵の具現だとする説は受け入れがたいのです。たまにかなり懐疑的になるときには、なぜ自分は室内では二着の上着を着なければならないのか、それも一着は背中だけで前はなく、もう一着は前だけで背中がない、そんな服を着なければならないのかと思って悩んでしまうことがあります。とはいえ、こうした厳格な仕立屋の掟に反旗を翻すなど、言い出す勇気さえもありません。結局のところ人はじつにたやすくこうした奇妙な服を着たり脱いだりすることができるのです。だとすると、わたしには自分が着る服よりも、ほかの人がなにを着ているかのほうがずっと大事なことです。そういう次第で、お許しをいただいて、わたしは少しのあいだ無責任な批評家となることとします。

さて、わたしが生きてきたあいだに女性服については、いまの時代を勘定に入れなければ、少なくともふたつの時代がありました。いまの時代のものについては、若干の戦慄を覚えながら、変化の境目にいるものと感じています。そう、戦慄を覚えながらというのは、大昔であれば、多少は華美にすぎるものではあっても、英国の女性服はかなり満足できるものであり、他の点で小芸術（レッサー・アーツ）に降りかかった災難への大いなる慰めとなるものだったからです。

このような状況のもとで、そこにひそむ希望と警告のために、現代において被服芸術になにが起きているか、それをみなさんが想起されるようにあえて努めてみたいと思います。

ルイ十五世の時代〔一七一五―七四年〕はわれわれの行く道におぞましきものに満ちた一種の魔法の森をもたらしたのですが、ここにあえて立ち入る必要はありません。それらの恐ろしきものから脱して、衣装はフランス革命直前の時代にじつに優美で単純な様式になりました。それがじっさいにどんな衣装であったかは、風変わりで多産な挿絵画家であるポーランド人のホドヴィエツキがデザインした版画のなかにはっきり見ることができます。ホドヴィエツキの作品はわが国のストザードが大いに模倣したものでした。[26] つづいて、衣服が古典時代の芸術と風習を模倣する奇をてらったやり方に影響される時代になりました。それはナポレオン一世の統治下〔一八〇四―一四年〕で、いろいろと度を超した点があるなかで、優美な細身をかなり誇張する点を特徴とする衣装が生み出されました。その気取りに対しては、ひどいしっぺ返しが待っていました。ワーテルローの会戦〔一八一五年〕からヴィクトリア女王の即位〔一八三七年〕までの不安な時代のあと、陰鬱な当節お上品風(リスペクタビリティ)とでも呼べるような様式が出てきたのです。わたしはその時代の中頃〔一八三四年〕に生まれたので、そのおぞましさをよく覚えています。女王によるルイ・フィリップ訪問〔一八四四年〕の時代を伝える『絵入りロンドン・ニュース』を入手できるなら、そこにある衣装をご覧になるがよい。由々しき問題だと思える所以がわかるでしょう。あるいはそれより前の事例として(わたしが考えるものは)、ジョージ・クルックシャンクの挿絵が入った『オリヴァー・トゥイスト』を手に取り、あの退屈な人物ミス・ローズ・メイリーを描いた人物画を吟味してみるとよいです。[27]*

* 〔原注〕わたしはディケンズを軽んじる気持ちは毛頭ない。むしろ謙虚な崇拝者である。

さて、以上がわたしの見た第一期でありました。これがしだいにつぎの時期に移っていきました。その第二期は、少なくともその最盛期は、お上品さ(リスペクタビリティ)を過度に好んでいると非難することはできません。それはクリノリンの時代でした。ジョン・リーチの木版画がこの時期のすべての段階のみごとな例証を与えてくれます[28]。それは概して女性が髪を自然のまま優美に整えるようにさせたという点で、先行する時代から改善したところもあるのですが、その他のあらゆる点においては、ひたすら露骨な悪趣味を狙っているのは明らかでした。衣装の悪化は第二帝政時代〔一八五二―七二年〕にどん底にいたり、これ以上落ちようがない――そう願いたいものです*。

これがわたしの見た、衣装の第二期です。これが終わると、いまあるような事態が始まりました。現在は女性服は概して優雅な分別のあるものです。というか、そうであると推測されます（断言できないことに注意してください）。というのは、いまの時期でもっとも希望のもてる徴候は、その自由さにあるからです。先行するふたつの時期には自由がありませんでした。あの陰鬱なお上品さ(リスペクタビリティ)がはびこっていた時代には、女性は服を優雅に着こなしたりすると世間から辱めを受けることがよくわかっていたので、とうていそれができなかったのです。クリノリンが幅を利かせていた時代に、もし簡素で美しい服を着ていたら、要するに女性らしい装いをしていたら、街頭で囃(はや)し立てられたでしょう。

＊〔原注〕本当にそう願っている。しかしながら、この講演を〔一八八二年一月に〕おこなって以後、ご婦人方は、美よりも醜悪さのほうが魅力的であることを試してみようと決意しているのではないか――そう思えるような残念な徴候が増している。

だが当今では、過去何年かもふくめて、女性が簡素で美しい装いをしても、その衣装に一風変わった、あるいは芝居じみたものがあるとはいまのところ認められません。われわれの時代にも度を越した流行もなくはありませんでしたが、それを採り入れるように無理強いされる人はいなかったのです。どの女性も、自身の良識に照らして、自分にもっともふさわしいと思える流儀で服をまとえばよいのです。さて、ご婦人方に申し上げるが、理にかなった美しい衣装に必要な第一にして最大の条件は、ご自身で選択の自由を守りつづけるということです。そのためには粘り強く戦っていただきたいのです。さもなければ、せっかく愚かしい慣行を打破したのに、われわれみながふたたび愚行におちいるでしょう。

そしてつぎに、その自由を守る唯一の手立ては、衣装に対する不自然で醜怪なものの押し付けに抵抗することです。衣服は人体を覆うものであり、体を戯画化したりその輪郭線を消し去ってしまったりするものではありません。身体は優美に覆われるべきで、袋に縫い込められたり、箱に詰め込まれたりするものでもないのです。衣服のひだは、きちんと扱えば、命のないものではなく、動作のかぎりない美しさを表現する命あるものです。もしこれが失われると、日常生活における目の楽しみが半減してしまいます。みなさんには、とくにこの点を忘れないでいただきたいのです。というのは、流行の婦人服販売業者は、いかにしてより高価な仕方で人体を隠し貶めるかを一番の狙いにしているからです。この連中はミロのヴィーナスにいかなる美をも認めません。客を安手のぼろ布の束を吊るす棚と見なしています。そのぼろ布をドレスと銘打って高値で売りさばくのです。さて、ご婦人方、みなさんが断固これに抵抗しないと、衣装はふたたび台無しにされ、われわれ男性すべてが言語に絶する不幸におちいることになります。それゆえ、ご婦人方には、ご自分を肘掛椅子の詰め物のように扱わせることは拒み、女性らしくゆったりと着こなしていただくことを切に願います。

最後に、これはじつはおなじ助言の一部分なのですが、変化のための変化に抗っていただきたいのです。ただ変えればよいという発想は、すべての芸術にとって破滅の種となるものです。この愚かしさに抵抗しながら衣服に注意を払うことは、みなさんにとっての重要な義務だと——他のさまざまな義務に準ずることは当然かもしれませんが——わたしは言っているのです。これに抵抗しないと衣服への配慮は時間の無駄遣いになります。この助言を受け入れてもらえるなら、さらにみなさんは、自分の服の素材についても、すぐれた性質、美しい性質を要求すべきです。たとえそう高価でない素材でできた服を作らせる場合でも、これで事は済んだと思うのは性急です。これもまた、われわれ織工を心身ともに、また適切で自然なやり方で助けるものです。ただしベクティヴ卿夫人のようなお人よしすぎるやり方は避けていただきたい。[29] かの夫人は、ブラッドフォードの資本家たちが機械設備を変えずにすむように、アルパカ織のごわごわした布地を女性に着せようとしたのでした。これには賛成できません。醜い布を織るつもりであるならば、その責任を取ってもらおうではありませんか。

だが善は善を生むものです。好ましい様式（ファッション）を獲得したときには、きっとそれは確固とした様式となり、目新しさからではなくそれじたいの美しさゆえに美しいものを愛するようになります。それは人間的で理にかない、文明的な美しさです。仕立屋の親方とその下で働く職人の両方がその恩恵を受け、彼らにもまた美しいものについて考える時間が与えられ、その結果彼らのくらしがいっそう高められるのです。

小芸術（レッサー・アーツ）の価値

以上、小芸術（レッサー・アーツ）のいくつかの部門をとりあげてきました。これらを小芸術（レッサー・アーツ）総体を代表するものとしてとらえていただくようお願いしたい。さて、これらの芸術は、すべてがとにかく生命の兆候を示してはいるので、文明はそれらを必須とはいわぬまでも、望ましいものとみなしていると見てよいでしょう。しかし、小芸術（レッサー・アーツ）が存在しつづけて、なんらかの方法で数百万人の生活の場を占めるようになるならば、それらの芸術の生命力が実感できるようになるだろうし、小芸術（レッサー・アーツ）が万人に必須であることが、その存続を許容している人びとによって感じられるようになるだろうと思います。やりがいのない無益な労働が、世界が担いきれないほどの重荷であるのはたしかなのですから。

また一方では、このような芸術は無益であり、当然存続すべきではないという結論を、わたしは受けとめる用意ができているとも述べました。自分たちの命をつなぐのにぎりぎり必要なことだけやればよくて、それ以上は無用である、われわれは生命の神秘をじっくり考え、死の神秘を受け入れる用意をすべきだという結論にも一理あります。世界がその見方をとるならば、まあわたしもそれに同意するかもしれません。だが、まあ、そうはならない。人間の生き方というものはあまりにも複雑で、いかなる民族集団の手にかかっても扱いがたいものなので、せいぜいごく少数の連中をのぞけば、このような結論に達することはまずありません。そうした少数者にしても、同胞たちよりすぐれている場合もありましょうが、むしろ劣っていることもありえます。そんな連中であっても、自身の切望するものと、他の人びとのせわしなく一貫性のない生活との対照を認めることで、そのような結論に追いやられるのでしょう。つまり、大半の人間が理にかなったくらしを営み、同胞に公平に対して生きていくのであれば、禁欲主義に惹かれる者などいないということです。

そう、生活の小芸術（レッサー・アーツ）を実践すべきであること、それは明らかです。それゆえ、ひとつ決定すべきこととして、われわれに残されている問題はこうです――小芸術（レッサー・アーツ）はわれわれの物質的必要に仕えるだけで、われわれの魂の渇望から援助や刺激を受けないものなのか、あるいは、小芸術（レッサー・アーツ）はじつはわれわれの物質的生活と精神生活の肝要な部分をなしており、たいへん有益で自然なものなので、どんなに厳格な哲学者であっても小芸術（レッサー・アーツ）に温かい目をむけ、それに助けられていると感じているのか、そのどちらなのかということです。

文明は、生活の工芸品を人間の知的部分から切り離すことによって、それを動物的なものとして扱おうなどと決められるのでしょうか。長い目で見ればきっとそれは無理でしょう。しかし、未開から文明への人類の進歩によって、これまでのわれわれの生活は複雑の度を増し、他人への依存度も増し、個性が損なわれる傾向が高まりました。個性こそが芸術の活力源なのにもかかわらずです。しかしこの傾向が急速に無制限に高まってきたのであっても、それがかならずしもいいことづくめではないのではないかと疑問をいだくのは、わたしひとりではないはずです。いずれ変化が訪れます。ことによるとなにか大きな災厄に見舞われた機会に、頭を冷やして考えてみたのちに、方向を変えようということになる。そう確信する者もわたしだけではないでしょう。いずれにせよ、なんらかの仕方で、遠からぬ未来に、もっともすぐれた人びとが新しい土台にもとづいて生活を単純にする仕事に取り組むようになるにちがいありません。労働の組織化とは、いまは強き者たちが弱き者たちの窮乏と悲惨を最大限利用しようとして競いあうことを指しているのですが、そうではなく真の意味で組織化がなされる、そんな時代もそう遠い先のことではないとわたしは確信しています。

その一方で、われわれが大きく目を開いて、真摯に芸術に向き合うだけでも、そんな時代の到来を早めることになるはずです。芸術のお化けをわれわれが信じているのだなどということを真に受けるのはやめたいのです。芸術の民主主義が確立されることをわたしは望んでいます。これをだれもが自分の頭で考えてもらいたい。他人の伝聞をもとにそれを当たり前だと思うのでは困ります。万人が自分で正しいと考えることをなすこと。無秩序な仕方ではなく、自分の感情、思考、また決意について、同胞に対して責任があるのだと感じつつ行動すること、これを望みます。

こうした小芸術(レッサー・アーツ)についてはだれもがこう言うべきです——わたしはかくかくしかじかの装飾品をもっているのは、それを愛好しろと人から言われたからではなく、自分自身で好きだからである、自分の好みでないものなど一切もたない、これは拒み、あれは受け容れるという理由を自分は人に語ることができる、これを守り、正しかろうがまちがっていようがその結果を自分は引き受けるつもりだ、と。こうした自主性はむろん無知からではなく知識から発したものであるべきだし、このように人頼みにせず自力で判断したからといって、諸芸術に没頭している識者に払うべき敬意を損なうことにはけっしてなりません。むしろその敬意はさらに増すのです。なにしろ芸術を真剣に考えるようになった人は、芸術表現で苦闘している偉大な人たちにつきまとうさまざまな困難についてよりいっそう理解が深まるからです。ともかく、芸術を考える際のこうした知的で共感にあふれた真摯な自主性が、教養ある人びと全般（万人が教養人となるべきです）に行き渡らないのであれば、辱められ、蔑まれている〔職人という〕一階級だけのものに芸術の実践がなってしまうのも無理はありません。その階級が辱められ蔑まれているというのは、少なくともその日々の仕事に関するかぎり、すなわち起きている時間の大半がそうだということです。

たしかに、これはわれわれの政治と社会の向上にとって、われわれの陶治（とうや）にとって、要するにわれわれの文明にとって、重大な危険です。そんなのけ者たちの階級が目下存在しているなら――じっさい存在しているわけですが――、そんな人たちを生み出してしまった責任を負ったり、その存在の重荷にじっと耐え、座して甘んじていることなどわれわれにできるはずがないのです。

それゆえにみなさんには、芸術について無知なまま他人の言いなりになるのを拒否するという治療法をほどこすように求めたいのです。自分の欲するものを学び、それを要求していただきたい。そうすればみなさんは、それを得るのと同時に、万人の幸福（コモンウィール）をめざす知的で価値ある市民を、社会の守護者、自身の同胞（はらから）を生み出すことになるでしょう。

これは実行する価値がないのではないか。生活の苦労が増すばかりはないか。そうかもしれません。

それは否定しません。だが、なんだかんだ言って、人間の生活のほうが豚のそれよりも厄介なものだし、人間でも自由人のくらしのほうが奴隷のそれよりも面倒なものなのです。この点を考えたうえで、どうするか選んでいただきたい。

さらに言えば、この問題でわたしが正しいとすれば、みなさんの苦労は増えるのではなく、除去されるでしょう。たしかに、われわれが気にかけていることがらについては、あいかわらず苦労をともなうでしょう。たいへん辛く、苦しいものかもしれませんが、ひとつの目的をいだいてそのために骨を折ることでしょう。とはいえ、現在われわれをとりまいている苦労——どうでもいいことなのにかかずらわねばならない数多の問題についての、混乱して目的のない、永久に報われることのない苦痛——これは一掃されるでしょう。そうして、やすらぎに満ちた休息と、より多くの努力を要するが、煩わしくはない仕事が得られることでしょう。

不安のない休息と希望に満ちた仕事、このふたつをのぞいて、ほかにいかなる人生の恵みがあるでしょうか。人生に苦労は絶えないのであっても、この世に生きるわれわれの一人ひとりに、ある程度の時間と季節のめぐりが与えられてきたのはたしかであり、単純で美しい事物に囲まれていれば、そうした時間のなかで本当にゆったりとくつろぐことができました。そのような折には、大地と、大地からゆたかに生まれ育ったすべての産物、また人間の多様なくらしを示す風景、また頭上に広がる蒼穹(そうきゅう)と大気、これらが一致協力して、われわれを穏やかで幸福に、怠惰ではなくやすらかな気持ちにしようと図っているかのように思われてきました。人生はおそらくわれわれにもうひとつの時間のほうもさらに多く与えてきました――理不尽な障壁との多くの闘いののちに、荒唐無稽な厄介ごとの一切から解き放たれて、みずから選んだ仕事にむかうことがようやくできる、そんな時間を。そんなときにはわれわれはこう感じたのでした――自分はこの仕事をするために生れてきたのであって、これをおこなうことをなにものにも妨げられない、自分自身にさえも妨げられることはない、われわれは人間として品位ある生を営むに値する存在なのだ、と。

このような休息、このような仕事をもつことを、わたしは自分にもみなさんにも、そしてあらゆる人びとのためにも切に願います。こうした休息とこうした仕事を得るための空間と自由を確保することが政治の目的です。これを確保するための最善の方途を学ぶのが教育の目的です。そしてその内奥にある意味を学ぶことが宗教の目的なのです。

（一八八二年）

（1）ディオゲネス（Diogenes, BC400?–BC325?）は古代ギリシアの哲学者。キュニコス学派（犬儒派）の代表的人物。禁欲・自足・無恥を信条とし、現世の権威を否定して因習から解放された自由生活を実践、樽をねぐらとし、パンと水と生のタマネギで生きたと言われる。ちなみに、英国の画家J・W・ウォーターハウス（J. W. Waterhouse, 1849–1917）は、モリスのこの講演がおこなわれたのと同年の一八八二年にロイヤル・アカデミー夏季展覧会において油彩画《ディオゲネス》を出品している。樽のなかのディオゲネスを描いた絵であるが、その足下には数個のタマネギが見える。

（2）「皮肉な」の訳語をあてたが、原文の「シニカル」（cynical）はもとはディオゲネスに代表される「キュニコス学派」に由来する。

（3）〈俗物〉（Philistines）とはマシュー・アーノルド（Matthew Arnold, 1822–88）が『教養と無秩序』（*Culture and Anarchy*, 1869）で用いた用語。本来は聖書に出てくる（イスラエル人を圧迫した）「ペリシテ人」に由来するが、これをアーノルドはヴィクトリア朝中期の無教養で美的感覚に欠ける中流階級に批判的に言及するのに用いている。

（4）中国における建築の歴史は古く、遠く殷、周の時代までさかのぼるので、中国人を「非建築的な民族」とするのはモリスの誤認か。あるいは限定的に中国大陸に住む遊牧民族を指しているのかもしれない。

（5）ここで用いられている「アーリア（人）の」（Aryan）、「トゥラン（人）の」（Turanian）といった語は、十九世紀の比較言語学、比較民俗学で使われたもの。「トゥラン」はウラル＝アルタイ語族を中心とした中央アジアの言語およびその話者を指すが現在ではほとんど使われない。

（6）「この中国の製陶術は、これまで考察してきたものよりも時期的にはるかに遅れて発展したもの」とモリスは述べているが、二十世紀に入って以降の考古学的知見によれば、中国陶器の歴史は新石器時代に遡り、遅くとも一万年前には原始的な焼き物が作られているのに対して、古代ギリシアではエーゲ海沿岸に土器文化が現れたのが六千年前と推定されるので、中国のほうが遅れて発展したとはいえず、モリスの発言はいまから見ると正確ではない。その後訂正される当時の考古学での通説をモリスが疑わずにこう述べたものと推測される。

（7）マジョリカ焼（Majolica）はイタリアの錫釉の陶器。中世末マジョリカ（マリョルカ）島商人によって輸入されたイスパノ・モレスク様式の陶器を言う。イタリアではマヨリカと呼んだ。さらに、その技法で十四―十六世紀にイタリアで作られた錫釉陶器もこの名で呼ばれるようになった。多彩色で人物や文様を描き、光沢が強い。

（8）「ケルン焼」（Grès de Cologne）とは、ドイツのケルンを中心としたライン川流域で十四世紀頃から焼かれるようになった塩釉炻器（えんゆうせっき）、すなわち「ストーンウェア」を指す。

（9）「風景式庭園の技師」（landscape gardener）は十八世紀にイギリスの上流階級のあいだで流行した風景庭園の設計者を指す。これにかぎらず、カントリー・ハウス（貴族が本拠とする田舎のお屋敷）で好んで用いられた「風景式庭園」の貴族趣味をモリスは悪趣味としてしばしば辛辣に批判している。「最善をつくすこと」の訳注（3）を参照。

（10）「マニュファクチャー」（*manu*facture）――この語はモリスの時代には機械を用いた大規模な「製造業」という意味での使用が一般的になっていたが、モリスはラテン語に由来するこの語の本来の意味が「手（manus）によって作られたもの（factum）」であることを聴衆に思い出させ、手仕事による職人の製作のほうにこの語を取りもどそうとしている。底本とした一八八二年の初出形では“manufacture”の“manu”の部分だけがイタリック体で強調されている。「小さな芸術」の訳注（5）を参照。

（11）ジャカード（Jacquard）とは紋織用の織機、およびそれを使用して製作した織物のこと。フランスのジョセフ・マリー・ジャカール（Joseph Marie Jacquard, 1752–1834）の考案。

（12）「パイル」（pile）とは織物表面の柔らかい立毛、総（ふさ）、輪奈（わな）、毳（けば）のこと。また、これのある織物、パイル織をいう。

（13）ゴブラン織（Gobelins）は広義にはタペストリー全般を指すが、本来はフランスのゴブラン家のアトリエで織られた作品を言う。ゴブラン家は十五世紀半ばにパリ城壁外に工房を構え、ルイ十四世の治世（一六四三―一七一五年）に王立の製作所となり、全盛期を迎えた。名画にもとづく絵柄が多い。

（14）ボーヴェ（Beauvais）はフランス北部の町。十七世紀半ばにルイ十四世によって創設された国営のタペストリー工房があり、花柄を織り込んだ精巧なタペストリーは「ボーヴェ・タピスリー」の名で知られる。

（15）モリスはここで一八七六年に二人のフランス人マルセル・ブリニョーラ（Marcel Brignolas）とアンリ・C・J・アンリ（Henri C. J. Henry）によって一八七六年に創設された「オールド・ウィンザー・タペストリー製造所」（The Old Windsor Tapestry Manufactory）に言及している。彼らはフランスのオービュッソンのタペストリー工場から職人を招聘し、旧ウィンザー宮そばのストレイト通りにあるマナー・ロッジに織機を設置した。ヴィクトリア女王の末息子レオポルド王子がパトロンとなり、工場界隈にはフランス人職人の家族が多数住む賑わいを見せたが、一八九〇年に閉鎖された。なお、十九世紀イギリスで新設されたタペストリー製造所は、これとモリス商会のマートン・アビー工場のふたつだけであった。

（16）ロンドン北東部、チングフォード（Chingford）にある「エリザベス女王のロッジ」（Queen Elizabeth's Lodge）は一五四三年にヘンリー八世が王領地であったエピングの森での狩猟を見物するために建造し、その娘のエリザベス女王の時代に増築された。モリスと同年生まれの著述家・画家のオーガスタス・ヘア（Augustus J. Hare, 1834–1934）は一九五三年にここを訪ねた印象を母親への手紙でつぎのように伝えている。「このロッジはいまも最古の森林管理者一家が住んでいます。〔…〕ひとつの寝室はタペストリーで囲まれています。彼らが言うには、これは女王ご自身の糸によって織られたのだそうです」（Augustus J. Hare, *The Story of my Life*, vol. 1, London, 1896, p. 190）。現在はこのロッジはロンドン市が管理し、ミュージアムとして一般公開されている。

（17）ウォルター・スコット（Walter Scott, 1771–1832）はモリスが若い頃から愛読していた作家。七歳までに「ウェイヴァリー小説」と称されるスコットの歴史小説群を読み切ったという。モリスがここで言及している『好古家』（*The Antiquary*, 1816）の場面は、物語の第十章に出てくる。「モンクバーンズ」（Monkbarns）は主人公ジョナサン・オールドバックの邸宅の名前。

（18） ロヒール・ファン・デル・ウェイデン（Rogier van der Weyden, 1399?–1464）は初期フランドル派の画家。代表作としてドイツ、ケルンの聖コルンバ聖堂のための三連祭壇画《コルンバ祭壇画》（一四五五年頃）がある。

（19） 一八九四年にモリスはバーミンガム市立芸術学校での講演で学生たちにむけてハンプトン・コートのタペストリーを見に行くように勧めている。「みなさんがロンドンにいらっしゃる際には、できればハンプトン・コートまで足を延ばしてごらんになるとよい。そうすればわたしの言わんとすることがおわかりになるでしょう。そこの大広間と、ソーラーつまり応接間の両方に見事なタペストリーが掛かっています。広間のほうはルネサンス期の作で、空虚さというこの欠点を十分に例証するものです。ソーラーのほうはゴシック期の作で、一枚一枚に美しい衣紋（ドレイパリー）があしらわれた人物像で埋め尽くされています。広間のタペストリー群は退屈で俗悪に見えますが、ソーラーのタペストリー群は興趣と出来事に満ちていて、壁面装飾として考えうる最良のものです。両者の対照は注目に値します――いずれもその種のものとしてはすぐれた作品なので」（「一八九四年二月二一日、バーミンガム市立芸術学校の学生への受賞に際しての講演」『モリス著作集』第二二巻、四三七頁）。

（20） アルゴリスもアカルナニアもギリシアの地名で、前者はギリシア南東部、後者は西海岸沿いのイオニア海に臨む地域。

（21） 古代ローマの著述家プリニウスについては「最善をつくすこと」の訳注（8）を参照。ティントレット（Tintoretto, 1518–1594）はイタリア・ルネサンス期のヴェネツィア派を代表する画家。染物師（tintore）の息子であったためにtintoretto（小染物師）の名がついた。

（22）コチニール（cochineal）とは中南米の砂漠地に産するサボテンに寄生する昆虫コチニールカイガラムシ（別名エンジムシ）のこと。この虫の雌から紅色の色素が得られる。カルミンとも呼ぶ。モリス商会での赤色染料にもこれが用いられた。

（23）ログウッド（logwood）は西インド諸島および中米産のマメ科の小低木。その心材から浸出液として黒色染料が採れる。

（24）ブラジルボク（brazilwood）のこと。これはブラジルの熱帯雨林産のマメ科の高木（pau-brasil）で、心材から赤色染料が採られた。

（25）クエルシトロン（quercitron）は北米東部産ブナ科コナラ属の樹木。その樹皮から黄色染料が得られる。

（26）ダニエル・ホドヴィエツキ（Daniel Chodowiecki, 1726–1801）はポーランド生まれでドイツで活躍した画家・銅版画家。ゲーテ、シラー、レッシングらの作品など、多くの挿絵を手がけた。トマス・ストザード（Thomas Stothard, 1755–1834）は英国ロイヤル・アカデミーの画家・銅版画家。

（27）ジョージ・クルックシャンク（George Cruikshank, 1792–1878）はイギリスの風刺画家、版画家。社会・政治風刺画家として登場。ナポレオンやジョージ四世などに対する風刺画で人気を得た。また、ディケンズの『オリヴァー・トゥイスト』などにも挿絵を描いた。ミス・ローズ・メイリー（Rose Maylie）は『オリヴァー・トゥイスト』の登場人物で主人公オリヴァーの援助者（後に伯母と判明する）。『絵入りロンドン・ニュース』（*The Illustrated London News*）は一八四二年創刊のイギリスの週刊誌。時事ニュースを豊富な挿絵を附して伝える新機軸によって一八六〇年代には三十万部以上を売り上げた。

（28）クリノリン（crinoline）は下着の一種。元来十九世紀半ばに登場する馬毛（crin）と麻の混紡地を使ったスカートを広げるためのアンダースカートを意味したが、のち材料の如何を問わずスカートやその腰枠を指すようになった。

ジョン・リーチ（John Leech, 1817–64）はイギリスの風刺漫画家。エッチング、木版、銅板によって上品でユーモラスな作品を数多く制作した。一八四一年以来死ぬまで風刺雑誌『パンチ』誌に多くの社会的、時事的漫画を発表した。以下を参照。『パンチ素描集——19世紀のロンドン』（松村昌家編　岩波文庫　一九九四年）。

（29）　ベクティヴ卿夫人（Lady Bective, Alice Maria, 1842–1928）は第四代ベクティヴ侯爵の妻。慈善活動家。一八八〇年代初頭に不況下にあったヨークシャーの毛織物産業を援助しようという目的で、女性がイギリス製の素材を着るようにというキャンペーンを主導した。

芸術の目的

〈芸術の目的〉をなぜ問うか。すなわち、人はなぜ苦労してまで〈芸術〉を大切にして実践するのか。その理由を考えようとすると、人間のなかでわたしがすべてを知る唯一の実例、すなわち自分自身をもとに一般化せざるをえないことに気づきます。そこで、わたしが欲するものはなんであるかを考えると、それに幸福という名を与えるほかはありません。生きているかぎりは幸福でありたい。死については、なにぶん死んだことがなく、なにを意味するか見当がつかないので、思い浮かべることができません。生きるとはどういうことかは知っているけれども、死んでいる状態は想像もつかないのです。そういう次第で幸福でありたい、またときには、たいていの場合、楽しくありたいとも望んでいます。これが万人の欲することでないとは信じがたい。それでその目的にむかうためであればなんでも全力をつくして大切にします。さて、自分の生活をさらに考えてみると、ふたつの支配的な気分に影響されていることがわかります。というか、そんな気がするのです。うまい言葉がみつかりませんが、強いて言うなら活動的な気分と無為(むい)の気分です。このふたつの気分は、あるときはこちら、またあるときはあちらというように、いつでもわたしに充足を迫ってきます。活動的な気分でいると、なにかをしていなければ気がふさいで楽しくない。無為の気分のときは、休息してさまざまな心象風景（ピクチャー）に思いをめぐらせていないとてもつらい。そうした心象風景には、楽しいものもあれば恐ろしいものもある、それらはわたし自身の経験が作りあげたもの、あるいは故人であれ存命中の人であれ、他者の思索との交感によって生みだされたものです。諸事情でこうした無為の気分にふけることができないと、せいぜい苦痛の時を過ごさねばなりません。わたしの活動的な気分を刺激して前面に出し、楽しさをとりもどせるまでは、その苦痛は消えません。この活動的な気分を目覚めさせて、わたしを幸福にする務めをはたすすべがなく、またなにもしないでいたいときにあくせく働かねばならないとすれば、わたしはひどく不幸せで、ほとんど死にたい気分になります——死がなにを意味するのか、わかりませんが。

　加えて、無為の気分にあるときには思い出がわたしを楽しませ、活動的な気分にあるときには希望が活力を与えてくれます。重大な希望の場合もあれば、取るに足らぬ希望の場合もありますが、そうした希望がなかったら幸福な活力を発揮できません。また、ただ時間を費やすほかになんの結果ももたらさない仕事をすることによって、要するに、遊ぶことによって、活動的な気分を満足させることもときにはできますが、それだとすぐに飽きてしまい、やる気がなくなります。そこにある希望がつまらなすぎて、ときにはほとんど真実味に欠けているためです。大体において、わたしを支配するこの気分を満足させるためには、なにかものを作っているか、作っていると思わねばなりません。

　さて、私見では、割合はさまざまですが、だれの生活でもこのふたつの気分が入りまじっています。

これがあるからこそ、人はこれまでずっと、多少なりとも苦労して、芸術を大切にし、実践してきたのです。

さもなければ、芸術などに手を出し、生きるために絶対必要な労働にさらに多くを加えるはずなどないではありませんか。芸術は人間の楽しみのためにおこなわれてきたはずです。ひとりの人間が他の人たちに支えられて芸術作品の制作に専念できるのは、複雑きわまりない文明社会にかぎられるのに対して、実在した証（あか）しをなにかしら残している人間はみな芸術を実践してきたのですから。

芸術作品が差し出す目的とは、芸術に心をむけ感知する人びとをつねに楽しませることです。これはだれも否定しないでしょう。芸術があればいっそう幸福になれる——そういう人のために芸術は制作されたのでした。そうした人の無為の気分、というか静かな気分が芸術によって慰められ、その気分に不幸にもつきまとう虚しい思いが、喜ばしい瞑想、夢想、あるいは気の向くことに席をゆずるのです。このようにして人はあまり急に仕事や活動的な気分へと駆り立てられることもなく、むしろさらに多くの、よりよき喜びがもてるのでしょう。

それゆえ、不安を抑えることは、明らかに芸術の大事な目的のひとつであり、これほど生活に喜びを添えるものはほかにはほとんどありません。わたしの知るところでも、いま生きている才能のある人にも、不安というこの弱さのほかに人生の災いとなるものはなにもないように見える人びとがいます。とはいえ、不安だけでもたいへんです、それは「リュートの小さなひび割れ[1]」〔破滅の兆し〕です。不安のために人びとは不幸で悪しき市民となってしまうのです。

これが芸術のはたすもっとも大切な働きであることを認めてもらえたとして、つぎに来るのは、どのような代価を払って芸術を手に入れるかという問題です。いま認めたように、たしかに芸術の実践は人の労働を増大させてきましたが、しかし芸術が人の労働を増やすとしても、芸術はその分だけ苦痛を増やしたでしょうか。この問いにそうだと即答する人はこれまでもつねにいました。そうして芸術を面倒で愚かなこととして嫌い蔑む二種類の人間が昔もいまもいます。まず信心深い禁欲家が挙げられます。彼らは芸術を現世の罠とみなしています。人が来世に幸福を得るか悲惨におちいるかという運命に心をむける妨げになるというのです。要するに芸術が現世の幸福を増大させるという理由で芸術を憎むたぐいです。こうした連中のほかに、さらにもう一種類、人生の苦闘を自分が知るなかでいちばん説明のつく観点から見て、芸術を軽蔑する人たちがいます。芸術のために人間の苦役の総量が増大し、人間の奴隷状態が強まるからだめだと言うのです。もしそうだったとしても、まだ問題が残っていると思います。すなわち、休息に特別な喜びが加わるのだから、特別な労働をする苦痛に耐える価値がないかどうかという問題です――とりあえずここでは人間に平等の条件があると仮定してのことですが。しかし芸術を実践すると苦役が増すというのは事実に反すると思います。むしろ、それが本当だったらそもそも芸術など出現しなかったでしょう。文明のかすかな萌芽しかないような諸民族に芸術が存在したことが現に見てとれるわけですが、芸術が労働への重荷であったら、そこに芸術の存在は確認できないはずです。言い換えれば、芸術は外から強制された結果ではありえないと思うのです。芸術を生みだす労働は自発的なものであり、ひとつには労働それじたいのために、もうひとつには、できあがったら使う人に喜びを与えるものを作る希望があってなされるのです。さらに言い換えるなら、この特別な労働は、それが特別であるとしたら、活動的な気分を満足させる目的でなされます。なす価値のあるものを生産する労働に従事することによって発揮される。それゆえ、その仕事をしているあいだは働いている人間の前途には生き生きした希望が保たれるのです。また、直(じか)に感じられる純然たる喜びが得られる仕事を任せることによってもそれは発揮されます。腕のよい職人がうまく仕事をこなしているときには、この確固たる感覚的な喜びがそうした手仕事のなかにつねにあり、また仕事の自由と個性が強まれば強まるほど喜びも大きくなります——芸術を解さぬ人間にこれを説明するのはむずかしいかもしれません。さらにつぎのことも理解してください。この芸術の制作と、結果としての労働における喜びは、ただ絵画とか彫刻といった芸術作品の制作にかぎらず、さまざまなかたちをとるすべての労働の要素でした。またいまもそうでなければなりません。そうするしか活動的な気分の要求を満足させられないのです。

幸福の増進

したがって、〈芸術の目的〉は、人びとに美と出来事への感興をもたらして余暇を楽しんでもらい、休息にさえも飽きてしまわないようにすることによって、また働く人びとに希望と身体的な喜びを与えることによって、人間の幸福を増進することにあります。あるいは、簡単に言えば、人間の労働を楽しくし、休息を実り豊かにすることです。したがって真の芸術は人類にとって純然たる恩恵なのです。

ですがこの「純然たる」という言葉は漠然としているので、この〈芸術の目的〉にかんする主張からいくつかの実際的な結論を引きだしてみたいと思いますのでお付き合いください。それがこの主題についてのある論点を導くと思いますし、現にそう期待できます。なにしろ芸術について語ろうとするだれもが、きわめて表面的な場合は別として、誠実な人間すべてが考えているさまざまな社会問題にむきあうつもりがなければ、それはじっさい不毛でしかありません。芸術は、ゆたかなものであれ味気ないものであれ、あるいは誠実なものであれ空虚なものであれ、その芸術が生み出された社会についての表現だからです。またそうでなければいけません。

古(いにしえ)のルーアンとオクスフォード

そこで第一に、いまこの現在、事態をもっとも広く深く見ている人びとは、芸術の現状にたいへん不満であり、同時に社会の現状にも不満をいだいています。これはわたしにははっきり見てとれます。近年芸術が蘇生してきたなどと言われていることに対してわたしはあえて言いたいのです。じつのところ、今日一部の教養ある人びとが芸術に熱中しているその様子は、前述の不満にいかに強い根拠があるかを示すにすぎません。四十年前にはいまほど芸術について語られることはなく、実践ももっと少なかった。とりわけそれは建築芸術について言えます。主にこの点についていまからお話ししたい。その当時から死んだ芸術を蘇生させるための意識的な努力がなされ、表面上はある程度の成功をおさめました。だがこの意識的な努力にもかかわらず、美を感じて理解できる人にとって、英国はいまと比べて当時のほうが住むのにさほど嘆かわしい場所ではなかったと言わねばなりません。芸術の意義を感じとっているわれわれは、あまり口にすることはありませんが、このままの道をたどるかぎり、四十年後には英国はさらに住みにくい場所になるだろうことがわかっています。四十年足らず前――およそ三十年前――わたしは初めてルーアンの町を見学しました。あの頃のルーアンはその概観からいっていまだに中世の一片でした。美と歴史とロマンスが混ざり合ったその町がどれほどわたしの心をとらえたか、言葉ではとうてい表せないほどです。ただひとつ言えることは、これまでの人生をふりかえってみると、その訪問はこれまでにわたしが得たなかで最大の喜びだったと思えるということです。そしていま、二度とふたたびだれにも経験できない喜びとなってしまいました。それは永久にこの世から消えてしまったのです。[2] 当時わたしはオクスフォードの学生でした。あのノルマンディの町〔ルーアン〕ほど驚異的でもロマンティックでもなく、一見して中世風の町でもありませんでしたが、それでも当時のオクスフォードは昔の美しさをかなりとどめていました。あの頃のオクスフォードのグレイの町並みの思い出はわたしの生涯における永遠の影響力であり喜びでした。現在の状態を忘れることさえできれば、その感はそれ以上でしょう――これはわたしにとってかの地のいわゆる学問などよりはるかに重要な問題ですが、そんなことなどだれも教えてくれはしなかったし、わたしも学ぼうとしませんでした。それ以来、教育の沃野であるこの美とロマンスの守護者たちは、「高等教育」（これは彼らがおこなっている妥協による不毛な制度に付与されたあだ名です）に専念していると公言しつつも、それをまったく無視して、保護するどころか商業上の必要という圧力に屈服して、完全に破壊しようとしているように見えます。世の中のもうひとつの喜びが消え失せようとしているのです。ここでもまた、愚かにも美とロマンスが無駄に謂れなく打ち捨てられているのです。

このふたつの事例はわたしの念頭にあるので挙げただけで、文明諸国のあらゆる場所で進行している典型にすぎません。世界はいたるところでますます醜く、ますます味気ないものになっています。一握りの人びとが芸術の復興のために意識的でじつに懸命に努力をしているにもかかわらずです。その努力も時代の風潮と明らかに一致しないため、無教養な人びとはそれらについて耳にしたこともなく、教養人はたんなる冗談とみなし、それにさえいまでは退屈しはじめています。

さて、わたしが主張したように、真の芸術が世界への純然たる恩恵だということが本当なら、これは深刻な問題です。一見したところ、いずれ世界から芸術が一掃され、純然たる恩恵を失うことになるからです。なくしてしまうわけにはいかない、そうわたしは考えます。

芸術の死滅が必然なら、芸術はみずから摩滅しつくし、その目的も忘れ去られます。その目的とは、労働を喜びに、休息を実りあるものにすることにありました。そうすると、労働はすべて不幸なものとなり、休息はすべて実りなきものとなるのでしょうか。芸術が滅びる定めであるとしたら、本当にそうなってしまうことでしょう、取って代わるなにかがないかぎりは――いまは名づけようがなく、夢想すらできないものにです。

芸術に取って代わるものなどないとわたしは思います。それは人間の巧妙さを疑っているからではありません。なにしろ人間は自分を不幸の方へとむかわせる巧みさにかけては無尽蔵と見えるので。そうではなくて、人間精神における芸術の源泉は不滅だと信じているから、それにまた現在の芸術の破壊の原因はたやすく見てとれると思えるので、芸術がなにかに取って代わられるとは思えないのです。

機械の功罪

われわれ文明人が芸術を放棄したのは、意識的にでも、自由意思によるのでもなく、放棄を強いられたからです。なにか芸術的なかたちを与えることができる品物の生産に機械が使われるところをつぶさに見れば、それが説明できるのではないでしょうか。なぜ分別のある人間が機械を使うのでしょうか。たしかに仕事を節約するためです。人間の手が道具を用いてできるのとおなじように、機械ができることもあります。たとえば穀物を手臼で挽かなくとも、少量の水と車輪、それに簡単な装置が少しあれば粉ひきを申し分なくやってくれます。人間は機械にまかせておいて、煙草をくゆらせつつ思いをめぐらせたり、あるいはナイフの柄に彫刻をしていたりすればよいのです。そのかぎりでは機械の使用はいいことずくめです。とはいえ、これはかならず人間の条件が平等であると仮定してのことです。平等であれば芸術は失われず、いっそう楽しい仕事のための時間も余暇も手に入れられます。

十分に道理をわきまえていて自由な人間であれば、機械とのかかわりをそこでやめるのかもしれません。しかしそのような道理や自由はとても期待できないので、機械の発明家のあとをさらにもう一歩たどってみましょう。彼は平織の布地を織らねばなりませんが、一方でその仕事は退屈だと考え、他方で機械織機が手織機とほぼ同様に織れることを知ります。そこでもっと楽しい仕事をする時間と余暇を得るために機械織機を使用し、布地におけるわずかではあるが芸術を加味したささやかな強みを無視するのです。ですがそうすることで彼は芸術にかんするかぎり純粋な利益を得られなくなります。彼は芸術と仕事を天秤にかけ、その結果間に合わせの品物を手に入れます。それが誤りだとは言いませんが、彼は得もしたが損もしたのです。さて、芸術を重んじ道理をわきまえた人間が自由であるかぎりは——すなわち、他人の利益のために働くことを強制されないでいるかぎりは——彼の機械とのかかわりはここまで話を進められます。これはあくまで平等という条件を受け入れた社会で彼が生活していたかぎりでのことです。芸術のために使われる機械の使用をもう一歩進めてみましょう。すると、彼が芸術を重んじる自由な人間であっても、道理に外れた人となってしまいます。誤解を避けるために言わねばなりませんが、わたしが考えているのは、いわば生命をもってしまったかのような、人がそれに従属してしまっている現代の機械のことです。人間に従属し、人間の手が考えているとおりにひたすら動く、道具を改良した昔の機械のことではありません。ただし、言っておくなら、後者の初歩的な機械であっても、より高度で複雑なかたちの芸術の場合は出る幕はありません。さて、芸術のために使われる機械じたいについても、たまたま美が備わった必需品を扱うよりも高次の段階になると、芸術への感性をもち道理をわきまえた人間が機械を使うのは、やむを得ない場合にかぎってのことになるでしょう。たとえば、装飾をほどこしたいのだが機械ではきちんとできないとわかっていて、また、きちんとおこなうために時間を費やしても構わないなら、機械を使うはずがありません。ある種の人間、あるいは一群の人間が強制しなければ、彼は作りたくもないものを作るために余暇を犠牲にはしないでしょう。装飾なしですますか、装飾を本物にするために余暇をある程度犠牲にするかのどちらかでしょう。それこそ彼が装飾を本当に望んでいて苦労するだけの価値がある証拠です。その場合にはまた、仕事はたんなる苦しみではなく、活動的な気分の要求を満足させる興味ある喜びとなるのです。

機械の奴隷

道理をわきまえた人間が他人の強制から自由であれば、そのように行動するのでしょう。だがもし自由でなければ、まったくちがった行動をとります。そうした人にとっては、普通の人間の嫌がる仕事をさせたり、人間並みにできる仕事をさせたりするためにだけ機械を用いる段階はとうに過ぎていて、なにか工業製品が求められるとつねに機械が発明されることを本能的に期待するのです。人が機械の奴隷と化してしまっている。新しい機械を発明せずにはいられない、そして発明されると、人が機械を使うとは言えない。否が応でも人が機械に使われずにはいられなくなるのです。

だが、なぜ人は機械の奴隷となっているのか。人間の生存のために機械の発明を必要とする体制の奴隷と化しているためです。

ここでわたしは平等の条件という仮定を捨てなければなりません。いや、すでに捨ててしまっています。よろしいでしょうか。ある意味ではわれわれみなが機械の奴隷ですが、比喩ではなく文字どおり奴隷となっている人びとがいます。そして諸芸術の大部分がまさにそのような人びと——労働者たちに依存しています。労働者を下層階級の地位に貶めておく体制のために、彼ら自身が機械となるか、あるいは機械の奴隷になることが不可欠であり、彼らは労働にはまったく関心がないということになります。労働者であるかぎり、彼らは雇用主にとっては作業場や工場の機械の一部であり、労働者自身はプロレタリアとして、ただ働くためにだけ生き、ただ生きるためだけに働く存在です。職人としての役割、自由意志でものを作る人間としての役割は終わってしまったのです。

感傷的と非難されることを覚悟して言うならば、以上のような次第で、芸術にかかわるものを作る労働が重荷であり隷属にしかすぎないので、芸術を生みだすことはできないということ、これはわたしには、せめてもの喜びです。そのすべては荒涼とした功利主義的心性と愚かな偽物の間に横たわっています。

あるいは本当にこれはたんなる感傷でしょうか。いや、産業奴隷と芸術の堕落との密接な関係を学んだわれわれは、芸術の未来への希望をも学んだことになると思います。いつか人間がくびきを振り落とし、たえまない絶望的な労苦に命をすりへらす賭博的な市場のたんなる人為的な強制を受け入れることを拒否する日が、かならず来るからです。その日が来れば、労働者自身の解放とともに、労働者の美と想像に対する本能も解放され、労働者が必要とする芸術を生産するでしょう。その時代の芸術が過去の芸術にまさらないとはだれにも言えないのです。商業の時代によってわれわれに残された貧弱な遺物に、過去の芸術がまさっているのとそれはおなじです。

中世職人の労働

この問題を語るさいに、しばしばわたしにむけられるひとつの反対意見について多少ふれておきましょう。よく言われるのはこんなことです。あなたは中世の芸術を惜しんでいるが（事実そうである）、それを作った人間は自由ではなかった。農奴か、職業制限の厚い壁にかこまれたギルドの職人だった。彼らには政治的権利もなく、その支配者である貴族階級からひどく搾取されていた、と。なるほど、中世の抑圧と暴力が当時の芸術に影響を与えたこと、その欠陥がその芸術に見られることはまあ認めます。ある面ではそれが芸術を抑圧していたことをわたしは疑いません。だからこそ言うのですが、われわれが昔の抑圧を払いのけたように、現在の抑圧を振りおとせば、真に自由な時代の芸術が暴力的な古い時代の芸術を越えることを期待できるのではないでしょうか。しかし当時は社会的で有機的な、希望にあふれる革新的な芸術をもつことができました。それに反して現在残されているような芸術のみじめながらくたは、個々人による無駄の多い取り組みの結果であり、後ろ向きで悲観的です。そして〔中世の〕あの希望にあふれた芸術があの時代の抑圧のさなかでも可能であったわけは、その抑圧の手段がおおざっぱで見えすいており、職人の労働には無関係だったからです。それは明らかに人から略奪するための法律や習慣であり、いわば街道での追いはぎのように公然たる暴力でした。要するに、工業生産は「下層階級」を強奪するための手段ではなかったのです。それが現在では、立派な職業の主要な手段となっています。中世の職人は労働する分には自由であり、したがって、極力自分も楽しめるように仕事をしました。仕事は苦痛ではなく楽しみであり、作られるものすべてが美しく、大聖堂からお椀(ボウル)にいたるまで、あらゆるものに人間の希望と思想の宝物が惜しみなく与えられたのです。さて、中世の職人には敬意を欠いてしまいますが、現代の「手(ハンド)」〔労働者〕をおもんばかった言い方をしてみましょう。十四世紀の職人の労働は、哀れにもごくわずかな価値しかもたなかったので、自分自身や他人を楽しませるために労働に何時間でも浪費することが許されていました。ところがいまの職工はひどく緊張を強いられていて、一刻一秒が無限の利潤の重荷をたっぷり背負いこんでいるために、芸術にそのうちの数分たりとも費やすことは許されません。現在の体制は労働者が芸術作品を生産することを許容しないし、許容する余裕もないのです。

芸術はなぜ衰退したか

それでつぎのような奇妙な現象が生じました。いま紳士淑女の一階級があって、たしかにたいへん洗練されてはいますが、一般に思われているほどの知識はなさそうです。彼らのなかに美と出来事を、すなわち芸術を真に愛し、それを手に入れるためには犠牲もいとわない人びとが大勢います。そうした人びとは偉大な手業(てわざ)と高い知性を備えた芸術家に導かれて、芸術品に対する大きな需要層を形成していません。だが供給がそれに追いつきません。さらにこの大勢の熱心な需要者たちはけっして貧しい無力な民衆でも、無知な農夫や漁夫、半狂信的な僧侶、軽薄な急進的革命家（サンキュロット）でもありません——要するに、これまでたびたび世界を震撼させ、これからもまた震撼させるような要求をつきつけるような者はひとりもいないのです。そうではなく、この連中は支配階級であり、人びとの主人であって、働かずしてくらしていけるし、自分たちの欲望を満足させるに十分な余暇があります。ところがそんな人たちも、どれほど熱心に世界中を探しまわろうと、それほどまでに求めている芸術を手に入れることはできません。イタリアのみじめな貧農や、諸都市で飢えに瀕しているプロレタリアのみすぼらしい生活に感傷を覚えているのは、いまではわが国の田舎や都会のスラムに住む貧しい人びとからあらゆる絵画的（ピクチャレスク）な趣きが失せてしまったからです。じっさい、どこにもこういう人たちのための現実はほとんど残っておらず、わずかに残されたものも工場主の必要に直面して、ぼろをまとった労働者の大軍に直面して、そして死んだ過去を回復させようとする考古学の保存修復者の熱狂に直面して、急速に消えつつあるのです。やがてなにひとつなくなり、ただ歴史の偽りの夢、博物館や画廊の哀れな残骸、固く守られた客間の唯美的な内装しか残らないのでしょう。そのわざとらしく愚かしい客間は、そこで送られている堕落した生活を示す恰好の証拠です。やつれはて、貧弱で臆病な内装で、人の自然な憧憬の念を抑制するというよりは、むしろそうした気持ちを隠して見えないふりをしている。そして、体よく隠すことができれば、そうした生活に貪欲にふけることを禁じてはいないのです。

芸術はこうして消え去りました。中世の建築とおなじように、もはや昔のままに「修復」することはできません。洗練された金持ちが芸術を求めても、じっさい多くの人間が求めているとは思いますが、手にすることはできないのです。なぜでしょうか。金持ちに芸術を与えるはずの人たちが、金持ちによってそうすることを許されないからです。要するに、われわれと芸術のあいだに、奴隷状態があるからです。

すでに述べたように、芸術の目的は、活動にむかう衝動を楽しく満足させる仕事にすることによって、またその活動にふさわしいものを作るのだという希望を与えることによって、労働の呪いを打ち破ることです。

〈革命〉への希望

さて、そういう次第で、中身がなく体裁だけを取り繕おうとするのでは芸術を手にすることはできません。それでは偽物しか手に入らないからです。すると残された問題は、実体なき影のことは影にまかせ、極力本質をつかむために努力すればどうなるかということです。わたしとしては、芸術じたいの様相がどうなるかはあまり気にせず、芸術の目的を実現するために努力すれば、最後には望むものが得られると信じています。たとえそれが芸術と呼ばれようと呼ばれまいと、ともかくそれは生命をもつものでしょう。結局、その生気あるものがわれわれの望むものなのです。それは見るからに壮麗で、新しく美しい芸術にわれわれを導いてくれるかもしれません。過去の時代の建物に見られる奇妙な不完全さと欠点をまぬがれた、多様性にあふれる壮麗な建築、中世芸術が達成した美と現代芸術がめざすリアリズムを結合した絵画、古代ギリシアの美とルネサンスの表現と、いまだ発見されていない第三の要素とを綜合した彫刻――生き生きとして見事な男女の像を与えてくれて、しかも本当の彫刻すべてがそうあるべき、建築装飾にも適した彫刻――これらのすべてが実現するかもしれません。そうでなかったら、行きつく先は不毛の地で、われわれのなかで芸術は死滅したと思われるかもしれません。あるいはまた、昔の栄光が完全に忘れ去られた世界で、芸術が力なく頼りなげにもがいていると思われるのかもしれません。

わたしとしては、芸術がいまのままであれば、これら両者のうちどちらの運命が待ち受けているのかは、未来へのなんらかの希望がそれぞれにふくまれているのであれば、どちらでもいいと思えます。ここでもほかの問題とおなじように〈革命〉におけるほか希望はないのですから。古い芸術はもはや実り豊かとはいえず、優雅な詩的哀惜の念をいだかせるほかにはもはやなにも与えてくれません。不毛にして死滅するほかないのです。当面の問題は、希望をいだいて死ぬか、希望なくして死ぬかです。

たとえば、わたしの優雅な詩的哀惜の対象であるルーアンやオクスフォードを破壊したのはなにか。それは知的な変化と新しい幸福の増大にしたがって徐々に席をゆずり、民衆の利益のために滅びたのか。それとも新しい偉大なものの生誕にしばしばともなう悲劇によって、いわば雷で撃たれたのか。そうではないのです。その美しさを一掃したのはファランステール[3]でもダイナマイトでもなく、またそれを破壊したのは慈善家でも社会主義者でも、あるいは協同組合主義者でも無政府主義者でもない。それは売られたのです、それもじつに安い値段で。喜びにあふれた人生がなにを意味するかを知らず、自分で人生を楽しむことも、他人に楽しませることもない愚者の貪欲と無能によって台なしにされたのです。だからこそ、あのような美の死滅がわれわれの心をいたく傷つけるのです。もしその損失が民衆の新しい生活と幸福によって償われていれば、良識や感受性のある人間はそれを残念とは思わないでしょう。とはいえ、あらゆる美を破壊した怪物に、かつてもいまも真っ向から対決している人びとがいます。その怪物の名は〈商業利潤(コマーシャル・プロフィット)〉です。

　繰り返しますが、こうした事態が長くつづくとすれば、本物の芸術のあらゆる断片までもがおなじ人間の手によって滅ぼされるでしょう。偽物の芸術がそれに取って代わり、それは下からの支えがまったくないまま、ディレッタントのご立派な紳士淑女によって維持されてゆくことでしょう。率直に言えば、本物を装って戯言(たわごと)を並べている亡霊のごときこの偽物は、いまでは芸術愛好家を自任している大勢の人間を満足させているように見受けられます。とはいえ、それがやがて物笑いの種にまで堕落することはたやすく見通せます。つまり事態がこのまま変わらず、芸術が永久にいま紳士淑女と呼ばれる連中の慰み物となったままでつづくなら、そうなるでしょう。

労働の呪いの廃絶

　ですが、どん底にいたるまで落ちつづけるとはわたしは思いません。ただし、労働者を解放して人間の条件を実質上平等にするという社会の根本の変革こそが芸術のすばらしき新生にいたる近道だと考えますが、この持論を口にすると偽善的だとされます。もっとも、われわれがいま芸術と呼ぶものにそうした変革が影響を与えないはずはないと感じています。その革命の目的にはたしかに芸術の目的がふくまれているからです。すなわちその目的とは、労働の呪いの廃絶ということです。

　つぎのような事態が予測できます。すなわち、人間の労働を節約する目的で機械が発展をつづけ、やがて民衆は人生の楽しみを味わうに十分な余暇を獲得する。同時に事実上〈自然〉の支配を達成し、十分すぎるほどは働かないからといって、その罰として飢餓を心配することももはやなくなる。民衆がこの域に達するとかならず変化が起こり、本当にやりたいことがなんであるかがわかってきます。やがてなすべき仕事の量が少なければ少ないほど（つまり芸術をともなわない仕事が少なければ少ないほどということですが）、それだけいっそうこの地上は住むに望ましい場所であることがわかるのです。こうして仕事量を減らしてゆくと、やがてわたしが最初に述べた、活動的な気分が新たに人びとを刺激するようになります。しかしその頃までには人間の労働の緩和により救われた〈自然〉は、遠い昔の美しさを回復し、芸術の古き物語を人びとに教えるでしょう。そして人間が主人の利益のために働くことに起因する、いまは当然視されている〈人為的飢饉（アーティフィシャル・ファミン）〉は、とうに姿を消しているので、人びとは自分が望むことを自由におこない、手仕事にしたほうが楽しく望ましいと思える場合には、いつでも機械を棄てるでしょう。そして美をかたちにすることが要求されるあらゆる手工芸においては、人間の手と頭脳の直接の交流が求められるようになるでしょう。また、農作業をはじめとして、多くの職業も、みずから進んで体を使って作業に当たるのがとても楽しいものになり、人びとはその楽しみを機械にゆずろうなどとは夢にも思わなくなるでしょう。

要するに、まず自分たちの要求を拡大しておきながら、そうした要求をいかにして充足させるかという手段や過程には一人ひとりが全面的に関わらずにすまそうとしていること、ここに現代人の誤りがあるということがわかるでしょう。この種の労働の分業は、じっさいには傲慢で怠惰な無知の、新種の頑迷な形態にすぎないのです。人生の幸福と充足にとってこれは〈自然〉の変化発展や、われわれが時として科学と呼ぶものについての無知よりもはるかに有害です。そういった自然や科学を、昔の人びとは特段意識せずにくらしていたのでした。

幸福の秘訣は、日々のくらしのあらゆる細部に純粋な感興を覚えることにこそある——そうした細々とした日常の作業を、まともに遇されることのない雑役夫にまかせっきりにして、それをないがしろにするのでなく、芸術によって高めることが肝心だということ——これを人はいつか発見、というか再発見するでしょう。このように日常生活を高めて感興を覚えることもかなわず、また機械を用いて日常の作業を軽減することでそうした労働を取るに足らないものにすることも無理だというのであれば、それは、そうした作業から得られるように思える利益は苦労のしがいもないのであきらめたほうがよいという証拠なのです。すべてこれは、私見では、人間が〈人為的飢饉〉の重荷を投げ捨てた帰結としてもたらされるものです。歴史の黎明期から人間を〈芸術〉の実践にかりたてた衝動がいまでもまだ人びとのうちに働いていると想定したうえでのことです。そしてわたしはそう想定せずにはいられません。

こうして、こうすることによってのみ、〈芸術〉の新生をもたらすことができるし、またこうして芸術〉がもたらされるだろうとわたしは考えます。長い道程だと言われるかもしれません。それはそのとおり。だがわたしにはさらに遠い将来が思い浮かべられます。ここまでは〈社会主義者〉の、つまり〈楽観主義者〉の見解を示しましたが、つぎに述べるのは〈悲観主義者〉の見解です。

悲観主義者の見解

〈人為的飢饉〉、あるいは〈資本主義〉に対する叛乱が目下進行中ですが、これが敗北する可能性も考えられます。その結果がどうなるかといえば、労働者階級――社会の奴隷――がさらに貶められてしまう。彼らは圧倒的な力に対して抗うことができなくなり、生への愛着――人類という種族の存続をつねに気遣う〈自然〉が人類に植えつけた生への愛着――にかきたてられて、飢餓、過労、汚濁、無知、蛮行など、あらゆることに耐えるすべを学ぶ。労働者階級はこのすべてを忍従するでしょう。なにしろ、悲しいかな、いま現在十分によく耐えているのですから。くらしに事欠いてはいても、生きていられるだけでありがたい、だからその人生を危険にさらすよりは我慢しているほうがいい――こうして、労働者階級から希望と雄々しさの火花〔生気〕の一切が消え去ってしまうのです。

また、その主人たちといえどもくらしがよくなるわけではありません。大地の表面は人間の住めない土地のほかはどこもひどく醜いものになる。芸術は滅び去る。文学は滅び、手を使う諸芸術も滅びる。じっさいいまも急速にそうなりつつありますが、芸術はたんなる一連の整然と計算された愚劣な代物に、情熱のない小器用なものと化す。科学はますます一面的になり、より不完全でより口先だけの無用なものとなる。しまいには科学はたまりにたまって迷信の山となり、これに比べれば昔の神学のほうがすこしは合理的で啓蒙的と思えてくる。あらゆるものが低きに低きにと流れ、希望を実現しようとした過去の英雄的闘争は、年ごとに、世紀ごとに、すっかり忘れ去られ、人間は言語に絶するおぞましい存在――希望のない、欲求のない、生命のない存在――となる。

この衰退を免れる方途ははたしてあるのでしょうか。ありえます。人類は、なんらかの恐るべき大変動のあと、健康な動物的生き方（アニマリズム）にむけて努力することを学び、動物に近いものから野蛮人から未開人へと成長するかもしれません。かくしてわれわれがいま失ってしまった芸術を数千年後にもう一度やりはじめて、ニュージーランドの先住民のように文様を刻んだり、あるいは有史以前の移動する民のように獣の白い肩甲骨にその獣のかたちを書きつけたりするようになるかもしれません。

いずれにせよ、〈人為的飢饉〉に対する叛乱の成功を不可能とみなす悲観論者の見解にしたがえば、われわれはふたたび疲れた重い足どりでとぼとぼと堂々巡りをするだけで、やがてなんらかの偶発事件、なんらかの予期できない事の成り行きが完全にわれわれに終止符を打つということになります。

希望に賭ける

以上のような悲観論をわたしは信じないし、またわれわれ人類が前進するか、それとも堕落するかは、まったくわれわれの意志の問題であると考えます。だがことを〈社会主義〉、つまりは〈楽観主義〉の側に推し進める人びとがいるがゆえに、こちらが勝利するいくばくかの希望があり、多くの人びとのたゆまぬ努力には、それを強く押し出す力がふくまれていると結論せざるをえません。したがって、〈芸術の目的〉は実現されると信じています。とはいえ、われわれが〈人為的飢饉〉の暴虐のもとであえいでいるかぎり、その目的が実現できないこともわかっています。芸術をことのほか慈しんでおられるみなさんに、もう一度警告したい。芸術の廃れた外観だけをいじくって芸術を生き返らせようと試みることになんらかの意義があるなどとゆめゆめ思ってはなりません。求めるべきは芸術そのものよりはむしろ芸術の目的です。それを探し求めるなかで、われわれは空虚で荒涼とした世界にいることがわかるでしょう。それに気づくことができるのも、すくなくとも芸術の偽物には耐えられない程度にはわれわれは芸術を大事に思っているからです。

いずれにしても、ともに考えていただきたいことは、われわれに起こりうる最悪のことは、目に見えるさまざまな悪を意気地なく我慢することです。これ以上にひどい災難や混乱はないのです。再建には破壊が不可避的にともなうでしょうが、それを冷静に受け入れる必要があります。国家、教会、そして家庭、そのどこであれ、暴虐を我慢したり、虚偽を容認したり、恐怖の前にひるんだりせず、決然とした態度で臨むべきです。もっとも、そういうもろもろの悪は、敬虔、義務、愛情、あるいは有益な機会と温厚な態度、分別や親切といった仮面をかぶってわれわれの前に現われる可能性があります。世の中の粗暴、虚偽、不正は当然の結果をもたらすでしょう。われわれとわれわれの生活はそうした結果の一部です。だがわれわれはまたこうした呪いに対する昔からの抵抗の遺産を継承しているので、そのような遺産の正当な分配にわれわれ各人がきちんとあずかることを期待しましょう。そこからなにも起こらないとしても、われわれにともかくも勇気と希望をもたらすでしょう。われわれが生きているかぎり、生き生きしたくらしがある、なによりもそれこそが〈芸術の目的〉なのです。

（一八八六年）

（1）「リュートのひび割れ」(the little rift within the lute) とは英国十九世紀の詩人アルフレッド・テニスンの『国王牧歌』(*The Idylls of the King*, 1859) のなかの「マーリンとヴィヴィアン」(Merlin and Vivian) 中の詩句で、不和や破滅の兆しを意味する。

（2）オクスフォード大学学生であった二十歳のモリスは一八五四年の夏休みにベルギー、北フランスなどを旅行、アミアン、ボーヴェ、シャルトル、ルーアンのゴシック大聖堂を訪ねた。翌五五年にも再訪している。そのときの訪問ののち、フランスで建築家ヴィオレ・ル・デュク (Eugène Emmanuel Viollet-le-Duc, 1814–79) らによって盛んに進められた修復工事がルーアン大聖堂にも及んだ。モリスがこの大聖堂を「永久にこの世から消えてしまった」と述べているのは、この「修復」が破壊行為にほかならなかったという含みである。

（3）「ファランステール」(phalangstere) とはフランスのユートピア的社会主義者シャルル・フーリエ (Charles Fourier, 1772–1837) が提唱した理想社会およびその信奉者を指す。

芸術とその作り手

これから話さねばならないことは、もう聞き飽きたと言われないか心配です。しかし生活の芸術をみなに広め促進する仕事にとりかかるのに、まずはこの講演の主題を考えてみるのが肝心だと思うのです。講演の主旨を最初からご理解いただけるように、まずみなさんにある種の論点（テクスト）を示して、それにもとづいてお話ししましょう。ひとつの見取り図といったもので、これでお互いの時間の節約になります。

人を労働にむかわせる動機とは、生活の糧を得る必要だというのが通常の見方です。現代社会では、労働者階級の人びとにはこれがじっさいに唯一の動機となっています。彼らが生産する品物には部分的にある種の芸術がふくみこまれていると思われています。ところがそんな仕方で働いている人間が本物の芸術作品を作るなど無理な話です。そうすると、望ましいのはふたつにひとつ。すなわち、そんなふうに作られる品物のなかの芸術の見せかけを一掃し、芸術作品としてのみ存在理由がある絵画作品や彫刻作品などに芸術を限定してしまうか、あるいは、労働の必要という動機に、仕事それ自体への喜びと感興という動機を付け加えるか、そのいずれかです。

以上がわたしの論点であり、みなさんがただ芸術談義に打ち興じるというのでなく、芸術についてなにかをしようとするならば、この主題についてじっくりと考える必要があることがきっとおわかりになるでしょう。芸術談義であったら芸術作品など要りません。なにしろ現今ではあらゆる現実の目的にかなう数多の美辞麗句がこしらえられているのですから。

別の言い方をすれば、みなさんに問いたいのは三つです。第一に、芸術の実質（リアリティ）がないところで建築や建築芸術を作るふりをするのか。第二に、その実質をもてないと絶望して、あるいは実質などどうでもいいと思って、建築と建築芸術を諦めるのか。あるいは第三に、実質をもつ仕事にわれわれみずからがとりかかるのか。

第一案を採ることは、われわれがあまりにも生活にかかわって不注意で性急であるがために、自分が愚か者（じつに悲劇的な愚か者）かどうか思い悩んだりしないということを表すでしょう。

第二案を採る者は、退屈で空虚な人生を送るという犠牲を払ってでも極力多くの責任から逃れようと決めたたいへんな正直者、というレッテルが貼られるでしょう。

もし真摯に第三案を採るならば、少なくとも当面はわれわれのくらしにたっぷりと面倒と責任が加わりますが、生きる幸福もまたたっぷりと加わることでしょう。それゆえ、この第三の道を採ることにわたしは賛成します。

じつはみなさんに第二案を示したのは論理的公平を期すためでしたが、最終的にこの道にむかうようにかりたてられてしまうとしても、われわれがいまこれを意識的に選択する自由はないように思います。今日われわれに開かれているのはふたつの道だけでしょう。広く行き渡った芸術の擬装——それはほかでもない、広告のチラシにおいて行き渡っています——を唯々諾々と受け容れるか、それともわれわれのくらしにおいて本当に行き渡り、くらしをいっそう幸福なものにする芸術を求めて格闘するか、そのどちらかです。しかし、われわれが本気で取り組むのならば、これは社会の再建をともなうことになるので、まずこうした建築芸術がじっさいにはどのようなものであるか、そしてそんな苦労に値するものであるのかどうかを検討してみましょう。なぜなら、もし苦労に値しないならば、われわれは現状に甘んじて、望んでもいないのに望んでいるふりをする愚か者となるように強いられているという事実に目を閉ざしているほうがましだからです。

建築芸術

それゆえ、建築芸術は、それが実体をもつものであるならば、日用に供される必需品のすべてに、使い手がもちたいと欲し、作り手が作りたいと欲するだけの美と興趣を付け加えることを意味します。比較的最近まではこの美と興趣が製品の一部をなすということは疑いようもなかったのです。使い手の側ではっきりと注文をつけなくても、また作り手の側で必ずしも意識していなくても、つねにそれはふくまれていました。先に述べた偽の芸術は、要するにかつてあった実質がいまに伝えられて残存した遺物でしかありません。第二の選択肢としていま示したような単純で論理的なやり方で解決できないのはひとつにはこのためです。

だが高潔で誠実なこの建築芸術は――一言付け加えておきますが、職人はただ義務だからというだけでなく（なにしろ職人はこの件にかんしては無理強いされているという意識はありません）、自分の喜びを意識しないこともままあるとはいえ、自分が作りたいがゆえにものを作ることでこの建築芸術を築き上げていったのです――この本物の建築芸術は、ものづくりの精神を理解する使い手のために、職人がもてる技を駆使して製品を作りあげるということにひとえにかかっています。建築芸術はそれらの製品の一部をなします。消費者である使い手はどのような製品がよいかを選ばねばならず、作り手は使い手の選択に応じなければなりません。使い手と作り手のいずれも品物の流儀を強制してはなりません。両者は心をひとつにし、使い手と作り手の役割を（それが容易に想像可能な環境下において）交換できるようでなければならないのです。指物師はある日、金工のために整理箪笥（チェスト）を作り、金工は別の日に指物師のために杯（さかずき）を作ります。双方の仕事には共感の念があります――すなわち、指物師は友人である金工のために、自分が必要になった場合に欲しいと思うような整理箪笥を作る。金工の杯は自分が必要になった場合に作るのとまったくおなじものです。どちらも仕事中は自分と似た必要をもつ人に使ってもらうことを意識している。以上述べたことに留意していただきたいのです。のちほど、仕事をする際のこうした状況とは正反対の事態を示さねばなりません。その前につぎのことを留意ください。すなわち、この装飾（オーナメント）の芸術、すなわち建築芸術というのは、家屋や杯やスプーンなどといった、日用に供される、どうしようもなく生気のないもののうえに、いくらかの装飾や優雅（エレガンス）さを塗りたくるかどうかの問題だとたいていの人が考えているのかもしれないが、そんなものではないのです。箪笥や杯や家屋は、そうしたければ簡素にしたり粗い造りにしたりできるし、あるいはふつう装飾と呼ばれるものをまったくなしですますこともできます。しかし、わたしが述べたような心意気で作られるものであれば、かならず芸術作品となるでしょう。そのようにして作られた作品のなかには、くらしをたてるための互いの仕事への関心の取り交わしがあるし、またそれがなければならないのです。人間に必要不可欠なものについての知識、人間の善意の意識がこのような作品すべての一部をなしており、世界はそれによって互いに結びついているのです。諸芸術の平和がその根から芽生え、戦争や紛争や騒乱のさなかでさえも花を咲かせるのです。

これこそが建築芸術であり、この芸術の全面的な実現にむけてみなさんが骨を折るだけの価値があると、ぜひお考えいただきたいのです。どれほど厄介であろうとも、奮闘する価値はあるとわたしは確信しています。なにものにも代えがたいものはいくつかありますが、とりわけわたしは雄々しく生きようとする気持ちを尊びます。芸術は少なくともその一部をなすのです。

中世の工芸ギルド

真正の建築芸術を生み出しうる条件を理屈として説明するなら以上のようになります。だがこの理屈は産業芸術（インダストリアル・アーツ）の歴史的発展についての一見解にもとづいているのであり、たんなる空中楼閣ではありません。したがってここでわたしの歴史的立場をかいつまんでお話しする必要があります。以前にもたびたびもちだした話題なので、みなさんの大半ではないにせよ、多くの方々はもうよくご存知にちがいありませんが、お聞きください。歴史の始まりから中世の末期まで、前述のように、多少なりとも長持ちさせることを意図して作られた製品であればすべて、しかるべき芸術のかたちがともなっているのは当たり前のことでした。こうした特徴があるからといってその品物の値段が上がるわけではなく、芸術品を作ろうと構えていっそうの労力をかけるということにもなりませんでした。それが自然なことだったのであり、さながら植物が生長するように、製品も生長したのです。その時代全体をとおして、製品は全面的に職人の技（クラフツマンシップ）によって作られていました。なるほど、たしかに古代世界においてはものづくりの大半は動産的奴隷（チャトル・スレイヴ）の仕事で、職人という奴隷（アーティザン・スレイヴ）の境遇が農業奴隷とは大違いであったものの、彼らが奴隷であったことは、芸術家が制作する高級作品に厳格に、また文字どおり隷属するものとされた当時の下級芸術にはっきりと刻印されていました。動産的奴隷が古典世界とともにヨーロッパから消え去り、そのあとに生じたメディアの大釜[1]さながらの大混乱のなかから中世期がうるわしい姿で誕生しました。ギルド[2]が形成されてそれが当時の労働者——自由民と農奴の双方——に集結地点を与えるやいなや、その労働者たち、すなわち、製品の作り手たちは、どのような政治的立場にある者であっても、仕事においては自由になったのです。そして建築芸術が過去に例を見ないほどにまで繁栄し、人間が平等になった社会ではくらしの喜びはいかほどのものであるか、少なくともその兆しが世界に与えられました。この時代に職人の技（クラフツマンシップ）はその頂点に達したのです。工芸（クラフト）ギルドが公言する目的は、〔記録として残っている〕それらの規則というたしかな証拠から推測できるように、どのような注文が入っても、生粋の手職人（ハンディクラフツマン）（われわれはいまこの語を本来の語義とは正反対の意味になるように翻訳してしまっています[3]の組合のなかでそれを平等に分配し、ギルド内部でまさに始まりかけていた資本主義と競争を抑制することにありました。同時に、製品を作るのも目的であったわけですが、その製品の試金石はじっさいに使われるということであり、おなじ心意気で仕事をおこなう隣人たちからなる世間の本当の要求に応えるということでした。利潤のためにではなく、使われるために生産するこのようなものづくりの仕方は、それにふさわしい果実を実らせました。当然ながら、十四世紀、十五世紀のギルド組合員が作った品物はあらかた失われました。そのなかでは彼らが立ち上げた建物がいちばん長持ちですが、そうした建物でさえ、それにつづく時代の無知と偏狭、軽率と衒学（ペダントリー）によって破壊されるか貶められるかしてしまいました。だが、ほとんどがまったくの偶然によるのですが、かろうじて残ったものがあります。それだけでも十分に以下の教訓をわれわれに与えてくれます。すなわち、どんなに教養があっても、近頃自然を征服した科学の分け前にどれほど与っていようとも、それが職人の働くくらしと無関係なら、職人の作業時間のあいだの手と思考の自由と、彼自身の仕事じたいを幸福にする権利に取って代わることはできない、という教訓です。さらに、自由でありながら調和のとれた共同作業に従事する人びとが発揮する集団的才能は、建築芸術の製作においては、もっとも偉大な個人の才能が散発的に力を傾ける場合よりも、はるかに強力なものになるという教訓もあります。なぜなら集団的才能の場合は、生命と喜びの表現は自発的で習い性となったものであり、過去の伝統と直接結びついており、したがって、〈自然〉そのものの働きと同様に誤ることがないからです。

ギルドの衰退

しかし、ギルドというこの職人の組織、この中世の労働の栄冠は短命に終わる定めにありました。ギルドに見られた平等への傾きは、この組織が生息していた政治的環境のその後の展開によってすっかりかき消されてしまったものですから、それが実在したことは現代の歴史批判学派の出現以前にはほとんど考えられてこなかったのです。知らず知らずのうちにかもしれませんが、どのような経緯だったかをあえて考えてみる習慣がある人びとは、この変化を導いたと思われるいくつかの小さな要因を考察し、つぎのように考えるかもしれません。〈黒死病〉で北西ヨーロッパの人口が半減しなかったらどうなっていただろうか、と。[4] フィリップ・ファン・アルテフェルデと彼が率いるヘント市民が、父親〔ヤコブ〕が〔一三四〇年に〕コルトライク〔クルトレー〕で勝利したように、ローズベーケの戦いでフランスの騎士団を敗北せしめていたらどうなっていたか、と。[5]「マイル・エンドの麗しき野」に集結したケントとエセックスの屈強な自由農(ヨーマン)たちが分別を働かせて、あの卑劣な青年王〔リチャード二世〕をあんなに単純に信用したりせずに（なにしろあの王は、たがいに手を出さぬ約束での交渉の場だというのに、農民の指導者〔ワット・タイラー〕を殺害させたばかりだったのです）そのまま農民戦争をつづけてしかるべき帰結にまでもっていったら、はたしてどうなっていただろうか、と。[6]

これはみな楽しい冗談ですが、それ以上のものではありません。新しい知識、自然への支配力、くらしの速度——これらを増大させたいという切望が全般的にますます強まってゆき、生産的労働のつぎの発展を強いるようになるやいなや、ギルド支配下の産業はとにかく終わらざるをえなくなったのです。そのときギルドは拡大が求められていましたが、ギルドにもはやそんな余力はなく、封建的階層制度の死滅に大いに貢献して中間階級（ミドル・クラス）を誕生させたあとに、消滅しなければなりませんでした。その中間階級が封建制に代わってヨーロッパで権勢をふるうことになりました。資本主義がギルド内部で成長しはじめると、いわゆる自由労働者としてのジャーニーマンがそのなかに姿を現しはじめました。[7] ギルドの外部では、とくに英国がそうでしたが、田舎の土地の耕作が、小作農の生計のためではなく、農業資本家の利益のためになされはじめました。そして近代社会を動かしてゆくのに必要な生産方式が創出されました――地位身分の社会に代わる契約社会がそれです。この方式では、自由労働者がその仕事中にはもはや自由でなくなることが肝要でした。労働者に押しつけられなければならないものとは雇用主であり、雇用主は、自らが原材料と生産用具を所有することの帰結としてその仕事を完全な管理下に置きました。さらに労働者には、製品を売るための世界規模の市場が押しつけられました。その市場に彼はなんら直接的なかかわりをもたず、またそんな市場の存在じたいも意識できないものでした。こうして彼はしだいに職人（クラフツマン）ではなくなりました。職人だったら仕事を仕上げるために、どうしてもその仕事に興趣（インタレスト）を覚えなければなりません。彼には自分が作る製品の良し悪しに責任がありましたし、そしてそれらの製品の市場は主として隣人たち（その人たちがなにを必要としているのかを彼は知っています）から構成されていたからです。ところが彼はいまや、職人ではなく、職工長（フォーマン）の指示を実行するほかになんの責任ももたないただの「人手（ハンド）」とならねばならないのです。余暇には（もしかしたら）彼はひとりの知的な市民であり、政治を理解したり、科学の知識を有したりする能力があるとしても、労働時間内には一個の機械でさえなく、工場という名のあのほとんど驚異的ともいえる巨大機械の標準化された一部品でしかなくなりました。自分のくらしの興味が自分の労働の中味と無縁になり、自分の仕事が「雇われてする仕事（エンプロイメント）」に、すなわちだれか他人の意のままに生活の糧を得る機会でしかない、そんな人間になりはてたのです。この方式のもとでもまだ興趣／利益（インタレスト）は商品生産にむすびついていますが、それがどんなものであれ、ふつうの労働者からはすっかりなくなり、彼の労働を仕切る者たちのみと結びついています。その興趣／利益（インタレスト）も、手に取られ見られるもの、つまり使われるものとしての製品を作ることとは通常はほぼ無関係であり、世界市場（ワールド・マーケット）で繰り広げられる大勝負（グレート・ゲーム）のたんなる賭け金代わりにすぎないのです。想像するに、この［バーミンガムという］大「製造業（マニュファクチュアリング）」地区にいる「製造業者（マニュファクチュアラー）」のなかには、自分が「製造（マニュファクチュア）」する商品を自身で使うことを考えるとぞっとするという人がかなりいるのではないでしょうか。そしてその商品が使用される最終目的地である、彼らの顧客の顧客の、そのまた顧客の熱中ぶりを目にすることができたら、苦笑いを禁じ得ないかもしれません。

　中世の職人と今日の自由労働者は大違いであり、それは直に使われるためのものづくりと、世界市場むけの交換商品としての生産との対照ということになるわけですが、両者はじっさいには徐々に変化をとげてこのような対照をなすようになったのであり、この短い説明ではあえてそうした変化の過程にはふれませんでした。できるだけはっきりとその対照を示したいのですが、しかし反論を見越してつぎのように述べておくべきでしょう。変貌の過程はゆるやかでした。新しい自由労働者は最初は働き方をそれほど変えなくてもよかった。分業制が労働者に強いられるようになったのは十七世紀のことで、それが完成したのは十八世紀にいたってからでした。この方式が完成に近づくと、自動機械の発明によって労働者と自分の仕事との関係がさらにまた変化し、主要産業においては、労働者は機械である代わりに今度は機械の番人となりました（機械であったほうが彼には得だったと思います）。だがその一方で、それまで難を逃れて生き残っていた手工業のほとんどすべてが分業の支配下に落ちて、ほどなくして職人の技（クラフツマンシップ）は賃金労働者階級から消えました。職人の技はいまではほぼ消滅したのです。かろうじて専門職階級のあいだに残っているだけです。その連中は自分たちが紳士（ジェントルマン）[8]の地位にあると主張しています。

世界市場（ワールド・マーケット）下の労働者

もしも建築芸術すなわち装飾芸術を実現させたいとわれわれが心から願っているのであれば、以上の事実にむきあわねばなりません。これらの芸術はまず第一に労働者にかかわるからです。しかしこうした製品の作り手である労働者が現実に置かれた状態を明らかにするには、それらの製品を消費する人びとの状態も考えねばなりません。それはつぎのように言えるかもしれないからです——あなたがこうした品物の生産を望むのならば、必要なのはそれらへの需要を生みだすほかになく、需要が生まれればそうした品物が自然に現れるようになり、そしてもう一度労働者を職人に変えるだろう、と。

さて、このような需要が本物で、しかも広範に需要があるとするならば、それはたしかにそのとおりでしょう。だがつぎに、この本物で広範な需要をそもそも創出しうるかどうかという問題が生じます。創出できるとすれば、どのようにしたらよいのでしょうか。

　さて、現行の生産方式が手職人を意志のない機械に変えたように、この方式は市場でものを買う能力に長けた隣人であった購買者を世界市場の奴隷に変えました。つまり彼を財布にしてしまったのです。儲けることばかり考えている現代の商売人のモットーは、人間のための市場ではなく、市場のための人間というものです。市場が主人で人間が奴隷となってしまっており、わたしに言わせればこれは本末転倒です。現実にそうなっているのかいないのかを検討してみましょう。現在われわれが直面すべき大きな問題は、人間の労働の正しいです。そもそもどこかで使い道を誤ってしまうだけでも困りもので、あとで取り返しがつかなくなります。労働を正しく使えないなら、見越せるのはせいぜい頽廃し堕落した社会ぐらいのものです。わたしとしては、労働をいいかげんにではなく正しく使おうという気持ちに、みながなってもらいたいと思います。だがとにかく、われわれは実際上つぎの事実を認めざるをえなくなっています。すなわち、われわれがどう手を尽くしても飢え死にするかワークハウス(9)へ行くかしかない数十万人の貧者は別にして、それ以外の労働力、すなわち人間の使い方（エンプロイメント）だけに、われわれは目をむけるしかないということを。さて、たったいま述べたことを力を込めて繰り返すならば、労働者にとって本来あるべき雇い主（エンプロイヤー）（または顧客と言ってもよい）は労働者です。もし彼らにほかの顧客がいなかったとしたら、長い目で見れば、ひとえに有用なものを作ることのためだけに彼らは雇われることになるだろうという強い確信がもてることでしょう。それらの有用なもののなかに、当然わたしは多種多様な芸術作品をふくめているのです。だが現状ではそれ以外の顧客がいるわけなので、そのような確信はもてません。なにしろ、だれが見てもわかるように、市場むけではあっても、有用ではないものを大量に生産するために労働者は雇われているからです。本来ならば彼ら自身が自分たちにとっての良き顧客であるべきなのに、そうなっていません。良き顧客となるのに足るほど裕福ではないからです。彼らが消費するすべての物品は、量は言うにおよばず、質もより落ちたものにならざるをえません。それゆえ彼らの顧客は富裕層、金持ち階級という購買層によって補われなければなりません。われわれはこう思うでしょう――この富裕層はすべて、本当に欲しいものがあれば、その必要を満たすだけの金を十分に持っているのでじっさいに買い、そのなかで分別のある人であれば、買わないですむなら要りもしないほかの商品を買ったりはしないだろう、と。ところが、わたしの周囲を見たところから判断するならば、彼らはその不必要なものを買わずにはいられないのです。一攫千金を競う市場の要求があまりにも苛酷で、また労働者を雇う必要があまりにも差し迫っているために、富裕層にしても自分の必要なものだけを購入し消費するというのではすまないように見えます。もっと言えば、多くの不要品を購入し消費するのが彼らの義務と化しています。虚飾と贅沢が彼らの習い性とならざるをえないのです。だから市場は、貧民の悲惨なくらしによっていつ枯渇してもおかしくないのに、金持ち連中の贅沢に奉仕することで活況を保っていられるのかもしれません。そして理解していただきたいのですが、ここでわたしが強く言いたいことは以下のとおりです。すなわち、製品はすべて消費されるはずだが、消費されたからといってそれが使われたという証明にはならない。使われるか無駄にされるかのどちらかであり、必要でないものなら使われるはずもなく、それは浪費でしかないのだと。

だから、ここで建築芸術への広範で真正な需要の可能性を考えるにあたり、われわれは最初からつぎのような困難に直面します。すなわち、芸術の作り手でなければならない労働者が、多くの場合（いや、たいていの場合と言いましょうか）その労働力を無駄なことに使われているという問題です。その使われ方は二通りあります。一方では、劣悪な商品の製造に使われています。労働者は劣悪な境遇に貶められているためにそうした粗悪品の需要を無理強いされている。そんな需要など本来あるべきではないのです。もう一方では、金持ち階級が使用のためでなく浪費のために買う商品の製造にも使われています。こちらにしてもそんな需要が本来あってはなりません。そしてこのふたつの不幸な偽（にせ）の需要は、これら両方の階級に強制されています。いずれもそうした偽の需要を強いるような境遇に否応なく置かれてしまっているからです。われわれの召使であるべき世界市場がわれわれの主人となり、かくあるべきだと定めているからです。だから、われわれがこれまで見てきたような建築芸術への広範で真正な需要は、手職人によってのみ生みだしうるものであり、現行の生産方式のもとでは創出できないのです。じっさい、いまの生産制度は、製品の大部分が手仕事であったとしたら立ちゆかなくなってしまうでしょう。

そうすると、われわれはつぎの結論を余儀なくされます。どんなにつましい作品であっても、芸術作品を作るには仕事じたいへの喜びと感興が欠かせません。その喜びと感興は労働者が仕事において自由である場合にのみ存在します。つまり健全な人間として自分自身の必要にかなうものを作っていると意識している場合にのみ喜びと感興がもたらされるのです。現行の工業生産の方式はそのように自由に働く人びとの存在を許容しません。彼らが自分や隣人たちのために自覚的にものづくりをしては困るのです。それにそうした自由な労働者の手になる製品を社会が求めることも禁じています。それゆえ、製品の作り手も使い手もその意思にもとづいて自由にものを作ることも求めることもできないので、本物の建築芸術を求めるためにぜひ努力いただきたいとみなさんに説いてきたのに、現行の生産方式のもとではそれを手に入れることはできず、手に入れたふりをすることで我慢しなければならないのです。これはわたしにはかなり残念ななりゆきに見えます。

生産様式の変革

では、このような恥辱をすすぐために、われわれになにができるでしょうか。われわれはくらしに光彩を与える装飾を望んでいるのであって、擬い物なんぞには満足できない、あるいはそんな代物は要らない、手に入れるつもりも毛頭ない――そう自由に言えるようになるには、どうしたらよいでしょう。

わたしの前提を受け入れてもらえるなら、実践的立場は明らかです。われわれは商品生産方式の変革を試みなければならないのです。また反対意見があるかもしれないので、あらかじめそれに答えておくならば、こう主張したからといって、なにもすべての機械の廃絶を目指せと言っているわけではありません。わたしがいま手でしている仕事で機械ですませたいものもあるし、いま機械にやらせているが手でやりたい仕事もある。要するに、いまわれわれは機械の奴隷になってしまっていますが、そうではなくわれわれが機械の主人となるべきなのです。われわれが廃棄したいと願っているのは、鋼鉄や真鍮でできたあれこれの有形の機械ではなく、商業的専制という無形の巨大機械のほうです。この機械こそがわれわれみなのくらしにずっしりと重くのしかかっています。さて、この商業主義に反抗しようとするのはきわめて価値のある企てだと思います。わたしの論点(テクスト)がなんであったか思い出していただきたい。そして、労働の必要という動機に、仕事それ自体への歓びと感興という動機を付け加えることがわれわれの狙いだというのもすでに述べたとおりです。わたしは美を愛する者ですし、そのためにはわが身を犠牲にしてもよいほどではありますが、わたしがここで求めているものは、世界のなかにもう少し多くの美を生み出すことではありません。人間のくらしというものこそを、わたしは強く求めているのです。あるいはこう言ってよければ、あのローマ詩人とともに、生きる理由［生きがい］というものを、求めているのです。[10] 毎日あくせく働かされ、ひたすら苦痛に満ちた労役の生活が際限なくつづくということのほかには、いかなる結果も望めない——そんなくらしが、われわれの文明のなかでは、ごく少数をのぞいてほとんどすべての人の運命となってしまっています。ここにお集まりのみなさんのなかには、このような日々の苦役の意味を理解できる方は、ごくわずかしかいないのではないでしょうか。なにしろこれがわかるためには、実地に経験してみるか、あるいは強い想像力を持ち合わせているか、どちらかしかないからです。それでも、理解できるように最善をつくしていただきたいのです。そしてさらに進んで、苦役を強いられる日々の望みなき時間を喜びのある仕事の日々に変えたときに、いかなる結果がもたらされるか、それもぜひ理解されたい。その変化が生じたとき、人の雄々しい活力が幸福なかたちで発揮されます。有用なものを作っているという確信によってその活力は光輝を発するのです。仲間たち、隣人たちのために尽くすことで彼らから称賛してもらえるという希望によって、明るく照らし出されるのです。たしかに、みなさんはこのことを真剣に考えてこられたわけなので、こうした変革をなしとげるためにはほとんどどんな犠牲を払うのにも値するということをもう一度認めていただかねばなりません。すでに何度も述べたことをまた繰り返すなら、もし世界が仕事で幸福になる希望がもてないなら、幸福になる希望など一切捨て去らねばなりません。

社会を鋳直（いなお）す

さらに言うならば、民衆芸術を真剣に考えている人びとの目的は、われわれがみずからの仕事の主人たるべきであるということであり、なにをもちたいか、またなにをしたいかを言えるようになるということです。その目的を達成するために払うべき代償は、平たく言えば、社会の鋳直（いなお）しです。というのは、これまでわたしが非難してきた機械的で専制的な生産方式は、われわれすべてが構成員となっている社会に深く編みこまれているので、その社会の原因とみなされることもあれば結果とみなされることもありますが、いずれにせよこの社会に不可欠なものとなっているからです。スラムの住人はなぜ獣同然のくらしを強いられているのか、農業労働者はなぜ飢えに苦しんでいるか――その原因を取りのぞくまでは、わが国の大都市のスラムを廃絶することはできませんし、村人が木々に囲まれた美しい家に住み、種蒔きと収穫の時期のあいまに自分の家や楽しい村の工房で目に心地よい仕事をする、などというのも無理な話です。社会にとっての本質的な諸条件はすべて、長い時代をへて成長してきたものではありますが、それらが一定の結果をもたらすことは必至であり、それはたんなる対症療法では対処できないのです。古代社会は動産奴隷（チャトル・スレイヴ）を不可欠なものとしてふくんでいました。中世社会には農奴（サーフ）が不可欠でした。現代社会の場合は雇い主のもとに置かれた責任能力のない賃金労働者が欠かせません。この賃金労働者は、雇い主への依存という条件の外側からの働きかけによる、この条件に従わない仕事をすることができないのです。手職人は自分の仕事に責任をもちますが、雇用主に従属する者は、雇用主に命じられた職務をはたすことのほかには、なんの責任ももてません。

　さて、人間の平等にもとづいた社会を意識的に再建していくよう奮闘しましょうとばかりわたしが言っているからといって、それ以外の道をなにも示せないと思われるといけないので、市民というよりもむしろ芸術家としてわれわれの手でできそうなことを少々述べておきましょう。独立して仕事をしている人びとの小集団があります。わたしがいま使ったばかりの名称、すなわち芸術家と呼ばれる連中のことです。彼らが孤立集団であるのは、独立した労働者を使うことのできない商業制度の結果であり、彼らが通常の商品生産と切り離されてしまっているということは、建築芸術が病んでいることの明確な外的証拠です。いずれにせよ彼らは独立した労働者として存在しています。彼らの地位の一風変わっているところは、彼らが社会全体のためにではなく、社会のごく一部分のために働いているという点にあります。その一握りの人びとは、彼ら芸術家たちがもっぱら自分たちだけに尽くしてくれるので、彼らに紳士（ジェントルマン）の地位を与えて報いてやっています。さて、われわれが社会の再建に手を貸さないのであれば、せいぜいできることは、この紳士にして労働者である集団と取引をすることぐらいしかないように、わたしには思えます。もっと広い観点から問題を見ないかぎりは、紳士の身分でない労働者に対してわれわれは手を届かせようがありませんが、芸術家たちに対してはつぎのような働きかけができます。すなわち、生活の芸術の製作は現在すべて商業制度下にある責任能力のない機械たち〔賃金労働者〕の手によっておこなわれているが、この生活の芸術に芸術家たちが関心をもつようにしむけること、そして芸術家として彼らがどんなに偉いのであっても、生活芸術の製作に参加すべきだと理解させること、これです。その一方で、いま機械にされている労働者たちは、どんなに劣っていようとも、芸術家となるべきです。また他方では、工場制度という固い粘土層の下に埋められて息も絶え絶えになっている責任感と自主独立精神を掘りおこし、営利企業の経営者に雇われている者たちのなかから芸術家を見つけだし、できれば彼らに、より直接的に社会のために働くことのできる機会を与え、よき職人なら当然だれもが望むような、芸術家仲間からの称賛と共感が得られるように努めてみたらよいでしょう。これがなしうる、実現できるとする考えは、けっしてわたしひとりだけのものではないのです。この考えを表明しながらわたしは、そんな試みがなされたらよいというただ漠然とした希望を語っているだけではなく、現にいま軌道に乗っている企図を代弁してもいます。光栄にもわたしは、ある小さくつつましい団体に加入させてもらっています。クレイン氏が会長を務めている〈アーツ・アンド・クラフツ〔展覧会〕協会〉という団体で、いわゆる「応用芸術（アプライド・アーツ）」の展覧会をロンドンで成功裏に終えたところです(11)。この展覧会はいま述べた目的を促進しようという明確な意図をもって実施されました。そんな〔応用芸術の〕仕事などつまらない、卑小であると思われる方もなかにはいらっしゃるかもしれません。どこかの大工業地区の法外な醜悪と汚穢に直面したばかりの方であったなら、なおさらその感を強くされるでしょう。あるいは世界の一大商業中心地の荒れ果てた地獄にかくも長く住んできたので、それが自分たちの生活に入り込んでいまや「慣れっこ」になってしまった、つまり悲惨な水準にまで貶められてしまった、そんな人だったらそう思うのは無理もありません。しかしこの仕事は少なくとも、なすに値するものです。建築芸術のなかにより良き時代のための生命の火花がまだ生きつづけていることを、それは意味しているからです。これがなければ建築芸術は、商業生産によって完全に消滅させられていたことでしょう。比較的最近までは、そんな災厄が本当に起こりそうな気配でした。しかし、わたしが思うに、このつましい仕事（レッサー・ワーク）は、われわれの妨げになるどころか、より広く深い問題にわれわれをかかわらせるでしょうし、〈平等な社会〉の実現にむけて最善を尽くすように導くことでしょう。すでに述べたように、この〈平等な社会〉は、真の職人精神（クラフツマンシップ）をものづくりの原則とするための唯一の条件となるでしょう。そうした仕事のかたちは、われわれ自身の活力の喜ばしい行使をともなうし、またわれわれの隣人たち、つまり人類全体がなしうること、希（こいねが）うことへの共感の念をふくみこむことになるでしょう。

（一八八八年）

(1)「メデイアの大釜」(the Medean caldron)。ギリシア神話の魔女メデイアはコルキス島の王女。アルゴー船を率いる英雄イアソンを助け、金羊毛を獲得させる。その後イオルコス王ペリアス(イアソンの叔父でイアソンの父の仇)を魔法で若返らせるとだまして、切り刻んで大釜に入れて殺す。ここでは衰退した古代世界が延命を図って「メデイアの大釜」に入るが結局滅びるという喩えで用いられている。なお、モリスは物語詩『イアソンの生と死』(*The Life and Death of Jason*, 1867)第十五歌のなかでこのエピソードを扱っている。

(2) ギルド(gild/guild)とはヨーロッパの中世に起こり、近代まで続いた都市の住民、キリスト教徒商人、手工業者の共同・同業組合組織。その組織、起源および目的においてはさまざまであるが、保護ギルド、宗教ギルド、商人・工芸ギルドに大別される。

(3)「手職人」の原語は、handicraftsman であるが、それが十九世紀イギリスでは manufacturer(おなじく「手で作る人」が原義だが「製造業者」「工場主」を表すようになった)という「正反対の意味」に「翻訳」されているとモリスは批判している。「小さな芸術」の訳注(5)を参照。

(4)〈黒死病〉(Black Death)は十四世紀にヨーロッパで流行したペストの英語での俗称。患者の皮膚が皮下出血のために黒ずんで見えるのが名前の由来。一三四六年クリミア半島の黒海沿岸で発生したのが最初の記録。シチリア、イタリアから一三五〇年までに全西欧に波及。総人口の四分の一から三分の一(約二千五百万人)が病死。その社会的・経済的影響についてはさまざまな見解があるが農民の離村と相まって農業労働者の不足と、賃金の高騰をもたらし、領主直営地の解体とその小作地化を促したと言われる。

(5) 百年戦争の初期にあたる一三三七年、ヘントのヤコブ・ファン・アルテフェルデ(Jacob van Artevelde, c. 1290–1345)を指導者とするフランドル都市連合は、経済的なつながりから親イングランドの立場にあり、親フランスのフランドル伯ルイ・ド・ヌヴェール(Louis de Nevers, 1304–46)に対して蜂起し、フランドル伯を追放、以後しばらくフランドルの繁栄を見た。十四世紀後半、フランドル伯ルイ二世（Louis de Male, 1330–84）がフランスの庇護のもと力を盛り返した際、フィリップ・ファン・アルテフェルデ（Philip van Artevelde, 1340–82）が父親のヤコブと同様にフランドルの指導者となり、再度蜂起したが、一三八二年にヘント近郊のローズベーケ（Roosebeke: Rozebeke）の戦いで敗れて戦死した。なお、この戦いについては、フランスの年代記作者ジャン・フロワサール（Jean Froissart, c.1337–c.1404）の『年代記』（*Chroniques*）の第二書で語られている。社会主義同盟の機関紙『コモンウィール』（*The Commonweal*）紙上で一八八八年に六回にわたって連載した「ヘントの反乱」（The Revolt of Ghent）で、モリスは『年代記』の当該の部分を長く引用して、この敗北に終わった中世の市民蜂起を彼がかかわっていた社会主義運動にとって大いに教訓となる闘争と捉えていたことが見てとれる。

（6） ケント（英国南東部）の農民ワット・タイラー（Watt Tyler, ?–1381）と司祭ジョン・ボール（John Ball, ?–1381）を指導者として、一三八一年六月に人頭税に反対し、圧政に抗議して農民たちが蜂起、中世の英国ではこれが最大の農民反乱となった。はじめ富裕層が中心となり、ロンドンを占領、マイル・エンド〔現在はロンドン市に組み込まれているが当時はエセックス州でロンドン市から東一マイルに位置した〕で国王リチャード二世（一三六七―一四〇〇年、英国王一三七七―九九年）と会見し、農奴制の廃止、叛徒の不処罰、取引の自由、定率定額地代などを要求したところ、王はその多くを保障する姿勢を示した。だがその後反乱の主体が貧農層に移り、各地で領主、地方役人を襲った。スミスフィールドでふたたび国王と会見、より急進的な要求を提出したが、交渉中タイラーが国王側の謀略によりロンドン市長によって殺害され、直後に反乱は鎮圧された。農民たちへの王の確約は反故にされた。この農民反乱を素材にしてモリスは物語『ジョン・ボールの夢』（*A Dream of John Ball*）を『コモンウィール』紙に一八八六年から翌年にかけて連載、一八八八年に単行本として刊行した。『ジョン・ボールの夢』（横山千晶訳、晶文社、二〇〇〇年）。

（7）ジャーニーマン（journeyman）は、一般に手工もしくはごく簡単な機械を操作して作業をする熟練工をいう。中世ヨーロッパのギルドでは、親方、職人、徒弟の三職階制がおこなわれていた。徒弟期間は二～七年と仕事によりかなり幅があったが、徒弟期間を終えた職人は各地を回りながら腕を磨き、親方による製品の審査を経て親方になるのが初期のギルドにおける通常のコースであった。だが十五世紀頃から、親方の世襲制により職人は親方に対する下請け的性格を持つようになった。モリスは「ジャーニーマン」という語をこのように変質した職人を示す語として用いている。

（8）階級概念としての「紳士」（gentleman）については「小さな芸術」の訳注（3）を参照。

（9）ワークハウス（workhouse）は通常「救貧院」と訳される。十六世紀初めに「救貧法（poor law）」が制定されて以来、イギリスではさまざまな改正がおこなわれたが、一八三四年に「新救貧法（救貧修正法）」が制定された。旧法では救貧院に収容できない貧民に対する援助もなされていたが、「新救貧法」では院外救援を禁止し、救貧院そのものも「劣等処遇の原則」により、労働者の最下層の生活水準以下に処遇を抑制した。その結果「ワークハウス」は「救貧院」＝救貧施設ではなく、「労役場」と化したのである。

（10）「あのローマ詩人」とはおそらくユウェナリスを指す。「生きる理由」とはこの詩人の「生きる理由（vivendi causas）を生存のために放棄することは言語同断であるぞ」という言葉をふまえている。ちなみにモリスはこの言葉を「生活の美」の冒頭のエピグラフにラテン語原文で引用している。本書「生活の美」八五頁および訳注（1）を参照。

（11）ウォルター・クレイン（Walter Crane, 1845–1915）やW・R・レサビー（W. R. Lethaby, 1857–1931）、C・F・A・ヴォイジー（C. F. A. Voysey, 1857–1941）らモリスの次世代でモリスの思想と実践に影響を受けた英国のデザイナーたちが一八八七年に集結してアーツ・アンド・クラフツ展覧会協会（the Arts and Crafts Exhibition Society）を組織、翌一八八八年秋にロンドンのニュー・ギャラリーで第一回展覧会を開催した。これがいわゆるアーツ・アンド・クラフツ運動の中心的な組織となった。クレインらがモリスに事前相談をしたときには彼はこの運動に懐疑的であったが、協会が立ち上がると展覧会にモリス商会の製品を出品したり、会場で講演をおこなったりするなど、協力を惜しまなかった。一九九一年にはクレインの後任として会長に就任、九六年に没するまでこの任にあった。

編者解題

本書に訳出した各講演について、書誌的な注を付す（ⅰに当該講演の日時、場所、主催団体などの情報、ⅱで初出文献ほかのデータ。ⅲ以下で主催団体や掲載文献についての初出文献についての補足説明、執筆時の著者の状況など、関連事項を記す）。

解題作成にあたっては以下の文献を参考にした。

Norman Kelvin, ed., *The Collected Letters of William Morris*, 4 vols., Princeton: Princeton University Press.
Eugene D. Lemire, ed., *The Unpublished Lectures of William Morris*, Detroit: Wayne State University Press, 1969.
Eugene Lemire, *A Bibliography of William Morris*, London: Oak Knoll Press and the British Library, 2006.
H. Buxton Forman, *The Books of William Morris Described with Some Account of His Doings in Literature and in the Allied Crafts*, London: Frank Hollings, 1897.
Nicholas Salmon with Derek Baker, *The William Morris Chronology*, Bristol: Thoemmes, 1996.

「小さな芸術（レッサー・アーツ）」The Lesser Arts

i　一八七七年十二月四日、ロンドン、カースル通り（オクスフォード通り近く）にある協同会館（Co-operative Institute）でおこなったトレイズ・ギルド・オヴ・ラーニング（the Trades Guild of Learning）主催の講演。講演時のタイトルは「装飾芸術」（The Decorative Arts）だった。

ii　文献初出は『建築家』（*The Architect*）の一八七七年十二月八日号（pp. 308–12）。これを改稿してパンフレット『装飾芸術――その現代生活および進歩との関係』（*The Decorative Arts: Their Relations to Modern Life and Progress*）をエリス・アンド・ホワイト社（Ellis and White）より一八七八年二月四日に刊行。一八八二年刊行の講演集『芸術への希望と不安』（*Hopes and Fears for Art*, London: Ellis and White, 1882; 3rd ed., 1883）に収録される際に「小さな芸術」（The Lesser Arts）と改題（pp. 1–37）。翻訳はこれを底本とした。メイ・モリス編のモリス著作集第二十二巻に収録（May Morris, ed. *The Collected Works of William Morris*, 24 vols, London: Longmans, Green, & Co., 1910–15, pp. 3–27. 以下「著作集」と略記）。

iii　トレイズ・ギルド・オヴ・ラーニングはロンドンの職工（オペラティヴ）たちの成人教育促進の場として一八七三年に社会改良家で聖職者のヘンリー・ソリー（Henry Solly, 1813–1901）や古典学者で実証主義者のG・C・W・ウォー（George Charles Winter Warr（1845–1901）らによって結成された。モリスもこの組織を支援し、評議員を務めている。

iv　これはモリスの生涯で最初の公的な場での講演だった。講演の前に緊張していたことは、事前に会場に出向いてチェックしていたことを伝える長女ジェニー宛の一八七七年十一月二十九日付の手紙から窺える。

ウォードル〔モリス商会の支配人〕と一緒に会場に行って、わたしの声が聞こえるかどうかたしかめるために、ロビンソン・クルーソーを読んで聞かせた。それでよく声が通るのがわかった。でも公の場で仲間たちに面と向かわなければならないことを思うと、どうしても多少はあがってしまうね。

講演後の十二月七日付のジェニー宛の手紙ではモリスはこう書いている。

金曜はとてもうまくいった。ぜんぜんあがらず、うまく聴いてもらえた。これを全部収録した『建築家』を送ります。だがこれは自分でまた出版するつもりでいる。

v　日本語の既訳としては以下がある。「装飾藝術に就て」ヰリアム・モリス『藝術の恐怖』大槻憲二訳、小西書店、一九二三年（一―六〇頁）。「装飾藝術と近代生活」ヰリアム・モリス『藝術のための希望と不安』大槻憲二訳、聚芳閣、一九二五年（上記『藝術の恐怖』の改訳版）（一―四六頁）。

「装飾芸術」ウィリアム・モリス『民衆のための芸術教育』(世界教育学全集63) 内藤史朗訳、明治図書、一九七一年(九—三七頁)。「小芸術」ウィリアム・モリス『素朴で平等な社会のために——ウィリアム・モリスが語る労働・芸術・社会・自然』城下真知子訳、せせらぎ出版、二〇一九年(一三—五一頁)。

「民衆の芸術」 The Art of the People

i　一八七九年二月十九日、バーミンガムのタウンホールでおこなったバーミンガム芸術協会・デザイン学校(The Birmingham Society of Arts and School of Design)主催の講演。講演時のタイトルは「民衆の芸術について」(On the Art of the People)だった。

ii　文献初出は『バーミンガム・デイリー・ポスト』(*The Birmingham Daily Post*)一八七九年二月二十日号(p. 5)。これはタイトルが見えず「会長演説」(Presidental Address)とだけ記されている。これが「民衆の芸術」というタイトルで二四頁のパンフレットとして同協会から一八七九年五月に刊行され、講演集『芸術への希望と不安』(一八八二年)に収録(pp. 38–70)。翻訳はこれを底本とした。著作集第二十二巻(pp. 38–56)。

iii　バーミンガム芸術協会・デザイン学校は、バーミンガム市内にデザイナー・教育者のサミュエル・ラインズ(Samuel Lines, 1778–1863)らによって一八〇九年に開設された写生画学校を前身とし、バーミンガムの事務弁護士ジョン・ウィルクス・アネット（John Wilkes Unett, 1770–1856）によって一八四三年に創設。モリスは一八七九年から翌八〇年まで二年間この会長を務め、年に一度の「プライズ・デイ」（デザイン学校の学業成績優秀者の表彰日）に講演をおこなった。その最初がこの「民衆の芸術」であり、翌年が「生活の美」であった。他にも何度か同校のために講演をおこなっている。

iv　一八七八年一月三十日付の宛先不明の手紙でモリスはこう書いている。

お声がけいただき光栄に存じます。数週間以内に講演をせよということでなければ、喜んでお引き受けいたします。なにしろいろいろと仕事が立て込んでおり、それを遅らせるわけにはいかないものですから。

おたくのようなたいへん重要で興味深い協会でなにかお役にたつことができるならば、どのような労を取っても報われると考える次第です。

これはバーミンガム芸術協会の議長であったジョン・ヘンリー・チェンバレン（John Henry Chamberlain, 1831–83）に宛てたものと推測できる。

v　日本語の既訳としては以下がある。「民衆の藝術」大槻憲二訳『藝術の恐怖』（六一―一一三頁）、『藝術のための希望と不安』（四七―八六頁）。「民衆藝術論」佐藤清訳『藝術論』（三一―七〇頁）。

「民衆の藝術」ウィリアム・モリス『民衆の芸術』中橋一夫訳、岩波書店（岩波文庫）、一九五三年（五—三七頁）。モリス『民衆のための芸術教育』（世界教育学全集63）内藤史朗訳、一九七一年（三八—六三頁）。「民衆の芸術」『素朴で平等な社会のために』城下真知子訳（五九—九三頁）。

「生活の美」The Beauty of Life

i　一八八〇年二月十九日、バーミンガムのタウンホールでおこなったバーミンガム芸術協会・デザイン学校主催の講演。講演時のタイトルは「労働と喜び対労働と悲しみ」(Labour and Pleasure *versus* Labour and Sorrow) だった。

ii　文献初出は一八八〇年五月頃同協会から刊行された同名のパンフレット。「生活の美」と改題して講演集『芸術への希望と不安』（一八八二年）に収録（pp. 71–113）。翻訳はこれを底本とした。著作集第二十二巻（pp. 51–80）。

iii　前年の「民衆の芸術」につづき、二年間務めたバーミンガム芸術協会・デザイン学校の会長として「プライズ・デイ」におこなった記念講演。

iv　文献初出となったパンフレットが出た際にモリスは母親（エマ・シェルトン・モリス）に一部送付している。母親宛の一八八〇年五月二十三日付の手紙にモリスはこう書いている（エマは一八〇五年五月二十四日生まれ）。

最愛の母上
お誕生日に際して、想像しうるかぎりの健康と幸福をお祈りします。たいした贈り物とは言えないかもしれませんが、お送りするものがあります。バーミンガムの人びとがわざわざわたしの講演を何部か大型紙で印刷してくれ、そのうち三部を送ってくれました。ですからこれは稀少なものになるでしょう。すでにわたしのほかの大型本を多くおもちなのですから、これも気に入っていただけるのではないでしょうか。お読みになったらお戻しください。母上のために美しい装丁をほどこしますので。お送りするまえにそうしたかったところですが、届いたばかりで間に合いませんでした。

v 日本語の既訳としては以下がある。「生活の美」大槻憲二訳『藝術の恐怖』(一一四―一八二頁)、『藝術のための希望と不安』(八七―一三八頁)。「人生美論」佐藤清訳『藝術論』(七一―一二〇頁)

「最善をつくすこと」 Making the Best of It

i 一八八〇年十一月十三日、ロンドン、アデルフィ、ジョン通りの芸術協会講堂でおこなったトレイズ・ギルド・オヴ・ラーニング(the Trades Guild of Learning)主催の講演。司会はキングズ・コレッジ（ロンドン）のヘイル教授（Professor Hale）が務め、講演時のタイトルは「室内装飾についての若干のヒント」（Some Hints on House Decoration）だった。おなじ講演を同年十二月八日にバーミンガムにてバーミンガム芸術家協会（the Birmingham Society of Artists）主催でおこなっている。

ii　講演要旨が『芸術家』（*The Artist*, Dec. 1880, p. 356）および『建築家』（*The Architect* (Nov. 20, 1880, p. 318）に掲載された。講演全体は「室内装飾についてのヒント」（Hints on House Decoration）というタイトルで『建築家』（*The Architect*, Dec. 18, 25, 1880, pp. 354–7, 400–2）に二回にわたり掲載。「最善をつくすこと」と改題して講演集『芸術への希望と不安』（一八八二年）に収録（pp. 114–68）。翻訳はこれを底本とした。著作集第二十二巻（pp. 81–118）。

iii　トレイズ・ギルド・オヴ・ラーニングについては「小さな芸術」の解題iiiを参照。バーミンガム芸術家協会は（前記のバーミンガム芸術協会・デザイン学校と同様に）バーミンガム市内に一八〇九年にサミュエル・ラインズらによって開設された写生画学校を前身とし、一八二一年に創設。当初は芸術教育を主要目的のひとつとしていたが、一八四三年にバーミンガム芸術協会・デザイン学校が別個の機関として設立されてから教育的役割はそちらに委譲され、展覧会企画に力点が置かれた。ヴィクトリア朝期にはラファエル前派運動およびアーツ・アンド・クラフツ運動との関連で影響力をもった。モリスがこの講演をおこなったときにはフレデリック・レイトン（Frederick Leighton, 1830–96）が会長を務めている。

iv　日本語の既訳としては以下がある。「最善への道」大槻憲二訳『藝術の恐怖』（一八三一二七八頁）。「善用論」佐藤清訳『藝術論』（一一一一一八六頁）

「文明における建築の展望」（The Prospects of Architecture in Civilization）

i　一八八一年三月十日、ロンドン、フィンズベリー・サーカスのロンドン協会（The London Institution）でおこなった同協会主催の講演。

ii　文献初出は講演集『芸術への希望と不安』（一八八二年）（pp. 169–217）。翻訳はこれを底本とした。著作集第二十二巻（pp. 119–52）。

iii　ロンドン協会（the London Institution）は一八〇六年にロンドンで設立された教育団体。オクスフォード大学とケンブリッジ大学への門戸を閉ざされていたキリスト教非国教会派のために高等教育を施す目的を有していたという点でロンドン大学に先鞭を付ける機関となった。一九一二年に役割を終えて解散。

iv　ロンドン協会で司書を務めていた古典学者E・W・B・ニコルソン（Edward Williams Byron Nicholson, 1849–1912）に宛てた一八八〇年八月六日付の手紙でモリスはつぎのように書いている。

ニコルソン様

わたしのほうこそお便りにお返事申さず失礼しました。じつは〔講演の依頼を〕お引き受けするかどうか決めかねて悩んでおったのです。結局、若干の懸念はありますが、お引き受けいたします。わたしには言うべきことがあるはずだと期待してのことです。つきましては、わたしの可能な候補日として最終日（三月十日）を押さえておいていただけますか。演題は「現代文明における建築の展望（について）」（(on) the Prospects of Architecture in Modern Civilisation）といったところでしょうか。支障なければこれでお願いします。この題名は諸芸術についてわたしが言うべきことを包括するものとなるでしょう。

v

日本語の既訳としては以下がある。「文明に於ける建築の前途」大槻憲二訳『藝術の恐怖』（二七九—三六三頁）、『藝術のための希望と不安』（一三九—二〇三頁）。

「生活の小芸術（レッサー・アーツ）」The Lesser Arts of Life

i

一八八二年一月二十三日、バーミンガムにてバーミンガム・ミッドランド協会（the Birmingham and Midlands Institute）主催による古建築物保護協会（the Society for the Protection of Ancient Buildings）の支援のための講演。講演時のタイトルは「生活のマイナー・アーツのいくつか」（Some of the Minor Arts of Life）だった。

ii　文献初出はJ・H・M・ロンドン編、W・B・リッチモンド、T・マイクルスウェイト、E・J・ポインター、ウィリアム・モリス『古建築物保護協会支援のための講演集』(W. B. Richmond, T. Michlethwaite, E. J. Poynter, and William Morris, *Lectures on Art Delivered in Support of the SPAB*, edited by J. H. M. London: Macmillan and Co., 1882, pp. 174–232. 翻訳はこれを底本とした。この講演集には「生活の小芸術」に加えて、「パターン・デザインの歴史」(The History of Pattern-designing) も収められている。以下に再録。William Morris, *Architecture, Industry and Wealth*, London: Longmans, Green, 1902, pp. 37–79. 著作集第二十二巻 (pp. 235–69)。

iii　バーミンガム・ミッドランド協会はバーミンガムで教育・学習の振興を目的として一八五四年に設立された団体。古建築物保護協会は歴史的建造物の破壊に反対し、それを保護する目的で一八七七年にモリスが中心となって結成した組織。当時盛んになされていた「修復」(restoration) を破壊行為とみなし反対の立場を取ったことから、「削り取り反対（アンティ・スクレイプ）」(Anti-Scrape) の異名をとった。

「芸術の目的」 The Aims of Art

i　一八八六年三月十四日に社会主義同盟 (the Socialist League) のハマスミス支部 (ロンドン) 主催でモリスのハマスミスの自宅 (ケルムスコット・ハウス) の講堂でなされた講演。

ii　文献初出は社会主義同盟の機関紙『コモンウィール』の事務局より刊行されたパンフレット

William Morris, *The Aims of Art*, London: Office of 'The Commonweal', 1887. 講演集『変革のきざし』(William Morris, *Signs of Change*, London: Reeves and Turner, 1888) に収録 (pp. 117–40)。翻訳はこれを底本とした。著作集第二十三巻 (pp. 81–97)。

iii　社会主義同盟は一八八四年暮れに設立された社会主義運動団体。モリスは創設メンバーの一人で、一八八五年に機関紙『コモンウィール』を創刊、九〇年まで編集、執筆、財政援助で中心的な役割を担った。

iv　モリスは一八七八年十月にロンドン西郊ハマスミスのテムズ河畔にある邸宅に転居。「ケルムスコット・ハウス」と名づけ、終生ここに住んだ。政治活動が活発化すると、家に併設された馬車小屋を講堂に改装し、ここで講演会を頻繁に開催した。

v　一八八六年三月十四日につづき、同年三月三十一日（於ロンドン、ハマスミス・リベラル・クラブ）、四月九日（於ダブリン、モールズワース・ホール。社会主義同盟ダブリン支部主催）、五月十六日（於バーミンガム、ザ・クレスント、バスカヴィル・ホール）、七月二日（於ロンドン、フィンベリー、サウス・プレイス・インスティテュート。フェビアン協会主催）でもこの講演をおこなっている。

vi　日本語の既訳としては以下がある。「藝術目的論」佐藤清訳『藝術論』（一―三〇頁）。「藝術の目的」ヰリアム・モリス『吾等如何に生くべきか』本間久雄訳、東京堂、一九二五年（六五―一一二頁）。「藝術の目的」中橋一夫訳『民衆の芸術』（三九―六二頁）。「芸術の目的」『素朴で平等な社会のために』城下真知子訳（一七七―二〇二頁）。

「芸術とその作り手」 Art and Its Producers

i　一八八八年十二月五日に全国芸術・産業応用芸術振興協会（National Association for the Advancement of Art and Its Application to Industry）の主催によりリヴァプールのロータンダ劇場（the Rotunda）でなされた講演。

ii　初出は同協会報 *Transactions of the National Association for the Advancement of Art and Its Application to Industry, Liverpool Meeting*, London, 1888, pp. 228–36. 翻訳はこれを底本とした。著作集第二十二巻（pp. 342–55）。

iii　全国芸術・産業応用芸術振興協会（NAAAI）は一八八七年に設立。その目的は「美術と応用芸術の繁栄に係る実際問題を議論するために連合王国の主要産業都市で順番に年次会議を開催すること」（'Objects of the Association,' in *Transactions*, 1888, p. viii）であった。会長は画家でロイヤル・アカデミー会長（当時）のフレデリック・レイトン、応用芸術部門の事務局長をウォルター・クレイン（Walter Crave, 1845–15）が務めた。このリヴァプールでの第一回のあと、第二回（一八八九年）がエディンバラで、第三回（一八九〇年）がバーミンガムで開催された。第二回会議でモリスはもうひとつの講演「今日のアーツ・アンド・クラフツ」（The Arts and Crafts Today）を一八八九年十月三十日におこなっている。

iv　マンチェスターから長女のジェニーに宛てた一八八八年十二月四日付の手紙のなかでモリスはつぎのように書いている。

今週はかなり忙しい。日曜午後はローリー氏の日曜協会で講演、そのあと晩にはＳＤＦ〔社会民主連盟〕の支部で話をしました。昨夜はかなり大勢の聴衆を相手に講演。今夜はブラックバーン、明日はリヴァプールで芸術会議、木曜日にロッチデイルで講演、それから金曜に帰ります。

これについて注記すると、一八八八年十二月二日（日）の午後にアンコーツ・レクリエイション委員会主催の会合で講演「未来の社会」（The Society of the Future）、その晩にマンチェスター民主クラブの集まりで「独占」（Monopoly）、十二月三日（月）にボールトンで「芸術と社会主義」（Art and Socialism）、十二月四日（火）にブラックバーンにて社会民主連盟ランカシャー評議会主催で「社会主義者が望むこと」（What Socialists Want）、十二月五日（水）にリヴァプールに移動して全国芸術・産業応用芸術振興協会の会議に出席して「芸術とその作り手」、十二月六日（木）にロッチデイルに赴きロッチデイル社会民主クラブ主催の会合で「独占」、十二月七日（金）に帰京と、モリスは過密なスケジュールで英国北部を講演のために回っていた。

編者あとがき

本書『小さな芸術』は、イギリス十九世紀の工芸家、詩人、社会主義者であるウィリアム・モリス（一八三四―一八九六年）による芸術と社会をめぐる講演およびエッセイから独自編集した「社会・芸術論集」（全三巻）の第一巻にあたる。本巻ではモリスが一八八二年に刊行した最初の講演集である『芸術への希望と不安――バーミンガム、ロンドン、ノッティンガムで一八七八年から一八八一年にかけてなされた五つの講演』[*]（*Hopes and Fears for Arts: Five Lectures Delivered in Birmingham, London, and Nottingham, 1878–1881*, London: Ellis & White, 1882）所収の全五篇に、一八七〇年代の終わりから一八八〇年代にかけて発表された芸術論三篇を加え、併せて八篇の講演を訳出した。モリス独特の用語である「小さな芸術（レッサー・アーツ）」（小芸術）がこのうち二篇の講演題名に入っているのみならず、他の講演

＊ モリスが講演集『芸術への希望と不安』に収録した最初の講演「レッサー・アーツ」を「装飾芸術」というタイトルでおこなったのは一八七七年十二月四日のことだったので（編者解題を参照）、副題の「一八七八年から一八八一年にかけてなされた五つの講演」のなかの「一八七八年から」は「一八七七年から」と訂正すべきだろう。これはモリスの勘違いであったと思われる。

も実質上「小さな芸術(レッサー・アーツ)」に深くかかわる内容であることから、本書のタイトルを『小さな芸術』とした。

本書の冒頭の「小さな芸術(レッサー・アーツ)」はモリスが生涯におこなった多くの講演のなかの最初のものにあたる。詳細は解題を参照していただきたいが、講演は一八七七年十二月四日、当初「装飾芸術」というタイトルでなされた。このときモリスは四十三歳、工芸家としては一八六一年に立ち上げたモリス・マーシャル・フォークナー商会を一八七五年にモリス単独責任のモリス商会に改組し、染色技法の研究の成果をテキスタイル製品に実用化するための研究に勢力を傾けていた。詩人としては一八六七年に刊行した『イアソンの生と死』および一八六八年から七〇年にかけて刊行した『地上の楽園』という長編物語詩が多くの読者を得て、英国内ではとくに後者の作品名が生前のモリスの代名詞になっていた。一八七六年には自身の最高作と自負する物語詩『ヴォルスング族のシグルズとニーブルング族の滅亡の物語』を上梓している。講演集『芸術への希望と不安』の初版本はタイトルページの著者名に『イアソンの生と死』『地上の楽園』の作者」と銘打たれている。

反戦運動と古建築物保護運動

装飾芸術工房の発足から十七年をへての最初の講演ということになるが、逆の言い方をするならばモリスは前半生において公の場での発言は控えていたということになる。一八七七年暮れの最初の講演はモリスの生涯における劃期を記すものだったといって過言ではない。これはその前年一八七六年に始まる彼の政治参加（コミットメント）と密接にかかわる活動であった。

第二次ディズレイリ保守党政権（一八七四―八〇年）下で英国の対ロシア関係が悪化して戦争の危機にいたった一八七六年十月、バルカン半島で残虐行為に及んだことが報じられたトルコ（ロシアと敵対関係にあった）を英国保守党政府が支援する姿勢を示した際に、自由党系の新聞『デイリー・ニューズ』にモリスは長文の抗議文を投稿した。いわゆる「東方問題」に自由党の急進派の立場から発言したのだった。その直後に「東方問題協会」の財務委員を務めるなど、ディズレイリ（Benjamin Disraeli, 1804–81）の外交政策に反対する自由党急進派の運動に積極的にかかわった。

これが初期の政治的活動となるが、翌一八七七年三月にモリスはもうひとつの公的な運動に着手する。古建築物保護協会の設立がそれである。ゴシック・リヴァイヴァルの建築家であるギルバート・スコット（George Gilbert Scott, 1811–78）らによって英国内の古建築物、とくに中世期ゴシック様式の教会堂を「修復」する動きが推進されていた。この「修復」（レストレイション）は特殊なイデオロギー性を帯びていた。すなわち、建築家たちが（初期英国式なり垂直式なりの）ゴシック様式を理想とし、その後の長い年月のあいだに加えられた別の様式の改修や付加部分を夾雑物とみなして、オリジナル（と信じる形態）に「復元」しようとする試みをおこなったのである。「修復」という聞こえのよい語の裏に、恣意的な破壊の要素が強くあることをモリスは看破し、それに警告を発し抗議をおこなった。「修復」を「削り取り（スクレイプ）」と同断とみなし、それに反対したのでこの組織は「アンティ・スクレイプ」というニックネームが冠せられた。主に英国内の古建築物の保護を訴えたが、ヴェネツィアのサン・マルコ大聖堂など、いくつかの国外の建築物に対しても修復反対の論陣を張った。

自由党との連携

以上のように、反戦運動と古建築物保護運動の両面で精力的に活動をおこなっていた時期にモリスは講演活動を開始したわけである。

彼の初期の政治活動は前述のように東方問題でのディズレイリ保守党政権の反ロシア強硬政策を批判する自由党系の運動に賛同するかたちで進められた。その運動のリーダーがグラッドストン(William Ewart Gladstone, 1809–98)だった。この政治家は一八六九年末に最初に政権を担った後、一八七四年の総選挙でディズレイリ率いる保守党に敗れてから、一度は党首を辞任し、議員在職のまま政界の第一線から身を引いていた。一八六七年の第二次選挙法改正で新たに選挙権を得た層(労働者階級の上層部をふくむ)を意識しての「トーリー民主主義」をディズレイリは内政面で展開したが、外交政策ではスエズ運河の買収(一八七五年)などの帝国主義強化の政策を進めた。東方問題の深刻化がグラッドストンを政治の表舞台にもどすことになった。ブルガリアでのトルコ軍による残虐行為とそれを容認する政府の姿勢を批判したパンフレット『ブルガリアの恐怖と東方問題』を刊行するなどして、グラッドストンはディズレイリの帝国主義政策の批判を先導した。モリスはこの動きに同調したわけである。一八七六年、モリスは自由党急進派の組織である全国自由主義同盟(ナショナル・リベラル・リーグ)に加入、財務委員を務めた。一八七七年五月にはパンフレット「英国の労働者たちに」と題するパンフレットを「正義を愛する者」という署名で発行し、ディズレイリの「不当な戦争」を激しく糾弾した。最初の講演「装飾芸術」から二週間後の一八七七年十二月十九日にはロンドンで東方問題協会の政治集会で最初のスピーチをした。同協会の代表のひとりとして国会議事堂に赴いて自由党議員に陳情するというロビー活動もこの時期にはおこなっている。

それまでのモリスを思いあわせると、一八七〇年代後半のこの豹変ぶりは印象的で、じっさい「『地上の楽園』の詩人」として彼を知る同時代の多くが意外に思ったようである。家族や親しい友人たちに自作の詩などを朗読するのは好んでいたものの、公的な場で不特定多数を相手に講演をしたり、新聞に投書したり、会議で議長を務めるといった仕事は避けていた。そもそも不特定多数を相手に話をするのは大の苦手だったと見受けられる。そうした苦手なことがらに取り組むというのは、染色や織物などの未知の工程を忍耐強くマスターしていった姿勢と相通じるところがある。

いや、むしろそのアナロジーはもっと深いつながりがある。装飾芸術の長年の実践が公的人物（パブリック・フィギュア）として芸術と政治をめぐる一連の講演活動に自身を進めていったと言えるからだ。モリスは装飾芸術工房を主宰し、その筆頭デザイナーであったが、長年の芸術の製作の経験が社会問題への意識を強めた。後に社会主義の同志となったアンドレアス・ショイ（Andreas Scheu, 1844–1927）に請われて書いた自身の略伝で、「わたしの歴史的研究と現代社会の俗物主義（フィリスティニズム）に対する実践的な闘いによって、わたしは確信せざるを得なかった。現行の商業主義と利益追求のシステムのもとでは芸術が真に生きて成長することは無理であると。この見解を発展させようと努めてきた」と述べている（一八八三年九月十五日付）。自身が大切に思う芸術が風前の灯であるという危機感、芸術と人のくらしを守るために、現行の政治体制を問わざるをえないことをモリスは認識した。それが東方問題への関与をきっかけとして、弾みがついて、一八八〇年代半ばにピークを迎える講演活動につながる。

自由党急進派から社会主義者へ

以上見たように、一八七〇年代後半から八〇年代始めまで、モリスは自由党の路線で運動を進めた。本書に収録した『芸術への希望と不安』の五本の講演と、一八八二年の講演「生活の小芸術（レッサー・アーツ）」を併せた六本は、政治的立場としてはグラッドストンの路線に同調する理想的反戦主義者・小イングランド主義者（リトル・イングランダー）として、その枠のなかでなされたものといえる。グラッドストンは「ミドロジアン・キャンペイン」をはじめ、反トルコ、反ディズレイリの運動が多くの共感を集めた結果、一八八〇年に政権の座に返り咲いた。一八八五年までつづく第二次グラッドストン政権である。しかしいざ政権に就くと、野党時代に主張していた平和主義、反帝国主義の方針をある程度曲げざるをえず、失望したモリスは自由党から次第に距離を置くようになり、一八八三年にハインドマン（Henry Mayers Hyndman, 1842–1921）率いる民主連盟に加盟、それは翌年に社会民主連盟と改称して社会主義政党の旗幟を鮮明に打ち出す。さらにハインドマンとの路線対立からモリスは一八八四年末にエリノア・マルクス（Eleanor Marx, 1855–98）やベルフォート・バックス（Belfort Bax, 1854–1926）らとともに社会民主連盟を脱退し、社会主義同盟を結成、モリスの講演活動がさらに活発化する。自身が社会主義者であるのを宣言したのが一八八三年十一月であった。したがって、本書の最後のふたつの講演「芸術の目的」(一八八六年)と「芸術とその作り手」(一八八八年)は社会主義同盟に所属していた時期の講演であり、それらにおいては初期の講演よりも政治体制への批判がいっそう踏みこんだものとなっていることが見てとれる。「芸術の目的」で「プロレタリア」という語を用いているのはそれをよく示している(三一四、三一七頁)。「社会主義者宣言」以後のモリス論調については、とくに第二巻『芸術と大地の美』に収録する論考の多くで本格的に展開されているのを読者に見ていただくことになるだろう。

芸術への「希望」と「不安」

本書に収めた初期の五つの講演が『芸術への希望と不安』(*Hopes and Fears for Art*)という題名で一八八二年に刊行されたことは先に述べた。東方問題に関して新聞への投書、抗議集会でのスピーチ、また「目覚めよ、ロンドンの衆よ」といった韻文をとおして政治的発言(と行動)を活発におこなう流れのなかで、芸術論を展開する講演活動に着手する。最初の講演は装飾芸術工房を立ち上げてから十六年をへている。マスター・クラフツマン(職人の親方)兼会社経営者としての自身の装飾芸術の長年の実践と研究を土台として、十九世紀後半の英国において、芸術は本来あるべきかたちで存続(あるいは復興)できるか、あるいは滅びる定めであるのか、その不安感あるいは恐怖感(fears)にせまられて公の場で、自分の性分に合わぬことと思いつつも、あえて語り始めたのだと言えよう。同時にそこにはモリスをモリスならしめている芸術への希望（hopes）も存在する。

芸術への「希望」と「不安」はこの題名だけでなく、本文中でもときおり対にして言及される。「文明の誕生とともに生まれ、文明の死によってのみ死滅する芸術の未来にはどのような希望と不安があるのか」「民衆の芸術」五一頁）。「〈建築〉の将来についての希望と不安がわれわれにつきまとい、逃れようもない」（「文明における建築の展望」一九六頁）。モリスの示すヴィクトリア朝後期の芸術の置かれた位置は深刻なものであるが、その不安にうちひしがれて絶望におちいるのではなく、聴衆にむけて危機的状況への自覚をうながし、「不満」をかきたてたうえで、ありうる解決の道に希望を託す。講演の多くがそのような希望への語りで終わっているのはモリスならではといえる。この希望はのちに『ユートピアだより』（一八九〇年）の未来図において十全なかたちで示されることになるだろう。

ジョージアーナ・バーン＝ジョーンズに宛てた一八八〇年十月十日付の手紙のなかでモリスはこう書いている。

十月にトレイズ・ギルド・オヴ・ラーニングにむけて三度目の講演〔「室内装飾についての若干のヒント」。講演集収録時に「最善をつくすこと」に改題〕をやります。それがわたしの秋の仕事になるでしょう。家を離れて静かな時間をもてるときに書きます。来年三月にロンドン協会で講演をする約束もしました。主題は現代文明における〈建築〉の展望について。これらに極力真剣に取り組むつもりです。このふたつを終えたら一冊の本にまとめようと考えています。この〔芸術という〕主題についてわたしが言わなければならないことを扱うからです。これは人が考えうるなかでもっとも重大な主題であるといまもわたしには思えます。人びとが静謐で、気高く、それゆえ幸福なくらしを得られるかどうかにかかわる問題にほかならないのですから。

短い文言のなかに「シリアス」という語が二度出てくる。デザイン製作や詩作に比べて講演原稿の執筆がモリスにとって楽しい営為であったかどうかは疑問の余地があるが、少なくとも芸術をめぐる諸問題についていま発言せずにはいられないという切迫感にうながされて講演活動にむかっていたことがわかる。

「小さな芸術（レッサー・アーツ）」という語の生成

そしてモリスが問題とする「芸術」は、ふつうの人びとの日常生活と密接にかかわる（べき）ものであった。「芸術」に相当する英語の「アート」(art) という語は歴史上かなり多層的で微妙な意味上の変化をとげてきた。端的に言えば、人間がみずからの生活に資するように、自然の素材に「加工」する行為、またその際に用いられる「技（術）」という意味の古層のうえに、近代にいたって、特殊な才能をもつ作者が「教養」のあるエリート層あるいは富裕層にむけて製作した「芸術」品を意味するようになった。「ファイン」（美しい）という形容辞を冠した「ファイン・アーツ」という英語句が（フランス語の「ボザール」beaux-arts の英訳語として）登場するのが、『オクスフォード英語辞典』に拠れば一七六八年であるというのは意味深長である。いわゆる産業革命の勃興期にあたり、また英国美術の最高の権威を誇る機関であるロイヤル・アカデミーの創設年（一七六八年）とほぼ重なるのもおそらく偶然ではない。

その頃には「アーティスト」と「アーティザン」の階層分化が拡大していた。一方で「アーティスト」が製作する絵画作品や彫刻作品、他方で「アーティザン」が手がける作陶や染色や機織といった日用に供される装飾芸術作品がある。モリスの見方ではその両者は古来補完し合っていたのだが、それが近代にいたって分離してしまった。両者の切断あるいは階層化は芸術総体にとって災いであった。前者をかれは「グレイター・アーツ」（greater arts）と呼び、後者を（「装飾芸術」と互換可能なことばとして）「レッサー・アーツ（より小さな芸術）」（lesser arts）と呼んだ。「レッサー」とは文字どおりには「より小さな」を意味する比較形容詞（little の二重比較級）であるが、絵画、彫刻（そしてモリスはそこに「建築」芸術も加える）といった「グレイター・アーツ」の基盤をなすものとしてとらえられている。この「レッサー・アーツ（小芸術）」＝装飾芸術こそが「芸術の偉大な母体」なのであり、「人はそれを用いて日常生活で身近な事物を美しくしようと多少なりとも不断の努力をおこなってきました。それはひとつの大きな主題であり、ひとつの重要な人間活動（インダストリー）であって、世界史の主要部分であるとともに、世界史を研究するためのもっとも有用な道具でもあるのです」

(「小さな芸術」一〇頁)。

そしてここでの「世界史」とは、王侯貴族、支配者の織りなす権力闘争の歴史ではなく、ものを作るアーティスト＝アーティザンとしての民衆の歴史であることが強調される。「芸術がなければ、われわれは多くの時代のことをろくに知らずにいたのではないでしょうか。歴史（と称されるもの）が王や戦士たちのことを記憶しているのは、彼らが破壊をおこなったからです。〈芸術〉は民衆を記憶している。創造をおこなったからです」(「民衆の芸術」五五頁)。

最初の講演「小さな芸術」は解題で述べたように、一八七七年十二月の発表時には「装飾芸術」というタイトルでなされ、翌年パンフレットとして活字化された際もその題で出されたが、一八八二年に『芸術への希望と不安』に収録する際に「小さな芸術」と改題された。「より小さな」という語の代入によって、逆説的にも、民衆の芸術の広大な沃野をより鮮明に示すことができる。これを狙っての改題であったと読むことができるだろう。

ラスキンに倣いて

モリスは自身の講演で語る内容は独自のものでなく、すでに先人が扱っているという考えをもっていた。とりわけ初期の講演でたびたび恩義をこうむっていることを公言しているのが批評家ジョン・ラスキン（John Ruskin, 1819–1900）の著作であった。なかでもモリスはラスキンの代表作のひとつ『ヴェネツィアの石』（一八五一―五三年）の第二巻第六章「ゴシックの本質」の章を特筆し、「この

〔労働における人の喜びという〕問題についてわたしが言うべきことは、彼の言葉の繰り返しにすぎません」（「小さな芸術（レッサー・アーツ）」一二頁）とか、「この主題についてわたしがいま述べていることの核心部分はすでに何十年も前にラスキン氏によって語られています」（「文明における建築の展望」二二四頁）と、たびたびラスキンの名を挙げて、この先人の仕事の重要性を説いている。『ヴェネツィアの石』の完結は一八五三年、モリスがオクスフォード大学エクセター・コレッジに入学した年であり、終生の友にして協働者となるバーン＝ジョーンズ（Edward Burne-Jones, 1833–98）らとともにこの時期に精読し、強い影響を受けた書物である。一八五五年夏のモリス（とバーン＝ジョーンズ）の聖職者から芸術家への進路変更をうながす影響源のひとつであったと見てよいだろう。ちなみに「ゴシックの本質」の章をモリスは一八九二年に自身のケルムスコット・プレスから刊行し、自身の序文で「これはこの著者によって書かれた最も重要な著作のひとつであり、将来、今世紀〔十九世紀〕の数少ない必要不可欠の言説のひとつとみなされるであろう」と述べている。

　たしかに「労働における人間の喜びの表現」（「民衆の芸術」六九頁）をこそ「本当の芸術」とみなすとらえ方は「ゴシックの本質」でのラスキンに強く依拠している。とはいえ、モリスの芸術論は装飾芸術の諸分野での実践経験をふまえて、ラスキンとはまたちがった語り口となっていることに注意したい。「最善をつくすこと」での室内装飾の詳細にわたる助言はモリス商会で顧客にどのような装飾計画の提案をしていたかを彷彿とさせる。ちなみにオスカー・ワイルド（Oscar Wilde, 1854–1900）は一八八二年に北米で巡回講演をおこなった際に講演「ハウス・ビューティフル」などでモリスの「生活の美」や「最善をつくすこと」を種本にして論を展開している（現在の基準から言うなら、講演のかなりの部分でモリスからほとんど「剽窃」している）。結果としてアメリカとカナダの各都市でワイルドはモリスのデザイン思想の普及活動をしたと言えなくもない。

モリスがマルクス（Karl Marx, 1818–83）の『資本論』第一巻をフランス語版で精読したのはおそらく一八八三年の上半期のことだった。ちょうどこの時期、社会主義的な論調を強めていくが、芸術（批判）をとおしての社会改革の提言の基礎理論は青年期にラスキンから得たものだといえ、その基礎部分はその後も変わらない。

講演集『芸術への希望と不安』が刊行された一八八二年には、マクマードウ（A. H. Mackmurdo, 1851–1942）らが工芸家集団センチュリー・ギルドを創設している。その後一八八四年にはレサビー（W. R. Lethaby, 1857–1931）らがアート・ワーカーズ・ギルドを、一八八八年にアシュビー（C. R. A. Ashbee, 1863–42）がギルド・オヴ・ハンディクラフトを立ち上げ、同年にはアーツ・アンド・クラフツ展がロンドンで開催された。これらの運動を総称してのアーツ・アンド・クラフツ運動（the Arts and Crafts Movement）を推進した後進のデザイナーたちにこの講演集はモリスの実作品とあわせて大いに刺激を与えるテキストとなった。

『芸術への希望と不安』の刊行から一四〇年を経たいま、モリスが語った芸術と労働、また自然をめぐる一連の議論は、いまを生きるわたしたちといかなる関わりをもつか。「わたしが理解する本当の芸術とは、労働における人間の喜びの表現であります」(「民衆の芸術」六九頁)という発言に集約されるモリスの「小さな芸術(レッサー・アーツ)」の思想は、彼の生きた時代の、彼の言う「世界市場(ワールド・マーケット)」(「芸術とその作り手」三三八頁)下に比べて格段に複雑化しグローバル化した現代の世界のなかで、いかなる意義を有するのか。モリスの多方面での仕事と生涯に注目するのは、それをいかにしてわたしたち自身のくらしと創造の糧とするかという問題と切り離せない。本書をいま世に問うのも、これをお読みの読者諸賢がモリスの言葉を日々の思考と実践に生かされることを願ってのことであると、最後に申し述べておく。

本書の刊行に際しては、月曜社の神林豊氏に当初の企画から本造りの最終段階までお世話になった。記して感謝申し上げる。

二〇二二年八月

川端康雄

サ行

タ行

索　引

＊数字のあとに f. または ff. とあるのは、それぞれ次頁、もしくは次頁以下複数ページにわたってその項目が出てくることを示す。また、ページが太字で記されているのはその項目について重点的に論じられている個所を示す。

ア行

カ行

ウィリアム・モリス　William Morris

1834–96年。イギリス・ヴィクトリア朝期の詩人・工芸家・社会主義運動家。民衆文化を基盤とした、総合芸術としての装飾という考えをつらぬき、その実践をひとつの運動として展開した。モリス商会での壁紙や織物の筆頭デザイナーとして、理想の書物をめざした活版印刷工房ケルムスコット・プレスの創設者として、また『ユートピアだより』の著者として広く知られる。他にも古建築物保護運動、アイスランド・サガの翻訳紹介、またファンタジー文学の先駆者としての創作など、多方面に強い影響をおよぼす仕事をはたした。

川端康雄（かわばた・やすお）

1955年横浜生まれ。日本女子大学名誉教授。英文学専攻。
著書：『オーウェル『一九八四年』——ディストピアを生き抜くために』（慶應義塾大学出版会、2022年）、『増補 オーウェルのマザー・グース』（岩波現代文庫、2021年）、『ジョージ・オーウェル——「人間らしさ」への讃歌』（岩波新書、2020年）、『ウィリアム・モリスの遺したもの——デザイン・社会主義・手しごと・文学』（岩波書店、2016年）、『葉蘭をめぐる冒険——イギリス文化・文学論』（みすず書房、2013年）。
訳書：モリス『ユートピアだより』（岩波文庫、2015年）、『理想の書物』（ちくま学芸文庫、2006年）、『世界のはての泉』（共訳・晶文社、2000年）、モリス、バックス『社会主義』（監訳・晶文社、2014年）、ラスキン『ゴシックの本質』（みすず書房、2011年）など。

小さな芸術

社会・芸術論集 I

著者 ウィリアム・モリス
編訳 川端康雄

二〇二三年一一月三〇日 第一刷発行
二〇二四年 八 月 一〇日 第二刷発行

発行者 神林豊
発行所 有限会社月曜社
〒一八二-〇〇〇六 東京都調布市西つつじヶ丘四-四七-三
電話〇三-三九三五-〇五一五（営業）〇四二-四八一-二五五七（編集）
ファクス〇四二-四八一-二五六一
http://getsuyosha.jp/

装幀 重実生哉
印刷・製本 モリモト印刷株式会社

ISBN978-4-86503-151-5